임지현은 하버드 대학의 스벤 베커트 및 괴팅겐 대학의 도미닉 작센마이어가 조직한 'Global History, Globally', 컬럼비아 대학 캐롤 글룩의 'Transnational Memory Project' 멤버로 계속 활동하고 있으며, 보훔 대학의 유서 깊은 사회운동사 연구소에서 간행하는 Palgrave History of Social Movement 총서, 동 연구소의 기관지인 Moving the Social: Journal of Social History and the History of Social Movements, 폴란드의 역사/정치학 잡지인 Annales Universitatis Paedagogicae Cracoviensis: Studia Politologica 등의 편집위원을 맡고 있다. 또한 2010년 트랜스내셔널한 기구로 출범한 '트랜스내셔널 인문학 비행대학(Flying University of Transnational Humanities)'의 창립자로 현재 서강대학, 라이프치히 대학, 피츠버그 대학, 탐페레 대학, 대만 교통대학, 코넬 대학의 대표자들로 구성된 운영위원회 위원장을 맡고 있다.

임지현은 2015년 중국 제남에서 열린 '글로벌 월드 히스토리 국제 네트워크 (NOGWHISTO: Network of Global and World History Organizations)' 이사회에서 회장으로 선출되어 5년 임기를 개시했다. 일국사의 경계를 넘어 글로벌한 관점에서의 역사를 지향하는 '글로벌 월드 히스토리 국제 네트워크'는 라이프치히에 사무국을 두고 있으며 미국의 World History Association, 아시아의 Asian Association of World History, 유럽의 European Network in Universal and Global History 외에 아프리카, 라틴아메리카의 글로벌 히스토리 연구단체들이 회원으로 가입되어 있는 가장 큰 글로벌 히스토리 연구자 네트워크이다. 이 외에도 세계에서 가장 큰 역사가 단체로 백 년이 넘는 전통을 자랑하는 International Congress of Historical Sciences의 이사이자 보스턴에 본부가 있는 Toynbee Prize Foundation의 이사로 있다.

역사를 어떻게 할 것인가

어느 사학자의 에고 히스토리

임지현 지음

소나무

역사를 어떻게 할 것인가

어느 사학자의 에고 히스토리

초판 발행일 | 2016년 12월 15일

지은이 | 임지현
펴낸이 | 유재현
책임편집 | 강주한
마케팅 | 유현조
디자인 | 박정미
인쇄 · 제본 | 영신사
종이 | 한서지업사

펴낸 곳 | 소나무
등록 | 1987년 12월 12일 제2013-000063호
주소 | 412-190 경기도 고양시 덕양구 대덕로 86번길 85(현천동 121-6)
전화 | 02-375-5784
팩스 | 02-375-5789
전자우편 | sonamoopub@empas.com
전자집 | blog.naver.com/sonamoopub1

책값 18,000원
ⓒ 임지현, 2016
ISBN 978-89-7139-098-6 03900

이 도서의 국립중앙도서관 출판예정도서목록(CIP)은 서지정보유통지원시스템 홈페이지(http://seoji.nl.go.kr)와 국가
자료공동목록시스템(http://www.nl.go.kr/kolisnet)에서 이용하실 수 있습니다. (CIP제어번호: CIP2016027286)

역사를 어떻게 할 것인가

어느 사학자의 에고 히스토리

글 싣는 순서

_5

2016년 3월, 크라쿠프 구시가 바가텔라 극장 맞은편의 서점 앞에서. "우리는 모두 죽은 자들을 읽는다"는 고전 세일 문구가 흥미롭다.

나를 만든 역사, 내가 만든 역사

이 책은 한반도에서 태어나 격동의 시대를 껴안고 공부하며 30년 넘게 인문학 연구자 및 교수로 살아온 내 자신에 대한 인류학적 보고서이다. 자기 자신을 관찰 대상으로 삼았다는 점에서 여느 인류학 보고서와는 다를지 모르겠다. 그러나 내 자아 역시 역사적 구성물이다. 죽은 자들의 무게가 내 머리를 짓누르고 있을 뿐 아니라, 동시대 수많은 역사적 행위자들의 삶과 내 삶이 이미 떼려야 뗄 수 없게 엉켜 있다. '에고 히스토리ego-history'라는 게 내가 쓴 내 자신의 역사에 불과하지만, 한국 현대사와 전후 세계사라는 복합적인 역사의 의미망 속에 집어넣어야만 이해할 수 있는 것도 이 때문이다. 모든 에고 히스토리는 서술 주체와 서술 대상이 동시대의 역사적 지도 위에 남긴 궤적을 추적하는 동시대사이다.

나의 에고 히스토리는 먼저 임지현이라는 한 역사가가 역사적 행위자로서 어떻게 역사 지식의 생산과 소비, 유통에 참여해 왔는가에 대한 지성사적 고찰을 요구한다. 실존의 차원을 넘어 '나'라는 지식노동자의 사회적 존재 양식에 대한 지식사회학적 분석도 필수불가결하다. 이 책에서 지향하는 에고 히스토리는, 내가 만든 역사에 대한 성찰과 나를 만든 역사에 대한 분석이 씨줄과 날줄로 얽혀 있는 역사이다. 에고 히스토리에서 주목하는 역사는 과거완료형이기보다는 현재진행형이다. 그것은 완성된 생산물이 아니라 끊임없이 만들어지는 생산 과정으로서의 역사이다. 생산 과정으로서의 역사를 물을 때, 나는 왜 그 특정한 순간에 개입해 그런 식의 역사를 만들었으며, 내 안의 역사 생산 과정에 개입한 내 밖의 역사는 무엇인가 하는 질문들과 맞닥뜨린다. 이 질문들은 이 책을 끌어가는 동력이기도 하다.

"신조차도 일어난 일을 바꿀 수는 없다"는 말은 영국 팝가수 샬롯 처치Charlotte Church의 노래에까지 나온다. 맞는 말이다. 그런데 역사가들은 불경스럽게도 신조차 못했던 과거를 바꾸는 일을 직업적으로 한다. 이에 얽힌 구소련의 농담 하나. 아르메니아의 라디오 시사프로에 한 청취자가 전화를 걸어 물었다. "미래를 예측하는 게 가능한가요?" 방송 진행자는 서슴없이 답했다. "물론입니다. 변증법적 유물론에 따라 인류 사회의 과학적 발전 법칙을 꿰고 있는 우리는 미래가 어떻지 정확히 알고 있습니다." 그런데 그 다음 말이 더 걸작이다. "문제는 과겁니다. 과거는 끊임없이 변하기 때문에 도무지 예측이 불가능합니다." 혁명의 순교자와 배교자, 인민 영웅과 인민의 적, 위대한 지도자와 제국주의 스파이가 하루아침에 자리를 맞바꾸는 광경에 익숙한 소련 인민들에게 역사는 도무지 예측 불가능한 불가사의였을 것이다.

과거를 예측할 수 없기는 숨 가쁘게 20세기를 달려온 대부분의 한국인들도 마찬가지이다. 한국 근현대사를 신미양요부터 시작하여 김일성의 가족사로 환원시킨 북한의 당 역사학은 구제불능이라 치고, 광복절을 건국절로 바꾸어야 한다거나 전근대적 권위주의자 이승만 대통령의 성인전 바람을 보면 남한의 역사학이 만드는 과거도 도무지 예측 불가능하다. 구시대의 유물인 국정교과서를 다시 도입하고 자학사관에서 벗어나 대한민국의 자부심을 찾겠다는 이들이 새로 만들려는 과거는 불안하기 짝이 없다. 한사군과 동북공정, 임나일본부 등 고대사부터 일본군 위안부와 남경대학살에 이르기까지 여전히 첨예한 기억과 역사 전쟁을 치르고 있는 동아시아의 역사가들이 만들고 있는 과거도 위태위태하기는 마찬가지다. '비판적 성찰'이 이들에게는 '자학'이 되고, 국가의 폭력이 자부심이 된다.

자신들이야말로 바로 전범이었다는 구 유고슬라비아 역사가들이 자기비판은 이 점에서 눈여겨볼 만하다. 내전이 끝나고 자신의 아이들이 배우는 역사교과서를 본 그들은 경악했다. '자학사관'을 배격하고 민족의 영광스러운 과거만을 배운 아이들이 이웃 민족을 증오하고 인종 청소의 주역이 된 것은 자연스러운 귀결이었다. 동아시아의 역사가들이 구 유고슬라비아의 역사가들보다 낫다고 생각할 이유는 어디에도 없다. 이웃과의 평화 공존 대신 편협한 자국중심주의를 정당화하고, 평화 공존보다는 대결을 유도하고, 자기 성찰적이기보다는 상대에게 모든 책임을 전가하는 역사 지식의 생산 과정에는 유감스럽게도 직업적 역사가들이 깊이 개입되어 있다. 비판적 역사가들이라고 해서 이 책임에서 자유로운 것은 아니다. 찬성하든 반대하든, 적극적이든 소극적이든, 긍정적이든 부정적이든 역사가라면 모두 과거에 대한 지식의 생산과 유통 과정에 참여하고 있는 것이다.

이 책을 쓰는 내내, 나 자신도 다른 동료 역사가들과 더불어 공범의 책임에서 벗어날 수 없다는 자책에서 벗어나기 어려웠다. 현재 동아시아에 지배적인 역사 지식의 생산·유통·소비 양식을 그대로 둔 채 비판적 목소리를 냈다는 사실에서 위안만 찾는다면, 그 역시 공범인 것이다. 역사 지식의 생산 양식을 넘어서 유통과 소비 양식에 주목하는 '퍼블릭 히스토리public history'에 대한 최근의 관심은 나름대로의 해결책이지만 이제야 겨우 첫발을 뗐을 뿐이다. 같은 맥락에서 2015년부터는 역사가이면서 '기억 활동가(memory activist)'라는 자기소개를 시작했는데, 아직은 이름값을 못하고 있다. 이 책 역시 한 기억 활동가가 쓴 퍼블릭 히스토리의 하나라고 기억된다면 좋겠다. 동아시아를 지배하는 지식의 생산·유통·소비 양식을 혁신하고자 하는 동시대인들과 고민을 나누는 계기가 되었으면 하는 바람도 있다.

그런데 이 책을 쓴 원래의 의도는 다른 데 있다. 나는 이 책이 걷잡을 수 없이 무너진 한국 인문학의 지식 생태계를 복원하는 논의의 계기가 되었으면 하는 마음으로 쓰기 시작했다. 2011년 가을 파리의 '철학 꼴레쥬'에서 발리바르Etienne Balibar가 주관한 작은 세미나에서 팔레스타인 출신의 한 사회학자가 이런 말을 한 게 기억에 새롭다: "publish locally and perish internationally, or publish internationally and perish locally." 이 촌철살인의 비유는 모국어로 출판하면 국제적으로 영향력이 없고, 영어로만 출판하면 국내 독자들이 읽지 못하는 비영어권 혹은 비서구권 학회의 딜레마를 극적으로 드러내 준다. 지금 한국의 학계는 이런 딜레마를 느낄 새도 없이 관민 합동으로 영어 출판을 밀어붙이고 그 대가로 한국의 인문학은 자기가 뿌리내리고 있는 사회로부터 스스로를 소외시키고 있는 상황이다. 외양만을 보면 인문학은 계속 성장해 왔지만, 자기 사회에서 인문학의 위상은 갈수록 왜소해지는 모순적 상황에 직면하게 된 것이다.

특히 이른바 A&HCI 혹은 SSCI 인덱스 저널에 대한 집착은 한국 인문학의 서양 콤플렉스를 단적으로 드러내 준다. 여기에 출판된 논문들은 대개 한국어와 한국 문학, 한국 역사, 한국 사회 등에 대한 경험연구들이 많은데 이들은 독자적이고 새로운 이론을 제시하기보다는 한국의 경험연구를 통해 서구에서 만든 이론의 현실 정합성을 뒷받침하는 용도로 쓰이는 경우가 많다. 서구의 이론 밑에 비서구의 경험연구가 종속적으로 결합하는 서구 중심적 학문의 분업 체계를 한국 학계가 자발적으로 확대재생산하는 꼴이다. 지식 대중이 접근하기 어려운 외국어 글쓰기로 인문학 연구를 자기 사회로부터 소외시킬뿐더러, 한국 인문학의 학문적 수월성을 확보하기보다는 학문의 불평등한 국제적 분업 체제를 강화시키는 결과를 낳는다면 곤란한 것이다.

실제로 인문학 연구에서 학문적 수월성과 사회적 실천성은 모순되지 않는다. 오히려 같이 간다고 보는 것이 옳다. 물론 그 둘이 건강한 긴장관계를 유지하면서 시너지 효과를 내기 위해서는 몇 가지 전제가 있다. 내 경험에 비추어 볼 때, 가장 먼저 요구되는 것은 자기 사회에 대한 고민을 국제 학계에서 인정할 수 있는 독창적 이론으로 발전시킬 수 있는 추상적 이론화의 능력을 제고하는 길이다. 이를 위해서는 한국의 고유한 경험을 특수화시키는 대신 글로벌한 맥락에 놓고 볼 수 있는 세계사적인 안목과 정치한 이론, 그리고 그것을 감당할 수 있는 다중언어 능력이 전제되어야 한다. 베버가 '직업으로서의 학문'에서 역설했듯이 단단한 경험연구를 생산할 수 있는 학문적 성실성과 능력은 기본으로 하되, 그 바탕 위에서 도출된 자기 사회의 문제를 글로벌한 맥락에 놓고 이론화할 수 있는 길을 고민할 수 있어야 한다.

한국의 인문학이 자기 사회와의 소통 통로를 다시 뚫고 국제 학계에 대해 독자적인 이론을 제시하는 지적 수월성을 확보하려면 먼저 침몰 직전의 한국 대학원의 인문학 교육 과정을 정상화하는 것이 절실하다. 미국 학위를 학문적 피라미드의 정점에 놓고 그 밑에 기타 서유럽과 일본 등의 학위를 배치하고 한국의 박사학위를 맨 아래 놓는 '극장의 우상'을 벗어나지 못한다면, 한국의 인문학은 여전히 서구에서 생산된 패러다임을 한국이라는 공방에서 가공하는 하청업자의 지위를 벗어나기 어려울 것이다. 동료 연구자들의 업적보다는 서구 학자들의 업적을 각주와 참고문헌으로 제시하는 오랜 관행은 하청업자들의 고유한 특징이다. 이들의 집단심성에서는 하버마스에게 한국 통일의 전망을 묻고 한국 민족주의의 특수성을 홉스봄에게서 인정받는 게 당연하고 또 중요하다.

그렇다고 오랜 기간 축적된 서구의 정치한 이론에 도전하는 대신 한국의 특수성을 무기로 민족주의적 자기 방어벽을 치는 것도 결코 대안은 아니다. 학계는 이미 글로벌한 공공영역이 된 지 오래인데, 자기만의 울타리에 갇혀 민족주의로부터 정서적 위안을 구하려 한다면 그 학문의 미래는 없다. 구미 유학파들 사이에서 더 강고한 민족주의적 방어벽이 발견되는 것은 이미 비극을 넘어 희극 수준이다. 학문적 수월성과 실천성의 건강한 긴장관계를 유지하려는 문제의식, 한국의 고유한 역사적 경험을 글로벌 히스토리의 경험과 부딪치게 할 수 있는 전 지구적 안목, 그리고 양자가 부딪칠 때 생기는 역사적 균열을 이론적으로 체계화할 수 있는 연구 능력 등을 같이 갖출 때 한국 인문학계는 성큼 한 걸음 더 나아갈 것이다. 나의 역사 공부를 되돌아보는 이 책이 21세기의 한국 인문학 "무엇을 어떻게 할 것인가"에 대한 논의의 물꼬를 틀 수 있다면 더 이상의 바람이 없겠다.

나의 에고 히스토리가 동시대사라 할 때, 그것은 곧 같은 시대를 살아온 무수한 사람들에게 진 빚의 역사라는 의미이기도 하다. 이 책에서 언급한 친구와 적들, 선학과 후학들, 스승과 제자들, 친지와 가족들 모두에게 진심으로 감사드린다. 책 말미의 짧지 않은 인명 색인은 내 감사 목록과 거의 일치한다. 내 삶 속에 들어왔던 모든 역사적 동시대인들을 책에서는 미처 다 언급하지 못했다. 기억을 못해서라기보다는 간결한 스토리 전개를 위해 많은 기억들을 지워야 했기 때문이다. 미처 언급하지 못한 이 모든 이들에게도 깊이 감사드린다. 나를 키운 건 8할이 그들이고 2할이 바람이다.

실례일지 모르지만, 본문에 나온 사람들 가운데도 몇몇은 다시 언급하고 싶다. 내 할아버지 임원근, 그를 생각하면 아직도 가슴이 서늘하다. 정작 조국이 해방되자 이념과 역사를 술잔 속에 묻어 버려야 했던 할아버지가 가졌을 상념에 대해서는 상상만 할 뿐이지만, 그것도 20세기사의 수수께끼를 푸는 고리라는 게 내 생각이다. 할아버지의 '내적 망명'에 동참한다는 생각은 그 생각만으로도 내 역사적 상상력의 한 원천이었다. 미욱한 제자 때문에 늘 노심초사했던 지도교수 차하순 선생과 서양사의 길현모, 이보형, 진모덕 선생, 이기백 선생 등 서강 사학과의 은사님들 덕분에 '역사하다'라는 동사를 깨우치게 됐다. 서강의 대학원에서 서양사 박사과정을 같이 보낸 조승래, 이종훈, 곽차섭, 김용우 등 선후배 동료들의 지적 자극과 따뜻한 우정이 없었다면 역사하기가 훨씬 어려웠을 것이다.

10여 년 전 제프 일리의 독특한 자서전 『삐뚤빼뚤한 길(A Crooked Line)』을 소개해 주고는 에고 히스토리를 쓰도록 격려하고 자극을 준 알프 뤼트케에게도 감사한다. 이 책은 그의 제안에서 비롯되었다. 올해 백수를 맞은 바르샤바의 유대계 마르크스주의 역사가 얀 칸체비츠와 크라쿠프의 민주사회주의자 미하우 실리바에게는 뜨거운 감사를 보낸다. 덕분에 폴란드 역사 속으로 쉽게 들어갈 수 있었다. 트랜스내셔널 동아시아를 같이 고민했던 사카이 나오키, 캐롤 글룩, 다카시 후지타니. '동아시아 역사포럼'의 이성시, 박환무, 고지마 기요시, 이타가키 류타, 윤해동, 도면회, 이와사키 미노루. 그리고 카렌 페트로네, 마이클 쉔할스, 폴 코너, 콘라드 야라우쉬, 마이클 김, 김용우, 황보영조, 찰스 암스트롱, 미하엘 빌트, 이브 로젠하프트 등 대중독재 베테랑들과 트랜스내셔널 히스토리의 길동무들인 마이클 가이어, 스테판 버거, 도미닉 작센마이어, 마티아스 미델, 스벤 베케르트. 또한 패트릭 매닝, 조이스 류, 프랑크 하들러, 페르티 하팔라를 비롯한 트랜스내셔널 비행대학의 운영위원들. 이들은 모두 국제 역사학계가 글로벌 공공영역의 하나임을 우정으로 보여주었다.

세기말에 만나 새로운 문제의식을 같이 벼렸던 『당대비평』의 문부식, 김은실, 권혁범, 김진호, 손경목과 김상현, 박선주, 오경환, 홍성희, 박주연, 이성단 등 한양대와 서강대 트랜스내셔널 인문학 연구팀의 소장 연구자들과 행정팀. 최문형, 고 정창렬, 임상우 선생을 비롯한 한양 및 서강대학교 사학과의 선후배 동료 교수들. 공부보다는 논쟁에 더 열심이었던 한양과 서강의 내 학생들. 정치의 현실주의가 이념의 낭만주의를 이긴다는 그 평범한 사실을 끝까지 부정하려고 했던 김선택, 박환무, 고 반형광, 김세걸 등 20대의 길동무들. 내 에고 히스토리에는 이 모든 벗들의 에고도 깊이 개입되어 있다. 이들 모두에게 뒤늦은 감사를 보낸다. 『민족주의는 반역이다』, 『적대적 공범자』들에 이어 다시 이 책의 산파 역할을 자임하고 참을성 있게 기다려 준 소나무의 유재현 형한테는 다시 고맙고도 미안하다. 책의 마무리 단계에서는 강주한 소나무 편집장의 노고가 컸다.

마지막으로 가장 큰 감사는 성혜영이 받아 마땅하다. 성혜영이 아니었다면 아마도 학문의 길을 밟지 않았을 것이다. 설혹 밟았다 해도 여기까지 못 왔을 것이다. 혹여 여기까지 왔다 해도 모든 게 성치 않았을 것이다. 나의 에고 히스토리가 그저 옆에 사는 타인의 역사로

만 비추어지지 않는다면 좋겠다. 대학에 진학하면서 단호하게 역사에 등을 돌림으로써 나의 역사 공부가 '반면교사'였음을 일깨워 준 딸들에게는 나 자신을 알게 해주어 고맙다고나 해야 할까. 피투성이의 포복으로 헐떡거리며 지금까지 버텨 준 내 자신에게도 고마운 건가. 잘 모르겠다. 딸들에게나 나에게나 둘 다, 안 하는 게 맞을 것이다. 다른 사람들처럼 그들도 그저 자기 길을 걷고 있을 뿐이다.

0

1990년 바르샤바 겨울

Doing
History

마침내 바르샤바였다. 홍콩과 런던을 거쳐 24시간이 넘는 긴 비행 끝에 겨우 도착한 바르샤바의 겨울은 음울한 잿빛이었다. 바르샤바는 비행기 창밖으로 어슴푸레 희끗희끗 눈발을 날리며 그렇게 우중충한 회색으로 다가왔다. 때 이른 일몰의 몽환적 분위기 때문만은 아니었을 것이다. 처음 만나는 도시의 색깔은 시각적이기보다는 심리적이다. 도시의 색깔은 눈으로 보는 게 아니라 몸으로 느끼는 것이다. 불친절한 카키색 제복과 부산한 발자국 소리, 강한 자음끼리 부딪쳐 만드는 거친 불협화음의 낯선 발음들, 1980년대 한국 지방 소도시의 여느 시외버스 터미널처럼 어수선한 촌스러움, 불안을 감추려는 듯 무심한 얼굴의 여행자들과 반가움을 숨기지 못하는 환영객들이 엇갈리는 대합실의 우울…… 이 모든 장면들이 무채색으로 두텁게 덧칠을 한 레핀Ilya Repin의 어두운 유화처럼 혹은 소리 없는 흑백 활동사진의 부조리한 초현실주의처럼 다가왔다.

마르크스-엥겔스와 민족문제를 다룬 박사논문의 후속 작업으로 나는 세기말 폴란드 마르크스주의자들의 민족문제 논쟁을 새로운 연구 주제로 잡았다. 더 구체적으로는 '폴란드왕국 및 리투아니아 사회민주당(SDKPiL)'의 프롤레타리아 국제주의 노선과 '폴란드 사회당

(PPS)'의 사회애국주의 노선 사이의 민족문제 논쟁이 주제였다. '마르크스 이후 최고의 두뇌'라고 레닌이 극찬했던 로자 룩셈부르크Rosa Luxemburg를 제외하면 이 논쟁에 참가한 폴란드 이론가들은 별로 알려지지 않았다. 폴란드어라는 변방적 언어가 큰 이유겠지만, 계급문제가 압도적인 세기말 유럽의 사회주의 운동사에서 민족문제 논쟁은 폴란드의 특수한 상황으로 치부된 면도 크다. 그런데 이 논쟁은 여러 면에서 1980년대 중반 한국에서 전개된 NL-PD 논쟁을 연상케 했다. 물론 역사적 세팅이 다르고 논쟁의 구체적인 쟁점들도 달랐지만, 민족모순과 계급모순, 민족통일과 사회혁명이라는 이분법적 구도와 사회적 문법은 놀라울 정도로 유사했다. 바르샤바에 첫발을 디딘 이유이다.

서울에 있을 때, 영국에 우편 주문으로 산 폴란드 문법책을 뒤적이긴 했지만 폴란드어는 생짜였다. 생소한 언어에다 첫 외국 생활이라 모든 게 서툴고 낯설기만 했다. 유일한 위안은 믿을 수 없이 싼 물가였다. 런던 히드로 공항 면세점에서 말보로 한 보루를 사갔는데, 바르샤바의 길거리 가격이 런던 면세점의 반값도 안 됐다. 내가 즐기던 카로Caro라는 빨간색 포장의 폴란드 담배는 독했지만 그런대로 피울 만했고, 더 말할 나위 없이 쌌다. 1990년대 초반 이행기의 혼란 속에서 리투아니아 등 발틱 삼국에서 담배와 보드카를 폴란드로 밀수하고 다시 폴란드 담배와 보드카를 독일로 밀수하는 커넥션의 중심에는 베트남인들이 서 있었다. 이들은 현실사회주의가 붕괴하자 재빨리 동유럽의 암시장을 장악했다. 1980년대 생산성의 위기에 빠진 동독과 폴란드, 발틱 삼국 등에 외국인 노동자로 초청되어 온 이들의 높은 생산성은 현실사회주의가 붕괴한 이후 암시장에서도 여지없이 발휘됐다. 1990년대 초반 바르샤바나 크라쿠프 등 폴란드의 대도시의 중국 요릿집 또한 이들 베트남인들이 운영했다.

나의 첫 폴란드행은 1990년 봄 막 문을 연 주한 폴란드 대사관에서 많은 도움을 받았다. 바르샤바 대학교 역사 학부의 나웽츠Tomasz Nałęcz 교수를 연구 파트너로 연결해 주고 대학 숙소도 마련해 주어 초행길이지만 걱정을 크게 덜었다. 지금은 쇼팽 공항으로 이름이 바뀌었지만, '오켕치에Okęcie'라는 지명으로 불렸던 바르샤바 공항에도 대학에서 사람이 마중 나왔다. 폴란드 농민운동사를 전공하는 내 또래의 젊은 강사 투르코프스키Romuald Turkowski였다. 초면의 그에게 예의 삼아 폴란드어로 인사를 했더니 이 친구 다짜고짜 그 다음부터 폴란드어만 쓴다. 나중에 알고 보니 자료 조사차 런던의 아카이브에 한 달 정도 다녀온 게 그의 영어 세계의 전부이다. '부자 나라' 교수가 온다고 무리해서 자원한 모양인데, 젊디젊은 내 모습을 보고는 영 실망한 눈치다. 그의 영어나 내 폴란드어나 그게 그거다. 그래도 그의 허풍 덕분에 눈치 폴란드어가 빨리 늘었다. 원로교수가 된 지금도 여전히 밉지 않은 허풍의 그는 바르샤바 대학 사학과 홈페이지의 자기소개란에 손주 보는 낙으로 산다고 써 놓을 정도로 순박한 사람이다.

현실사회주의 체제가 건재했다면, 폴란드 여행은 불가능했을 것이다. 폴란드의 마르크스주의에 대한 현지 조사가 사회주의의 붕괴 때문에 가능했으니 역설도 그런 역설이 없었다. 서울 주재 초대 폴란드

1994년 여름, 바르샤바 시내에 있는 초대 주한 폴란드 대사 크라코프스키의 아파트에서.

대사였던 크라코프스키Jędrzej Krakowski 박사가 내 주제에 깊은 관심을 갖고 적극적으로 도와주어 큰 도움이 되었다. 나중에 안 사실이지만 그는 연대노조 좌파 계열에서 활동했던 경제학자로 폴란드에서 — 아마도 동유럽 사회주의 블록을 통틀어 — IMF에 대한 최초의 박사 논문을 썼다. 계엄령이 선포되고 연대노조 운동이 시들해지자 그는 1980년대 중반 자의 반 타의 반 호주로 떠났다. 그곳에서 '한국개발원(KDI)' 관계자들을 알게 되어 현실사회주의가 무너지기 전 서울에 6개월 정도 머문 적이 있는데, 그게 인연이 되어 연대노조가 권력을 잡자 주한 대사로 부임한 것이다. 1994년 초 여름 임기를 마치고 한국을 떠나기 전, 크라코프스키 대사 부부가 주한 이스라엘 대사 내외, 화가 김흥수 부부, 그리고 나와 아내를 대사관저로 초청해서 마지막 저녁식사를 한 기억이 새롭다. 식사를 마치고 적당히 거나해서 모두들 일어서는데, 우리 부부만 잠깐 남으라고 해서 다시 자리에 앉았다.

무슨 일인가 의아해 하며 술잔을 만지작거리고 있는데, 그제야 우리 좌파들끼리 한잔 더 하자며 자기 이야기를 하는 것이었다. 그의 부모는 전전부터 '폴란드 사회당(PPS)'에서 활동한 유대계 사회주의자로 아우슈비츠 생존자였다. 폴란드에서 안식년을 보내던 1996년 크라쿠프에서 그의 모친을 찾아뵙고 전전의 당 활동이나 아우슈비츠 이야기를 들었던 기억이 난다. 크라코프스키 자신은 대사직을 마친 후 귀국해서는 카토비체 대학의 경제학과 교수로 부임했고, '노동연합(Unia Pracy)'이라는 좌파 정당의 후보로 의회 선거에 나갔다 낙

선했다. 2015년 1월 바르샤바 대학 사회학부에 적을 둔 '유럽의 기억 네트워크'의 초청으로 강연을 갔을 때, 그는 폴란드의 추위를 피해 스페인으로 피한 여행을 떠났다. 바르샤바 대학 사학과에 다니는 그의 외손자가 할아버지 대신 찾아와 만났으니 끈질긴 인연인 셈이다. 스페인과 폴란드의 아나키즘을 비교하고 싶다는 그 잘생긴 청년에게 저녁을 사 주면서, 나는 모든 게 서툴렀던 1990년대 초로 기억을 거슬러 올라갔다.

1990년 12월 초. 사회주의 국가를 처음으로 직접 볼 수 있다는 기대감에 설레며 여행 준비를 하는 나를 아내는 불안하게 지켜봤고, 어머니는 걱정이 많았다. 텔레비전에서 동유럽의 대기 오염에 대한 다큐멘터리를 본 어머니의 걱정은 상당히 구체적이었다. 나는 걱정이 많은 어머니께 짜증을 냈다. 사회주의 체제는 계획경제이기 때문에 무정부적 생산 체제인 자본주의와는 달리 자원의 낭비가 없고 공해가 적다는 스탈린주의 교과서 같은 대답과 함께……. 내 대답이 틀렸다는 것은 금방 확인될 터였다. 지금 생각하면 부끄럽기 짝이 없다. 굳이 변명하자면, '냉전의 자식'이었던 나도 자기 시대를 뛰어넘을 수는 없었던 것이다. 나는 역사 현실이 아니라 내가 상상한 현실 속에서 살고 있었다. 현실을 설명하기 위해 이론을 만든 것이 아니라, 이념적 정당성을 위해 이론에 현실을 꿰맞춘 것이다.

반공규율 사회의 이념적 냉전 치하에서 내가 선택할 수 있는 것은 반공주의 선전이거나 공산주의 선전이었다. 나중에 설명하는 이유들로 나는 후자를 택했다. 소련의 20차 당 대회에서 흐루시초프가 발표한 청사진을 눈이 똥그래져서 읽었고, 여가 시간에는 방송국에서 파가니니 바이올린 협주곡을 연주하고 평소에는 아무렇지도 않게 전기 기술자로 일하는 청년, 낮에는 협동농장에서 트랙터를 운전하고 저녁에는 시를 쓰는 여류 시인의 존재를 믿었다. 러시아어 교재는 마르크스의 『경제철학수고』에 나오는 이야기가 소련에서 현실화되었다고 말하고 있었다. 그런 내게 동유럽의 공해는 반공주의 선전의 하나였을 뿐이다. 단단한 얼음일수록 금만 가면 더 쉽게 갈라지듯, 사회주의 현실과의 첫 대면에서 내 이념은 그렇게 쨍 하고 갈라졌다. 관념으로 쌓은 지식은 그것이 아무리 거창할지라도 아주 사소한 현실 앞에서 맥없이 무너진다는 것을 체득했다. 현실의 음산한 힘 앞에 선 이념의 찬연한 빛은 불 앞의 얼음이다.

이 참담한 현실 앞에서 나는 절망했고, 그 절망의 옆에는 늘 보드카가 있었다. '폴란드 사람만큼이나 보드카 잘 마시는 이상한 한국 친구가 있다'는 소문이 돌고 돌아 내 귀에까지 들어왔다. 놀랍게도 소문이 현실을 만들었다. 피곤해서 조금이라도 술을 사양하려 들면, '소문과 달리 이렇게 안 마시는 건 우리 대접이 소홀해서냐'며 섭섭해 하는 그들의 호의를 저버릴 수 없었다. 폴란드 친구들을 연구실로 찾아가면, 가끔 커피나 차, 혹은 '좀 더 강한 것' 중에 무엇을 마시겠냐고 묻는 친구들이 있다. 내가 '좀 더 강한 것'을 주문하면 그들은 이내 얼굴이 환해지곤 했다. 서유럽에서 온 연구자들은 대개 커피나 차라고 답하는데, 그렇게 폴란드 심성을 모르면서 폴란드 역사를 제대로 하겠냐며 의미심장하게 웃었다. '무색-무취-무미'라는 삼무가 보드카의 특징이라지만, 백 병 정도 마시고 나니 보드카마다 맛이 다르다는 것도 알게 됐다. 그러니 최소한 '무미'는 아니다.

아마도 감시 체제의 부작용이겠지만, 1990년대 중반까지도 폴란드 친구들과는 대부분 집에서 마셨다. 체제 전환이나 정치적 변화를 놓고 열띠게 토론하다가도 취하면 같이 노래를 불렀다. 한밤중에 술이 떨어져도 방법은 있었다. 택시 회사에 전화를 걸면, 택시기사가 심부름 값을 받고 보드카와 담배, 생수 등을 사서 집으로 배달해 주었다. 1990년대 폴란드는 분명 술 권하는 사회였다. 언젠가는 새벽에 크라쿠프를 떠나 피요트르코바 트리부날스카Piotrkowa Trybunalska라는 소도시의 사범대학에서 열리는 세미나에 참석한 적이 있다. 도착하니 아침도 못 먹지 않았냐며 총장이 직접 옆의 부속실에 준비된 걸쭉한 아침상으로 안내하는 것이 아닌가. 보드카와 오스트리아의 스톡, 아르메니아 브랜디 등으로 얼큰하게 몸을 녹이고 세미나에 들어갔던 기억이 아직도 새롭다. 오죽하면 대표적 일간지 『가제타 비보르차Gazeta Wyborcza』에서 보드카 그만 마시고 와인이나 맥주 같은 약한 술을 마시자는 캠페인을 벌였겠는가. 아이러니한 것은 『가제타 비보르차』의 주간 아담 미치니크Adam Michnik 본인이 누구 못지않은 술고래였다는 점이다. 이 모순투성이 '리버럴-저항 좌파-인권운동가-유대계-폴란드 애국자-언론인-역사 에세이스트'는, 특히 러시아인들과 마실 때는 한 번도 먼저 나가떨어진 적이 없다는 소문이다.

힘들 때도 있었지만, 정말 힘든 것은 보드카가 아니었다. 정작 나를 힘들게 한 것은 현실사회주의의 부조리한 잔재들이었다. 대통령 선거가 치러지던 1990년 겨울 마조비에츠키Tadeusz Mazowiecki의 선거 벽보에서 다비드별을 그린 반유대주의 낙서를 처음 보았을 때의 충격은 아직도 생생하다. 거의 반세기 가깝게 프롤레타리아 국제주의 기치를 높이 걸고 사회주의 체제를 유지해 온 나라에 반유대주의 낙서라니…… 인종주의는 제국주의의 유산이지 않은가? 논리적으로 이해할 수 있는 일은 아니었다. 그해 겨울 투르코프스키의 안내로 아우슈비츠를 첫 방문했을 때, 수용소 주변 건물들의 담벼락에 페인트로 휘갈긴 반유대주의 낙서 앞에서는 망연자실했다. 그것은 시작일 뿐 다가 아니었다. 폴란드인들과 이야기를 나누다 보면, 자꾸 말이 어긋났다. 폴란드에서 '좌파'는 반체제 반공주의자들이었고, '우파'는 공산당 노멘클라투라였다. 한국의 좌파가 그곳에서는 우파였고, 폴란드의 우파는 한국의 좌파였던 것이다.

그해 겨울 바르샤바 대학 역사학부 도서관에서 고군분투하고 있던 나는 도서관의 사서 리샤르트Ryszard(유감스럽게도 그의 성은 기억나지 않는다)에게서 '폴란드 사회당' 전문가이자 베테랑 마르크스주의 역사가 칸체비츠Jan Kancewicz를 소개 받았다. 한국에서 온 좌파에게 폴란드의 '우파'를 소개한 것이다. 2016년 올해로 100살을 맞은 그는 당시에도 이미 바르샤바 대학을 정년퇴임한 후였고, 나는 매주 두 번씩 폴란드 마르크스주의의 아버지 바린스키Ludwik Waryński의 이름을 딴 거리에 있는 그의 집을 찾았다. 나는 영-폴 사전을 들고 그를 찾았고, 그는 폴-영 사전을 들고 나를 맞았다. 비단 폴란드 사회주의 운동사뿐 아니라 폴란드어도 그에게서 배운 셈이다. 서재에서 세 시간 정도 더듬더듬 이야기를 나누다 보면 의사 출신인 그의 부인이 부엌에서 '야-안' 하고 길게 그의 이름을 불렀다. 끝내라는 신호였다. 입맛을 다시며 일어날 수밖에.

칸체비츠는 폴란드 역사에 관한 한 내 멘토였다. 유대계 폴란드 마르크스주의자의 가족사적 배경을 가진 그가 베푼 친절에는 작은 사연들이 있다. 우선 폴란드에서는 나처럼 젊은 세대의 역사가들 중에 사회주의 운동사에 대한 관심을 갖는 친구가 한 명도 없었다. 잇단 노동자 봉기를 무자비하게 진압했던 집권 공산당의 경험을 통해 사회주의는 노동자 농민을 억압하는 이데올로기라고 확신하는 그들에게, 공산당은 5공 때의 '민정당' 같은 이미지였다. 내 손에 들린 로자 룩셈부르크 책을 보는 순간, 이 젊은 세대들의 눈길은 돌연 싸늘해졌다. '국보위'에 들어가 권력에 복무하는 어용지식인들을 보는 한국 젊은이들의 모멸감 섞인 눈길 같은 것을 직감할 수 있었다. 그랬으니 폴란드 사회주의 운동사를 공부하겠다며 언어를 독학하다시피 해서 한국에서 날아 온 이 젊은 연구자는 그야말로 희귀종이었다. 젊은 세대 중에는 내가 그의 거의 유일한 말상대였던 것이다.

또 다른 사연은 이렇다. 스탈린이 소련으로 망명한 폴란드 공산주의자들을 제국주의 스파이로 몰아 숙청하고 당을 해산했을 때, 칸체비츠와 그의 가족은 모스크바에서 떨어진 집단농장으로 강제 이주되었다. 그곳에서 그는 고려인 여성이 베풀어 준 친절 덕분에 주린 배를 어느 정도 채울 수 있었고, 그는 내게 고려인 여성에게서 받은 친절을 되갚는 것 같았다. 2015년 영상자료원에서 열린 송 라브렌티 감독의 필모그라피 세미나에서 〈약속의 땅〉, 〈음악선생님〉, 〈고려사람〉을 보았을 때, 문득 그 생각이 떠올랐다. 중앙아시아의 선주민 카자흐, 우즈베크, 키르기즈인들과 스탈린의 강제 이주 정책으로 낯선 땅에 정착해야 했던 극동의 고려인, 볼가 독일인, 폴란드인, 유대인, 크리미아의 타타르인, 쿠르드인, 체첸인, 아제르바이잔인과 터키의 이주민 등이 일상을 나누며 의지해 살아가는 그 모습을 한예종의 영화연구자 김소영이 '하위주체 세계주의(subaltern cosmopolitanism)'라 이름 붙였다.

일상에 뿌리박은 '하위주체 세계주의'는 이념의 휘광만 찬연했던 프롤레타리아 국제주의와 대조된다. 프롤레타리아 국제주의가 소수민족을 삶의 터전에서 잔인하게 몰아내는 권력의 알리바이로 작동한 반면, 강제 이주의 비극 탓에 중앙아시아에 같이 살게 된 타자와의 공존을 통해서만 생존할 수 있었던 이들의 하위주체 세계주의는 20세기 중앙아시아의 역사적 현실과 일상에 뿌리박은 자연스러운 삶의 요구였던 것이다. 스탈린주의자들이 반유대주의 캠페인을 벌일 당시 유대계 개혁파 국제공산주의자들을 '뿌리 없는 코즈모폴리터니즘'이라고 비난하면서, 코즈모폴리터니즘은 부르주아적 반동 이데올로기로 매도된 바 있다. 나는 아직도 프롤레타리아 국제주의가 어떻게 반유대주의와 공존할 수 있는지 도무지 이해할 길이 없다. 그런데 이제 권력의 도구로 타락한 프롤레타리아 국제주의 대신 그 반동적 '코즈모폴리터니즘'이 스탈린의 강제 이주 희생자였던 바로 그 하위주체들에 의해 재생된 이 역설이야말로 현실사회주의의 한 단면을 잘 드러내 준다.

　카프 출신 마르크스주의 소설가 조명희의 비극적 죽음이 상징하듯, 프롤레타리아 국제주의를 믿고 사회주의 모국 소련으로 망명한 마르크스주의 활동가들은 스탈린에 의해 숙청당해 죽거나 중앙아시아의 오지에서 스러져 갔다. 망명을 거부하고 식민주의 혹은 독재정권이 발호하는 본국에 남은 활동가들은 감옥에 갇혔지만, 살아남았다. 반면에 제국주의 심장부 파리나 런던으로 간 활동가들은 자유롭게 공부하고 박사학위까지 딸 수 있었다. 프롤레타리아 국제주의에 배반당하고 '하위주체 세계주의' 덕택에 살아난 이 마르크스주의 노역사는 1960년대 중반 유대계 개혁 공산주의자들과 폴란드계 민족 공산주의자들의 분파 투쟁에 대해서 친절하게 설명해 주었고, 1968년 공산당이 주도한 반유대주의 캠페인에 대해서 담담하게 말했다. 지그문트 바우만Zygmunt Bauman 같은 베테랑 마르크스주의자들이 폴란드를 떠나 자본주의 국가로 이주한 것도 그때의 일이다.

　민족주의와 반유대주의가 폴란드 공산당의 실질적인 통치 이념이었다는 칸체비츠의 담담한 회고 앞에서 나는 망연자실했다. 프롤레타리아 국제주의는 어디로 갔냐며 묻는 내게 그는 혀를 끌끌 차며 말했다. "젊은이, 그것은 정치권력의 문제이지 이념의 문제가 아니라네." 그 후에도 알면 알수록 놀라는 일이 자주 있었지만, 놀람의 강도는 현저히 약해졌다. 모스크바 붉은 광장에서 "유대도당의 자본주의적 음모를 분쇄하자"는 러시아 공산당의 구호와 마주쳤을 때, 불가리아 공산당의 터키계 소수민족에 대한 창씨개명과 강제적 슬라브화 정책을 알게 됐을 때, 고개를 끄덕이며 더 이상 크게 놀라지는 않았다. 하지만 바르샤바 대학 한국학과의 창시자 오가렉 최Halina Ogarek-Czoj가 1970년대 초 북한인 남편과 강제로 이혼당하고 혼혈인 딸과 함께 평양에서 추방당한 이야기를 들려줄 때는 다시 놀라지 않을 수 없었다. 북한 사람과 결혼한 모든 외국인 배우자가 강제 이혼 후에 혼혈 자녀와 함께 추방당했다니, 주체사상이 남한의 극우 민족주의와 맺고 있는 역사 동맹은 너무도 자연스럽다.

돌이켜 보면, 나는 역사가로서는 행운아였다. 20대까지는 사회주의로의 이행을 고민하면서 자본의 본원적 축적 과정부터 중진자본주의까지 한국의 급속한 성장 과정을 몸으로 겪었고, 30대에는 현실사회주의에서 시장경제와 민주주의로 이행하는 '역'이행의 과정을 폴란드 현장에서 지켜볼 수 있었다. 그때는 몰랐지만, 서로 다른 방향으로 치달아 가는 급격한 체제 전환을 거의 동 시간으로 현장에서 지켜보는 행운은 이후 역사를 공부하는 데 큰 자산이었다. 남의 집 사위들은 미국이나 독일, 일본 같은 선진국들만 잘도 가는데 임 서방은 왜 맨날 폴란드냐고 묻는 장모님을 설득할 재간은 없었지만, 내게 그 이유는 너무도 명백했다. 한국과 폴란드라는 동아시아와 동유럽에 걸친 모퉁이에서 세계사의 중심을 찌르고 들어가는 주변의 시각은 젊은 시절 그 현장 경험이 없었다면 불가능했을 것이다.

평생 영국혁명을 연구했지만 한 번도 혁명적 상황을 겪어 본 적이 없어 혁명이라는 것을 제대로 이해했는지 자신이 없다고 실토한 영국 혁명의 대가 로렌스 스톤Lawrence Stone에 비하면, 약관의 30대에

1991년 겨울, 바르샤바 무명용사 기념비 앞에서. 나치 점령기에는 아돌프 히틀러 광장으로,
전후 공산주의 치하에서는 승리광장으로 불리다 민주화 이후 '피우수트스키 광장'이라는
전전의 이름을 되찾았다.

이미 서로 다른 두 혁명을 몸으로 겪은 나는 참으로 운이 좋은 역사가였다. 로렌스 스톤 같은 대가와 내 자신을 비유하겠다는 의미는 결코 아니다. 피투성이의 포복을 통해 겨우 역사를 공부할 수 있었던 한국의 척박한 학문적 풍토와 로렌스 스톤이 공부하고 가르친 옥스퍼드와 프린스턴의 그 풍요로운 여유 사이의 학문적 간극을 무시하자는 것도 아니다. 넘보기 어려운 거대한 뿌리에 깊숙이 닿아 있는 그들의 학문적 온축과 그 수월성에 대한 도전은 그들이 만든 '지식장'에서 같이 놀 수 있는 탁월한 학문적 역량과 더불어 그 이상의 것을 요구한다. 그것은 이 지상의 삶을 '문제화'하고 그것을 이론적으로 구성하는 능력일 것이다. 내 경험으로 미루어 볼 때, 길거리에서 돌을 던져 본 역사가와 던져 보지 못한 역사가는 지상의 삶을 '문제화'하는 방식이나 태도에서 크게 다를 수밖에 없다. 펜 대신 돌멩이를 집어 본 적이 있는 역사가만이 갖는 장점이 있는 것이다.

'한국적 서양사학'이니 '한국적 사회과학' 따위의 상투적 주장을 하자는 게 아니다. '한국적 민주주의'만큼이나 식상한 이런 주장들에는 자꾸 알리바이의 냄새가 난다. 내 질문은 오히려 이런 것이다. 그토록 폭력적인 '압축적 근대화'의 경험을 겪고도 '근대'라는 괴물을 나름대로 이해하는 역사가로서의 안목조차 없다면, 30년 이상 대학에서 역사를 가르친 나는 도대체 무엇인가? 남한의 개발독재와 폴란드의 현실사회주의, 북한의 극우적 민족공산주의 세습독재를 직접 겪고 누구보다 더 가까이서 지켜본 역사가가 평생을 민주주의 체제에서 살아온 서구의 역사가들보다 독재를 더 잘 이해하지 못한다면, 그것은 이상한 정도를 넘어서 책임 회피가 아닌가? 유럽에서 가장 민족주의적인 폴란드 역사를 연구 필드로 하고 남북한을 막론하고 그 어느 나라보다 강한 민족주의적 프레임에 갇혀 살아온 한반도의 역사가인 내가 민족주의를 제대로 이해하지 못한다면 나는 도대체 무언가? 나는 이런 질문들 앞에서 부끄럽지 않은가?

이 책에서 시도하는 내 '자아사'는 이런 질문들에 대한 나름대로의 답변이다. 원래 출발한 서울, 다시 서울로 돌아가 시작할 일이다.

1

조국 근대화의 뒤안길에서

Doing
History

나는 전후 베이비붐 세대를 대표하는 58년생 개띠다. 이해에 내가 태어난 것은 내 의지와는 상관없다. 객관적으로 볼 때, 그것은 물론 어떤 원인의 결과지만 역사의 강철 같은 필연성을 입증해 주는 것은 아니다. 매일매일 생기는 예기치 않은 역사적 사건들을 엄격한 인과관계의 틀 속에 가두어 둔다면, 그것은 역사 서술이 아니라 이데올로기가 된다. 거의 무한대에 가까운 수많은 변수들이 역시 무한대의 가능한 조합 가운데 그렇게 현실화됨으로써 그냥 그렇게 태어난 것이다. 우발적 사건으로 가득 찬 '우연성(contingency)'의 세계인 역사는 개개인의 실존이라는 우연의 집합인지도 모르겠다. 역사가가 자기 자신의 역사를 서술하면서 우연에서부터 시작하니, 인과관계를 찾아야 하는 역사가의 기본 책무를 던져 버렸다는 비판도 예상된다. 그러나 우연을 강조한다고 해서 인과관계를 부정하는 것은 아니다. 여러 우연들이 역사적 인과관계의 한 고리를 구성한다고 생각하면, 우연히 현실로 구현된 역사뿐 아니라 우연히 현실화되지 못한 다양한 역사적 가능성에 대해 눈을 뜨게 된다. 역사가 강철 같은 법칙에 따라 필연적으로 전개된다고 믿는 순간, 그 역사는 이미 벌어진 일에 대해 사후적으로 정당화하는 승자 혹은

1964년의 어느 봄날 오후. 어렸을 때 특기는 트위스트와
장독대 위에서 하는 엉터리 영어 연설이었다.

강자의 역사가 된다. 내 얘기는 아니고 「역사철학 테제」에서 벤야민 Walter Benjamin이 한 이야기이다.

내가 걸음마를 막 배울 때 4·19가 일어났다. 걸음마가 늦은 외손주를 위해 외할머니는 잘 걷는 동네 형들을 집으로 불러 걸음을 유도했지만, 걸음 대신 말이 빨랐던 나는 움직이는 대신 형들에게 이것저것 시키는 걸로 걸음을 대신했다는 게 어른들의 전언이다. 어렵게 걷기 시작했을 때 5·16을 맞았다. 5·16 당시 6관구 참모장이었던 김재춘 전 중앙정보부장의 증언에 따르면, 그 당시에는 여야를 막론하고 많은 정치인들이 '자가용'에 기름 넣을 돈이 없어 6관구 사령부에 들어와 군용 기름을 넣어 갔다고 한다. 수도군단의 전신인 6관구 사령부가 당시에는 한강다리 건너 영등포 문래동에 있었으니, 시내에서 차로 오가기에는 그리 먼 길이 아니었을 것이다. 덕분에 6관구 사령부의 고급장교들은 5·16 이전부터 대부분의 정치인들과 친교를 텄다. 그런 의미에서 그들은 군사정권 이전부터 이미 정치군인이기도 했다. 민수용과 구분하기 위해 색소를 탄 그 군용 휘발유가 6관구의 고위 장교들과 여야 정치인을 묶어 주는 끈이었던 것이다. 군용 휘발유보다는 대한민국의 가난이, 국회의원들조차 휘발유를 살 수 없었던 대한민국의 가난이 정-군 분리를 어렵게 만들었는지도 모르겠다.

문득 뉴욕 대학에서 아프리카 현대사를 가르치고 있는 프레더릭 쿠퍼Frederic Cooper 교수와 '대한민국 역사박물관'을 같이 돌아본 기억이 난다. 전시장의 통계 수치들을 유심히 읽던 그는 1960년대 초반 한국의 국민소득이 대부분의 아프리카 나라들보다 낮다고 말했다.

한국의 경이적인 경제성장에 대해서는 알고 있었지만, 이렇게까지 가난했는지는 몰랐다고도 했다. 그렇다면 오늘날의 이 격차를 어떻게 설명해야 하나 하는 문제로 우리의 대화는 자연스럽게 흘러갔다. 이 복잡한 질문에 대해 자신 있게 답하기는 쉬운 일이 아니다. 우리는 조심스레 이야기를 주고받았는데, 가장 가능한 설명 중의 하나는 교육이었다. 아프리카의 통계를 얼추 머릿속에 꿰고 있던 쿠퍼는 1950년대 이후 한국의 의무교육 성과와 상급학교 진학률에 대한 통계 앞에서 멈춰 서고는 아프리카 어디에서도 이처럼 높은 교육열은 찾을 수 없다고 했다. 교육에 대한 통계만 빼면, 1960년 전후 대한민국의 다른 통계들은 아프리카의 나라들과 비슷하거나 못했다.

그 높은 교육열에서 우리 집도 예외는 아니었다. 다가오는 정치적 실업을 예감하면서도 부모님은 나를 무리하게 사립학교에 집어넣었다. 아버지의 실업은 곧 사실화되었고, 월사금 때문에 종례 때마다 내 이름은 자주 불렸다. 어린 눈에도 소득격차에서 오는 교실 내의 위화감은 컸다. 덕분에 '공부'보다는 책을 가까이하는 버릇이 들었다. 책이 많지 않던 시절이니 도서관의 몇 안 되는 책뿐 아니라 일간신문, 다큐멘터리, 전쟁사 등을 닥치는 대로 읽었다. 어린 시절부터 정치화가 빨리 된 것은 아마도 일간신문을 읽던 버릇 때문일 것이다. 훗날 역사를 공부할 때, 긴요한 자산이 되지 않았나 싶다. 아직도 나는 학생들에게 역사 공부에 신문만큼 좋은 재료가 없다고 강조한다. 유학 가는 친구들한테도 현지 신문을 열심히 읽으라는 게 내가 하는 당부의 전부다. 나중에 중학교에 간 큰아이가 아침 시간에 책을 읽

고 있으면 선생님이 와서 너는 왜 공부 안 하고 책만 읽느냐고 하신
다기에 답답했던 기억이 난다.

　다독의 역설은 책을 오래 보고 싶은데 너무 빨리 읽어 버린다는
데 있다. 어렵사리 얻은 동전을 갖고 만화방을 찾을 때마다, 다독의
역설은 비극으로 전화했다. 만홧가게 아저씨가 너는 맨날 그림만 보
냐고 힐난할 정도로 나는 책을 너무 빨리 읽었고, 내가 가진 돈만
큼 빌려서 옆에 쌓아 놓았던 만화책은 순식간에 없어졌다. 다시 읽기
에는 지루했고, 그렇다고 더 앉아 있을 수도 없어 입맛만 다시며 만
홧가게를 나와야만 했다. 만화와는 별도로 아직도 기억에 많이 남는
책은 『김찬삼의 세계여행』이다. 2단 세로로 조판된 책은 우선 분량이
많아서 좋았지만, 재미도 컸다. 반도의 남쪽에 갇혀 자란 어린 소년에
게 다른 세상을 알게 해준 첫 책이었다. 그것은 외국 동화와는 다른
맛이었다. 맛깔 나는 여행기와 더불어 다양한 컬러 화보나 사진들은
두고두고 좋은 눈요기였다. 내가 가장 좋아했던 사진 중의 하나는 핀
란드의 금발 미녀가 사우나 직후 눈밭에서 요염하게 누워 있는 사진
이었다.

　40년도 더 지나 눈발이 흩날리던 어느 겨울 밤 문득 그 미녀 사진
이 생각나서 강원도 산막의 사우나에서 몸을 한껏 덥히고 보드카까
지 몇 잔 걸친 후 영하의 눈밭에 누워 본 적이 있다. 끔찍한 경험이었
다. 단 3초도 견디기 어려웠다. 김찬삼과 그 미녀에게 무언가 속은 기
분이었다. 2015년 10월 핀란드의 탐페레 대학에서 강연 기회가 있었
는데 나를 초대한 핀란드 친구에게 나는 그 문제를 물었다. 그의 대

답은 간명했다. 사우나 후에는 얼음을 깨고 차가운 물속에 들어갈지언정 눈 위에는 절대 눕지 않는다는 것이다. 물은 아무리 차도 영하의 바깥 기온보다 따듯하기 때문에 괜찮지만, 단언컨대 눈밭에 눕는 일은 없단다. 탐페레의 그 친구 아파트에는 19세기 후반 고조할아버지가 수작업으로 만들었던 가족 사우나를 해체하면서 나온 목재로 만든 소박한 벤치가 하나 있다. 배를 타고 20분 정도 가야 하는 호수 속의 섬에 있는 그 사우나, 20세기 초 핀란드의 대 시인이자 증조할아버지의 친구가 그곳에서 사우나를 할 때 앉았던 나무로 만들었다는 역사적 벤치이다. 시내 아파트에도 사우나를 갖춘 이 정통 핀란드 사우나파의 말은 신뢰하지 않을 수 없다. 수제 사우나만 고집하는 그에게 강원도 산막의 조립식 사우나는 사우나가 아니다.

그리고 보니 그 미녀 사진은 아마도 김찬삼이 외지에서 따왔던 게 아닌가 싶다. 한국 출판이 지적 소유권으로부터 자유로웠던 때라 가능했을 것이다. 원본도 아마 조작된 사진일 가능성이 높다. 기회가 되면 한번 찾아서 그 눈 위의 미녀 사진 찬찬히 해부해 보고 싶다. 틀림없이 눈밭과 그녀를 분리시키는 게 가능할 거라고 믿는다. 김찬삼 여행기에 실린 사진도 그럴 정도니, 인터넷에 떠도는 사진들은 오죽하겠는가? 네티즌들의 셀러브리티 포토샵 논쟁에서 자주 보듯이, 비주얼 자료의 진위를 따지는 문제는 거의 매일매일의 일상이 되었다. 포토샵은 이제 역사가의 가장 골치 아픈 적이다. 나는 스탈린이 포토샵의 발명자라는 이상한 확신이 있는데, 레닌 옆의 트로츠키를 지운 『프라우다Pravda』의 유명한 사진 조작이 그 시원이라고 본다. 어디 트로츠키뿐인가. 스탈린에게 숙청당한 수많은 볼셰비키 혁명가들이 현장을 담은 사진에서 지워져 어색한 공간만 남긴 채 역사에서 사라졌다. 북조선 노동당 동무들은 아직도 스탈린 시대의 촌티 나는 방식으로 포토샵한다.

어쨌든 1960년대 중반의 만홧가게는 그야말로 동네의 문화센터였다. 만화 외에도 중요한 문화 행사가 또 하나 있었으니, 동네 꼬마들이 주인아저씨 방에 옹기종기 모여 김일의 프로레슬링을 유료 시청하는 것이었다. 텔레비전이 귀했던 시절, 주인아저씨 목도장이 찍힌 전표를 내고 골방에 입장한 우리 동네 조무래기들은 이삼십 명씩 모여 마음을 졸이거나 환호하면서 김일 레슬링 중계에 넋을 잃었다. 상대방, 특히 일본 선수들의 반칙 때문에 이마에 피를 철철 흘리며 통쾌한 박치기로 상대를 링에 눕히곤 했던 김일 선수는 우리의 영웅이었다. 고통으로 일그러지고 피범벅이 된 얼굴의 김일 선수는 마지막으로 링 위에 뻗어 있는 반칙왕 일본 선수의 마스크를 벗겨 버림으로써 식민주의의 더러운 맨 얼굴을 폭로했다. 미군 점령 하 일본의 링 위에서 리키도잔(역도산)이 어마무시한 '양놈'들을 가라테로 때려눕히며 패자 일본의 자존심을 되살렸듯, 김일 선수는 자신의 이마를 물어뜯거나 빤쓰 속에 숨겨 온 쇠붙이로 이마를 찢는 반칙왕 일본 선수들을 통쾌한 박치기로 때려눕혀 식민지의 '한'을 한 방에 날려 버렸다.

동경의 다다미방이나 서울의 만홧가게 골방에서 리키도잔의 당수와 김일의 박치기에 열광했던 우리 동아시아의 베이비붐 키드들은

레슬링 민족주의자로 자라나고 있었던 것이다. 그때는 몰랐지만, 만
홧가게 골방에서 태동한 우리의 레슬링 민족주의는 실은 트랜스내셔
널한 역사의 산물이었다. 도시샤同志社 대학의 이타가키 류타板垣竜太에
따르면, 리키도잔은 일본과 남북한 삼국 모두가 긍정적으로 기억하
는 극히 예외적인 인물이다. 패전국 일본에서는 승전국 미국의 거한
들을 당수로 쓰러트려 링 안에서 통쾌하게 이차대전의 패배를 복수
한 국가적 자존심의 상징으로, 남북한 양측에서는 식민지 시대 일본
으로 건너가 세계 레슬링계를 석권한 민족의 영웅으로 기억되고 있
는 것이다. 비극 없는 영웅은 없는 법, 일본 야쿠자의 칼에 찔려 죽은
그의 비극적 최후는 역도산의 영웅담을 완성시켰다. 미국과 일본, 남
한과 북한을 가로지르는 역도산에 대한 트랜스내셔널한 기억은 동아
시아 현대사의 흥미로운 장면이다.

　　이타가키의 논문에 더하여, 설경구가 열연한 영화 〈역도산〉이 보여
주는 에피소드들도 예사롭지 않다. 동양의 전통적인 강장제를 권하
는 야쿠자 보스에게 "나는 서양제 비타민만 먹는다"며 물리치는 역
도산의 모습은 포스트식민주의의 양면성을 통렬하게 드러내 준다. 미
국에 가서 양놈들한테 레슬링을 배우서 양놈들의 비타민을 먹고 양
놈들을 혼내 주는 역도산과 그에 환호하는 일본의 관중은 식민주의
를 넘어서면서 식민주의를 내재화하는 포스트식민성의 역설이다. 호
남의 타고난 씨름꾼으로 도일, 역도산에게 양식 레슬링을 배워 와 일
본의 반칙왕들을 혼내 주는 김일과 그의 박치기에 환호했던 원효로
만홧가게 골방의 내 또래 동네꼬마들은 그 포스트식민성의 역설을

체화하고 있었다. 포스트식민주의의 역설은 미국과 일본 그리고 한국을 가로지르는 트랜스퍼시픽한 공간에서 연쇄적으로 작동하고 있었던 것이다.

김일의 통쾌한 박치기와는 달리, 내 '국민학교' 시절은 별로 통쾌하지 못했다. 아버지의 실업으로 달동네의 단칸방으로 이사했는데도, 부모님은 사립학교를 고집하셨다. 자존심 강한 어머님의 고집이 컸을 것이다. 월사금도 월사금이지만, 수업 준비물은 왜 그렇게 많았는지 도저히 맞출 수가 없었다. 그래서 조금 일찍 사고를 쳤다. 총성과 더불어 눈이 그치면서 1·21 사태의 폭풍이 가라앉고 꽃 피고 새 울던 1968년 봄 약관 열 살의 나이 때 학교를 땡땡이친 것이다. 조금 세련되게 이야기하면 수업을 보이콧했다고도 할 수 있다. 크게 나쁜 짓을 한 건 아니고, 상명여대 뒷산의 조선시대 성벽 아래 풀밭에 누워 흘러가는 구름과 자연을 벗 삼는 개별학습을 시도했다. 의심을 사지 않기 위해, 등교시간에 집을 나와서는 수업이 파하는 시간에 맞추어 귀가하는 생활이 2주일 정도 규칙적으로 진행됐다.

그러나 독립수업은 오래가지 못했다. 편지로 학부모 참관학습 통보를 받고 학교에 온 어머니는 교실에서 아들을 찾을 수 없었다. 선생님에게 아들의 장기 결석 사실을 듣고는 깜짝 놀라셨다. 참관학습을 위해 어머니가 학교에 갔던 사실을 까맣게 모르고 있던 나로서도 놀라기는 마찬가지였다. 전화가 없던 시절의 일이었다. 학교에서 온 참관수업 통지문만 가로챘으면 개별학습이 좀 더 길 뻔했는데, 그때 애들은 요즘 애들에 비하면 확실히 어수룩한 데가 많았나 보다. 그래도 생존의 영악함은 있었다. 마포서 정보과의 취조실 같은 분위기를 조성하고 학교를 왜 안 갔냐고 추궁하는 부모님에게 야비한 대답으로 위기를 피해 가려 했다. 공부하기가 싫었다는 이야기는 쏙 뺀 채 월사금 독촉이 싫어서 안 갔다고 둘러대서 부모님 가슴에 못을 박았다. 특히 아버지는 무능한 가장 탓이라 생각하고 많이 아파하셨을 게다. 꽤나 긴 내 불효의 목록 중 돌아가신 부모님께 가장 미안한 대목이다. 그 사단이 벌어진 후, 비가 억수같이 쏟아지던 날 정장에 군 시절 장교용 레인코트를 차려입은 아버지가 학교에 와서는 담임선생님에게 공립학교로의 전학 의사를 밝혔다. 어렵게 보낸 사립학교가 더 이상은 무리라고 판단하셨던 모양이다.

그런데 담임선생님이 말렸다. 아버지가 어머니한테 하는 얘기를 슬쩍 엿들으니 정 어려우면 본인이 도와주시겠다는 말도 흘린 모양이다. 가난한 집안의 똑똑한 아이를 구원한다는 그런 플롯과는 거리가 먼 이야기이다. 가난했지만 똑똑하지는 않을뿐더러, 담임선생님께서도 그런 여력은 없지 않았을까 싶다. 그래도 돕겠다는 말을 해야만 미덕이 되던 그런 시대가 아니었나 싶다. 어쨌든 담임선생님의 개입 때문에 공립학교로의 전학 프로젝트는 실패로 끝났다. 그래도 얻은 것은 있었다. 사고를 아주 크게 치면 혼나지 않는다는 중요한 사실을 깨달은 것이다. 나는 다시 일상으로 돌아왔다. 어설프게 물지게를 진 아버지를 더 어설프게 돕기도 하고, 부모님과 함께 라디오 앞에 앉아 양주동의 카랑카랑한 촌철살인을 같이 듣고 웃기도 했다. 그때 라디오는 오락보다는 정치시사 교양 프로그램이 더 많았던 것 같다. 어린

1970년 초등학교 6학년 시절. 중학교 진학을
앞둔 가을경이 아닌가 싶다.

시절 라디오는 신문 못지않게 내 역사 공부의 일등공신이었다.

조금 이른 감도 있지만, 이쯤 해서 못 박아 둘 게 있다. 20대의 내가 좌파가 된 것은 '국민학교' 때 얻은 계급적 위화감 때문이라고 해석하고 싶은 충동을 떨구지 못하는 사람들에게 한마디하고 넘어가야겠다. 불우한 환경에서 자라나 가진 자와 사회에 앙심을 품고 좌파가 되었다는 그 상투적 플롯은 사실에 맞지도 않고 재미도 없다. 억지로 재미를 하나 찾는다면, 이런 속류 마르크스주의 해석은 마르크스주의자들보다 골수 반공주의자들한테서 더 많이 발견된다는 점이다. 반공주의도 마르크스주의 못지않은 이데올로기인 것이다. 지식인에 관한 한, 나는 만하임Karl Mannheim의 정의를 지지하는 편이다. 지식인의 사상은 그 계급적 기반으로 환원되는 것이 아니라, 어느 편에 서기로 결심하는 실존적·사회적 선택의 산물인 것이다. 트리에의 부르주아 출신인 마르크스도 그렇지만, 엥겔스는 맨체스터의 자본가였다. 엥겔스가 쓴 『영국 노동자 계급의 상태』에서 자본가의 시각을 발견하기는 하늘의 별따기이다. '강남좌파'라는 비아냥에 묻어 있는 지식인의 실존적 결단에 대한 계급론적 환원주의도 의심스럽기는 마찬가지다.

아버지는 오랫동안 실업 상태였다. 단언컨대, 아버지는 내가 좌파로 성장하게 하려고 일부러 오랜 실업 상태를 선택한 것은 아니다. 할아버지한테 숟가락 한 짝 못 물려받았다고 말씀하시곤 했던, 약간 못 말리는 낭만주의자 아버지의 정치 성향은 오히려 우파에 가까웠다. 한국 현대사가 할퀴고 간 비극적 가족사의 희생자였던 많은 자식들이 그랬듯이……. 널리 알려진 바로는 작가 이문열이 그렇고, 5공 당시 전두환의 핵심 참모였던 허화평도 그랬다. 연좌제의 가장 큰 희생자는 어차피 출세를 포기한 좌파가 아니라 좌익 아버지 살해를 꿈꾼 줄리앙 소렐적 우파 자식들이 아니었다 싶다. 그렇다고 막후에서 연좌제 폐지를 주도했다고 알려진 허화평의 역할을 평가절하할 이유는 없다. 또 역으로 연좌제를 폐지하는 데 기여했다고 해서, 5공 창출에 기여한 허화평의 역사적 과오가 상쇄되는 것도 아니다.

줄리앙 소렐적이기보다는 못 말리는 낭만파 아버지의 할아버지에 대한 비탄 섞인 분노는 이해받아야 마땅하다. 장남인 아버지의 형제자매 5남매 중 학사모를 쓴 사람은 아무도 없었고 아버지를 비롯해서 작은아버지, 고모 한 분 등 모두 세 분이 40~50대에 암으로 돌아가셨다. 대학은 꿈도 꿀 수 없었던 아버지는 육군간부학교로 겨우 대학을 대신했다. 할아버지에 대한 아버지의 원망과는 달리, 할머니는 할아버지가 '왜정' 시대에 『조선일보』와 『중앙일보』 기자를 지낸 인텔리라고 자랑이 대단했다. 그러나 할머니의 자랑은 딱 거기까지였다. 나중에 이야기하겠지만, 할아버지의 정체와 그 가난의 이유를 알게 된 것은 1968년 가출 사건이 있은 지 거의 10년이 지난 1977년 대학 신입생 때의 일이었다.

삼선개헌이 국회에서 날치기로 통과된 1969년 아버지는 오랜 실업자 생활을 청산했다. 아버지 친구들이 부부동반으로 마작을 하러 오기 시작한 것도 이즈음이다. 군용담요 위에 어른들이 '담을 쌓는 것'을 옆에서 보고 있으면 돈이 생겼다. 어른들 말씀하시는 데 버르장

머리 없이 자꾸 끼어드는 나는 홍제동 유진상가에 새로 생긴 영화관으로 자주 귀양 보내졌다. 귀양치고는 영화표 값 플러스 군것질 값이 보장된 꽤 괜찮은 조건이라서, 나는 귀양을 즐기는 편이었다. 김희갑·황정순이 주연한 〈팔도강산〉 시리즈가 가장 기억에 남는다. 마작판 대신 '용틀임하는' '조국 근대화'의 모습을 화면으로 지켜봤으니 착한 국민으로 자라는 중이었다. 지금 생각하면 악착같이 판을 지키면서 그때 마작을 배웠어야 했는데 하는 아쉬움이 크다. 2009년 교토에서 안식년을 보낼 때, 자주 뒷골목에서 마작장 간판을 볼 때마다 문득문득 그 생각이 났다.

어쨌든 삼선개헌안이 여당 단독의 날치기로 국회를 통과할 즈음인 1969년인가 1970년경에 텔레비전과 냉장고가 집에 들어왔다. 라디오로만 듣던 동백아가씨 이미자를 텔레비전에서 처음 보고 목소리와 이미지가 너무나 달라 많이 놀랐던 기억이 난다. 텔레비전 시대가 도래하면서 척척박사 양주동과 만담가 장소팔·고춘자 대신, '심금을 울리는' 〈여로〉 같은 드라마와 코미디언 구봉서·배삼룡 콤비가 안방을 차지했다. 남한 경제가 북한보다 우위에 서기 시작한 것도 이즈음의 일이다. 통계를 떠나서 '조국 근대화'가 가져온 텔레비전이나 냉장고 같은 물질적 혜택은 어린 눈에도 거부하기 힘든 매력적인 것이었다.

훗날 20세기 역사를 공부하면서 서양과의 간격이 생각보다는 크지 않았다는 걸 보여주는 몇 가지 통계에 놀란 적이 있다. 1957년 서유럽의 통계를 보면 대부분의 가정에는 아직 냉장고가 없었다. 냉장고 소유 비율은 높게는 서독의 12퍼센트에서 낮게는 이탈리아의 2퍼센트에 불과했다. 서유럽에서 냉장고 소유 가구 비율이 80퍼센트를 넘어선 것은 1974년의 일이었다. 1950년대 중반까지 벨기에와 프랑스, 이탈리아나 스칸디나비아 등 많은 서유럽 국가들도 수돗물이 공급되는 가구는 절반에도 못 미쳤다. 텔레비전이 가정의 필수품이 된 것은 서유럽에서도 1960년대의 일이다. 1960년 당시 프랑스에서 텔레비전이 있는 가정은 여덟 집에 한 집 정도였다.

여성사가 카렌 오펜Karen Offen이 들려준 바에 따르면, 자신이 파리에서 리서치를 했던 1960년대 당시 소르본느 근방 라틴 쿼터에 샤워 시설을 갖춘 집은 그리 많지 않았다. 세수를 하면서 얼굴과 목, 겨드랑이 정도를 씻는 '유대식 목욕(Jewish bath)'이라는 말 자체를 유럽이고 한국이고 요즈음의 젊은 세대들은 모를 것이다. 이 모든 통계보다 더 충격적인 것은 가축과 사람이 함께 기거하는 1950년대 이탈리아 남부 농가의 사진이다. 20세기 보도사진들을 모은 사진집 『Century』(1999)에서 이 사진을 처음 보았을 때 충격을 아직도 잊을 수 없다. 후쿠자와 유키치가 '탈아입구'를 외쳤을 때, 그 구라파가 1950년대 이탈리아 남부일 수는 없으리라. 우리가 좇는 '서양'은 손에 잡히지 않는 신기루일 뿐이다. 서양이 상징하는 근대성이라는 것은 손에 잡았다고 환호하는 순간 대기 속으로 녹아 날아가는 것이다.

텔레비전과 냉장고는 민족과 함께 왔다. '민족중흥의 역사적 사명을 띠고 이 땅에 태어난 나'는 어린 나이에도 「국민교육헌장」을 외워야 했다. 1968년 겨울방학을 목전에 두고 선생님은 「국민교육헌장」을 외우도록 시켰다. 비장하면서도 멋있고 위압적인 그 말들에 큰 감동을 받지 않으면 매국노가 될 것 같은 분위기였다. 하지만 애국심이라는 끈에 매달려 관념의 허공을 떠돌고 있는 그 말들은 '국민학교' 아이들이 이해할 수 있는 언어가 아니었다. 「국민교육헌장」을 못 외우고 안 외워서 며칠 계속 맞았다. 다른 때 비해, 담임선생님이 휘두르는 몽둥이에는 교육자의 확신이 없었다. 그럼에도 「국민교육헌장」을 비판하고 반대하는 목소리들을 신문이나 풍문으로 접할 때마다 나는 그들의 비판을 이해할 수 없었다. 어린 눈에, 이렇게 좋은 말들을 비판하는 그들은 비판을 위한 비판만 일삼는 일부 몰지각한 서구적 지식인들이었다. 훗날 내가 「국민교육헌장」의 신랄한 비판자가 될 거라고는 상상도 못했다.

삼선개헌 때는 이발소에서 삼선개헌의 당위성을 그린 신동우 화백의 만화를 읽고는 삼선개헌이 안 돼서 우리나라가 망하면 어떡하나 걱정하기도 했다. 한국 최초의 만화영화인 홍길동을 그린 만화가였기 때문에 내용도 내용이지만 아마 그의 만화에 익숙해서였을 것이다. 그러면서도 삼선개헌안이 공화당 의원들만이 참석한 가운데 심야에 날치기로 통과됐다는 신문기사를 읽고는 어린 마음에 분노하기도 했다. 한마디로 뭐가 뭔지 모르고 삐뚤빼뚤이었다. 그때 집에서는 『조선일보』를 구독했는데, 할아버지에 대한 원망에도 불구하고 창간 당시 할아버지가 기자로 있던 신문이 아버지에게는 더 끌렸는지도 모르겠다. 당시 3위 신문이었던 『조선일보』는 상당히 날카로운 야당지였다. 조선의 원로기자들 중에는 『조선일보』의 전성기를 1위 신문이 된 지금이 아니라, 3위 신문이었던 그 시기로 기억하는 기자들도 많다.

'산업전사'가 되기에는 아직 너무 어렸던 내 또래들에게 '조국 근대화'는 이처럼 동네 이발소의 삼선개헌 홍보만화나 지극히 근엄하고 유식해서 범접하기 어려웠던 「국민교육헌장」으로 다가왔다. 그에 비하면 대통령께서 직접 작사·작곡했다던 〈새마을 노래〉나 〈나의 조국〉 같은 노래는 어린 눈에도 조금 촌스러웠다. 가사로 치면 촌스럽기는 마찬가지였지만, 신중현의 노래 〈미인〉이 훨씬 끌렸다. 전혀 생뚱맞은 추측이지만, 정성을 다했지만 결과적으로 촌스럽게 된 권력의 노래보다는 촌스러움을 가장해 능청스럽게 권력에 야지를 놓는 딴따라의 노래가 더 끌렸던 것이 아닐까? 나중에 황신혜밴드의 인터뷰를 읽다가 작명에 관한 질문이 나오자, "황신혜, 그냥 이쁘잖아요?"라고 했던 한 멤버의 답변에 서늘하게 놀란 적이 있었다. 가끔씩 일상의 진부함을 능청스럽게 과장한 홍대 인디밴드들의 노래를 들을 때마다 비슷한 느낌이 들 때가 많다. 흰색 '마이'에 15센티미터는 족히 넘어 보이는 굽 높은 흰색 구두를 신고 고궁의 담벼락에 서서 기타를 치는 신중현의 앨범 재킷 사진은 아직도 기억에 생생하다.

2

유신의 자식

Doing
History

'국민학교'를 마치고 배정받은 중학교는 만리동 고개 꼭대기의 배문중학교였다. 중학교에 입학한 1971년 당시 만리동 고개는 아직 비포장이었다. 비만 오면 길이 엉망진창이었다. 지금의 서부역에서 만리동 고개 정상의 학교까지 올라가다 보면 운동화는 진창에 빠져 벗겨지기 일쑤고 교복 바지는 진흙이 달라붙어 엉망이었다. 길은 거지 같아도 배문중학교는 '왕립중학교'였다. 나와 동갑인 박정희 대통령의 영식 박지만 군이 배문중학교로 배정된 것이다. 학기 초 청와대에 초청받아 된장찌개를 대접받은 선생님들은 '대통령 각하' 내외분이 소박하기 그지없다고 연신 입술에 침을 발랐고, 1960년대 중반까지만 해도 무당집들이 가득했던 만리동은 영식 지만 군의 배문중학교 입학과 동시에 재개발되고 고개는 포장됐다.

    재개발과 도로포장 말고도 '왕립중학교'의 자질구레한 특권들은 더 있었다. 1970년 현충사로 수학여행 다녀오던 경서중학교 학생들을 실은 버스가 열차와 충돌하면서 학생 수십 명이 죽고 다치는 참사 이후, 모든 학교의 수학여행이 일시 중단되었는데 배문중학교는 예외였다. 1학년 때는 1학년생 전원이 임시열차 편으로 천안 어간에 있는 국영 성환목장으로 소풍을 다녀왔다. 목가적 풍경과 현대식 시설이 어디 꼭 외국에 온 느낌이었는데, 이제 와 생각하니 5·16 직후 한창 논의되던 덴마크 농촌 모델이 그 농장을 만든 동기가 아니었나 싶다. 2학년이 된 1972년에는 역시 긴급 편성된 임시열차를 타고 경주 찍고 부산 찍는 수학여행을 다녀왔다. 객차가 특별히 호화롭지는 않았지만, 남들은 엄두도 못 내는 수학여행을 간다는 것 자체가 특혜였다. 더욱이 우리 왕립중학교 학생들을 위해 임시 편성된 열차는 아무 역에도 서지 않고 경주까지 논스톱이었는데, 이런 특권을 불편해하기보다는 으쓱할 나이였다.

경주에서는 동양에서 가장 오래된 천문대라고 배웠던 첨성대가 너무 작아서 실망했던 기억이 난다. 석가탑이나 다보탑도 생각보다 규모가 작았다. 삼선개헌부터 유신을 전후한 시기에 정부는 대규모 유적 발굴을 후원했고, 신문들은 발굴 때마다 총천연색 컬러 사진으로 대서특필했다. '한국적 민주주의'는 찬란한 민족문화를 통해서만 뒷받침되기라도 하는 양이었다. 발굴 비용을 생각하면, 당시 한국의 고고학을 지원해 줄 수 있는 기관은 국가뿐이었다. 그래서 경주는 이래저래 익숙했는데, 신문에서 법석을 떤 데 비하면 어린 눈에도 규모가 너무 작았던 듯싶다. 처음 가본 부산 해운대 모래사장에서는 아줌마들이 미군부대에서 흘러나온 비상전투식량 레이션 박스를 팔았다. 중형 사전 크기의 작은 종이 박스에는 초콜릿과 과자, 고기 통조림 외에 군용 양담배도 들어 있었다. 해운대에서 맛본 미군 전투식량의 독특한 맛은 훗날 부대찌개 집에서 다시 맛볼 수 있었다.

왕립중학교의 특전은 중학교 3학년 때 운동회에서 다시 빛을 발했

'왕립' 배문중학고 시절. 2학년으로 막 올라간
1972년 3월 초 즈음에 찍은 증명사진.

다. 우리는 비좁은 학교 운동장을 버리고 효창운동장에서 가을 운동 회를 했다. 운동회가 한창일 때 돌연 "대통령 각하 내외분 입장!"이 라는 안내 멘트와 함께 "일동기립"이라는 명령이 떨어졌다. 모두 먹 던 김밥이나 음료수를 옆에 놓고 기립해서 '각하 내외분'을 박수로 환영했고, 운동회의 꽃 기마전의 백군 대장이었던 영식 지만 군은 본 부석에 올라가 부모님이 건네준 우승 트로피를 받았다. 방송국에서 빌려 온 위풍당당 이순신 장군 갑옷을 입은 백군 대장 박지만 군에 비해, 우리 청군 대장은 삼촌한테 빌려 온 오토바이 헬멧에 분홍색 마분지를 돌돌 말아 옆에 붙이고 비닐 잠바 비슷한 웃옷을 입고 나 와 기 싸움에서 먼저 밀렸다. 이순신 장군 갑옷의 '민족 전통'이 스타 워즈의 모조품 같은 싸구려 '근대'를 이긴 것은 당연했다. 영애 근혜 양이 그 자리에 있었는지는 기억나지 않는다.

우리가 임시 편성 특별열차 수학여행이나 효창운동장 운동회 같 은 왕립중학교의 특권을 누리고 있을 때도 조국 근대화는 계속됐다. 1972년 7월에는 모두의 놀라움 속에 7·4 공동성명이 발표되어, 금 방이라도 통일이 될 것 같은 분위기였다. 그러나 3개월 후에 곧 10월 유신이 선포되어, 7·4 공동성명은 신기루처럼 날아갔다. 북에서도 주 체사상이 강화되고 주석제가 선포되었으니, 막후에서 어떤 이야기들 이 오갔는지는 자료 공개를 기다릴 수밖에 없으리라. 평범한 중학교 2학년 학생이었던 내게는 유신의 당위성을 주장하는 정부의 주장이 많이 먹혔던 듯하다. 학교, 이발소, 목욕탕 등 사람들이 모이는 곳이 면 도처에 깔려 있던 정부의 선전물을 보고, 유신을 하지 않으면 우리나라는 곧 망할 거라는 걱정도 많이 했던 것 같다. 다음 해 3학년 사회 시간에 유신 헌법에 대해서 배우는데, 통일주체국민회의에서 대통령을 뽑는다는 걸 알고 약간의 배신감을 느꼈던 기억이 새롭다. 그래도 유신의 역사적 당위성을 의심해서는 안 됐다.

고등학교 진학과 더불어 왕립중학교의 특권도 끝났다. 고등학교 추첨제가 실시된 첫해, 추첨으로 배정받은 고등학교가 영식 박지만 군과 다른 학교였던 것이다. 유명 사립 '경기국민학교'와 같은 운동장을 썼던 우리는 자조적으로 '경기국민학교 부속 인창고등학교'라 불렀다. 거의 직관적으로 이 사학재단의 권력관계를 눈치 챘던 게 아닌가 싶다. 고등학교 1학년 광복절 날에는 이른바 문세광 사건이 발생했다. 나와 아버지, 아버지 친구 분 이렇게 셋이 광복절 기념식 실황 중계를 텔레비전으로 지켜보고 있는데 총격전이 발생했다. 순간 "이거 쇼 아니야?"라는 게 아버지의 즉각적인 반응이었다. 내 생애 처음으로 접한, 혹은 내가 기억하는 최초의 음모론적 해석이 아니었나 싶다. 한국 현대사에 대해서는 지금도 음모론적 해석이 강한 편인데, 이는 아마도 언론이 통제되고 정보에 대한 접근이 자유롭지 못한 독재 사회에 일반적인 지성사적 특징이 아닌가 한다. 음모론의 유행에는 지식인들의 지적 게으름도 일조했다. 발로 뛰면서 자료를 좇기보다는 머릿속에서 논리적으로 인과관계만 꿰어 맞추면 그럴듯한 음모론이 바로 만들어졌다. 그러니까 음모론은 도덕적 정당성과 지적 게으름의 기묘한 조합이기도 했다.

2학기 개학을 하자 '영부인'을 살해한 문세광 사건에 대해 일본 정부의 책임 회피적 태도에 분노한 서울 시내 고등학생들의 데모가 있었다. 긴급조치로 집회 및 결사의 자유가 심각하게 제약을 받고 있는데, 서울 시내 전역에서 고등학생들이 교문을 박차고 나와 스크럼을 짜고 반일 구호를 외치며 시내를 돌아다닌다는 것은 아무래도 권력의 묵인과 방조, 막후 조종 없이는 불가능했을 것이다. 선생님들이 교문 앞에서 막는 시늉을 했지만, 그것이 시늉이라는 걸 우리는 금방 알아차렸다. 두 분 선생님이 불같이 화를 내며 막았는데, 우리의 반일 데모를 왜 그렇게까지 막는지 당시에는 이해하지 못했다. 독일 물을 먹은 독일어 선생님과 한글 전용에 대해 시니컬한 태도를 취한 국사 선생님이 그 두 분이었다. 이제 와 돌이켜 보니 그 두 분 성향으로 미루어 볼 때, 아마도 관제 데모라 못마땅하게 생각하셨던 게 아닌가 싶다. 특히 국사 선생님은 세종대왕의 한글 창제에 반대한 '최만리'와 공교롭게도 동명이인이었는데, 수업 시간에는 한글 전용을 비롯해 박정희 정권의 민족주의적 정책들에 대해 간간이 날카로운 잽을 날렸던 분으로 기억된다.

1974년은 또한 마지막 반장 선거를 치른 해였다. 고등학교에 교련 수업이 도입된 것은 124군 부대의 청와대 습격 다음 해인 1969년이었지만, 1975년 학도호국단이 학생회를 대체함으로써 반장 선거는 폐지되고 담임선생님이 반장-부반장을 지명하는 상의하달식의 명령 체제가 자리 잡게 되었다. 나는 1974년 치러진 마지막 반장 선거에서 득표 차점자가 되어 부반장으로 선출되었는데, 학도호국단이 결성되기도 전에 부반장 직에서 쫓겨났다. 지각을 자주 하는 등 타의 모범이 되지 않았던 게 큰 이유였지만, 담임선생님은 '간부가 담임 편을 들지 않고 학생 편만 든다'는 게 큰 불만이셨다. 달동네 출신의 '불량' 학우들 역성을 많이 들어준 편인데, 그게 담임선생님 마음에 걸렸던 모양이다. 지금 와서 생각하면 교칙의 어떤 근거로 그런 '숙청'이 가능했는지 궁금하지만, 그때는 매를 피하느라 바빴다. 여하튼 나는 그때의 그 자의적 '숙청'을 학교의 병영화 혹은 유신 체제화의 전조였다고 해석한다. 매우 자랑스럽게 달고 다니던 교내 신문사 배지나 우리 신문이 시내의 한 대학에서 주최한 고등학교 신문 경연대회에서 수상했다는 자부심도 같이 시들해졌다.

비단 문세광 사건이 아니어도, 고등학생의 관제 데모 혹은 정치적 동원은 유신 체제가 불안해지는 만큼 더 빈번해졌다. 이때의 동원 경험은 훗날 '대중독재'의 모순적 일상을 이해하는 데 큰 도움이 됐다. 여의도 광장의 반공 궐기대회에 교련복 차림으로 동원된 내 태도는 기본적으로 이중적이었다. 한여름의 땡볕과 아스팔트의 후끈한 열기에 끊임없이 투덜대면서도, 학교 수업을 떳떳하게 빼먹는다는 기쁨을 만끽했다. 공산당을 때려잡자며 반공 구호를 열심히 외칠 때는 이승복 못지않게 공산당이 미웠겠지만, 대열을 이탈해 시원한 곳에서 땡땡이를 치거나 동원 여학생들과 접선할 수 있는 기회를 북한 공산당만큼이나 호시탐탐 노렸다. '국난 극복의 위기 상황'을 맞아 사회 기강과 질서가 강화되어야 한다고 믿었지만, '나'한테는 그 기강과 질서가 적용되면 안 됐다. 여의도 광장에 모였던 수십만의 '나'는 체제 순응적 청소년이었는가, 저항 청소년이었는가?

1975년 인창고 2학년 때 신문반 동기 윤도현(노동사회학 박사)과 건국대 주최 고등학교 우수 신문 콘테스트 시상식을 마치고. 신문반 동기 여섯 가운데 나와 윤도현 외에도 송우근(생물학), 장원철(한문학) 등 4명이 대학에 남았다.

독재 정권에 동의하면서도 저항하고, 지배가 저항을 낳기도 하고, 저항이 지배에 포섭되기도 하는 '대중독재'의 복합적 현실, 일상의 중첩된 모순과 그 모순의 누적된 역사는 그리 멀리 있는 게 아니었다. 그것은 대중독재 체제 하의 민중들, 예컨대 노동자들에게도 해당된다. 노동자 정당이 아닌 부르주아 정당에 투표하는 노동자들의 성향을 그람시Antonio Gramsci의 헤게모니론만으로 설명하기는 어렵다. 일상사의 선구자 알프 뤼트케Alf Lüdtke의 해석처럼 그냥 일상에서 누적되고 지속되어 온 '고집(Eigensinn)'이 그러한 선택을 낳은 경우도 많다. 시장의 행위자들이 합리적 선택보다는 여러 가지 편견과 자기기만, 고집 등에 따라 울퉁불퉁하게 행동하듯이, 역사의 행위자들도 그런 것이다. 대중의 일사불란한 삶이란 권력의 희망사항일 뿐, 체제 순응적이면서도 저항적이었던 교련복 속의 내 모습이 역사적 행위자들의 구체적인 면면인 것이다. 좌파든 우파든 이데올로기적 강박에서 벗어나면, 역사는 전혀 다르게 보이는 법이다.

대학에서 역사를 전공하기로 한 내 결정도 합리적인 선택이었다고 하기는 어렵다. 아버지와 어머니, 아버지의 친구들이나 일가친척, 충고깨나 할 만한 주변의 지인들은 모두 내가 '이과'를 가야 한다고 했다. 나를 잘 모르는 분들도 내가 '이과' 타입이라는 것이다. 엔지니어도 좋지만 의대가 더 잘 맞을 거라고들 했다. 어머니는 심지어 용한 점쟁이까지 끌어들여 이과를 종용했다. 내심으로는 문학과 역사, 책 읽기를 좋아하는 스타일이라 문과가 아닌가 했지만, 부모님을 비롯해 주변의 모든 사람들이 '이과'가 내 스타일이라 하니 그런가 했다.

그들의 경륜과 지혜는 존중되어야 마땅하지만, 실은 그때 주변 어른들의 일사불란한 그 확신을 의심해야 했다. 만시지탄의 감은 있지만, 나는 대입 원서를 쓰는 그 결정적인 순간에 의대를 거부했다. 예비고사가 끝나고 잠깐 병원 신세를 진 적이 있는데, 불현듯 평생을 소독약 냄새 맡으며 살 수는 없다는 생각이 들었다. 1976년 겨울 대학 본고사를 불과 한두 달 앞두고 의과대학 대신 인문대학 그것도 역사를 공부하고 싶다는 내 폭탄선언에 어머니는 몸져누웠고 집안 어른들의 표정은 모두 어두웠다.

대학에서의 내 전공에 대해 부모님과 아버지의 지인들이 보였던 그 지나친 과민반응을 이해하기까지는 채 일 년이 안 걸렸다. 1977년 서강대학교 문과대학에 진학해서는 고등학교 때처럼 학보사에 들어갔다. 대학 신문사를 짓누르고 있던 딜레마는 첫눈에 들어왔다. '검열'이 부른 딜레마였다. 검열을 피해 어떻게든 신문은 내야 한다는 리얼리즘과 기사가 삭제되고 정간되는 한이 있어도 검열과 맞붙어 싸워야 한다는 원칙론의 입장이 거의 매호 신문을 낼 때마다 부딪쳤다. '학도호국단'의 예산 남용에 대한 비판 기사조차도 유신 체제에 대한 비판이므로 긴급조치의 처벌 대상이라고 협박이 들어올 정도였으니, 유신 말기의 체제 경직성은 이미 스스로를 옭죄고 있었다. '학생회'가 개인주의적 서구 민주주의의 상징이었다면, '학도호국단'은 공동체 지향의 한국적 민주주의의 상징이라고 유신의 선전기관들이 떠들어 대던 시절이었다.

학보사 선배였던 서울대 동아시아 문명학부 윤상인 교수에 따르면 '사회적 부적격자'의 전형처럼 보였던 나는 당연히 원칙론의 편이었다. 마음속에서 갈등이 없었던 것은 아니지만, 원칙론의 편이 논리적으로 선명했고 또 리얼리즘에 비해 원칙론이 갖는 작은 정의감이 마음을 편하게 한 면도 있다. 지금이라면 아마도 리얼리즘의 편에서 오히려 '검열' 체제의 허점들을 파고들어 보란 듯이 조롱하며 유신의 논리로 유신을 비판하는 그런 편집을 시도하지 않았을까 싶다. 당시 편집장이었던 최기영이 리얼리즘의 기수였고, 나를 포함한 후배 그룹은 원칙론의 편이었다. 거의 40년이 지난 지금 최기영 교수는 무장투쟁을 위시한 한국 독립운동사를 힘주어 연구하고, 나는 포스트콜로니얼리즘의 관점에서 일제하 친일 협력자들도 힘을 욕망한 민족주의적 리얼리스트라고 삐딱하게 생각하니 이제는 입장이 서로 뒤바뀐 셈이다.

훗날 폴란드 현실사회주의의 검열 체제에 대한 역사를 읽으면서, 문득 그때 생각이 났다. 1956년 탈스탈린주의의 개혁 물결 속에서 철학자 코와코프스키Leszek Kołakowski가 쓴 촌철살인의 짧은 에세이 「사회주의란 무엇인가?(Czym jest socjalizm?)」를 읽을 때 특히 그랬다. 코와코프스키는 사회주의에서 일어나서는 안 되는 일들의 긴 리스트를 뽑았다: "재판 없이 벌을 받는 국가, 단지 누군가의 형제, 자매, 배우자라는 이유로 범죄자가 되는 사회, 생각하지 않는 사람이 잘사는 사회, 유대인이기 때문에 불행하고 유대인이 아니기 때문에 안심하는 사회, 관료 수가 노동자 수보다 더 가파르게 느는 국가, 간호사보다 스파이가 더 많은 나라, 병상보다 감방의 침상 수가 더 많은 나라, 누가 어떻게 국가를 비판할지를 국가 스스로가 정하는 나라, 거짓말을 강요하는 국가, 인민이 원하는 게 무언지 알면서도 항상 무얼 원하느냐 묻는 국가……." 이론적으로는 사회주의에서 결코 일어날 수도 없고 일어나서도 안 되는 이 일들은 당시 '인민 폴란드'에서 비일비재하게 일어나고 있었다. 『단도직입적으로(Po Prostu)』라는 주간지에 게재될 예정인 이 글은 결국 검열에 걸렸지만, 저자인 코와코프스키는 아무런 제재도 받지 않았다. 사회주의의 이상을 제시한 이 글을 제국주의 스파이의 반사회주의적 선동으로 몰고 가기는 어려웠던 탓이다.

지금 와 생각하면 당시 내 사고방식을 지배한 것은 치기 어린 나로드니키의 선명한 이분법 같은 것이 아니었나 싶다. 20세기 러시아 지성사의 주요한 특징으로 거론되는 '최대주의(maximalism)'와 유사한 것이기도 했다. 우리와 그들, 아군과 적, 진실과 거짓, 정의와 부정, 진보와 반동, 저항과 복종의 경계를 선명하게 나누는 최대주의의 사고방식은 그 경계선의 좌와 우에 폭넓게 걸쳐 있는 회색지대를 인정하지 않는다. 트로츠키주의 반대파 지식인으로 1960년대 후반부터 폴란드의 반체제 인사를 대표했던 쿠론Jacek Kuroń이 늘 이야기했듯이, "단순한 자들은 회의주의자들을 이기는 방법을 알고 있는 것"이다. 민주주의적 절차가 무시되는 정치문화 혹은 독재 체제에서 정치적 실천을 할 때, 이는 불가피한 측면도 있다. 불가피한 정도가 아니라 정치적으로는 순진해 빠질 필요가 많다. 철학적으로는 회의주의를 견지하면서도, 정치적으로는 의도적으로 순진해야 할 때가 있는 것이다.

나는 어느 편이었냐 하면 쿠론처럼 의도적 순진파라기보다는 저절로 순진파였다. 생각이 좀 모자랐던 것이다. 검열에 대한 원칙론에 매달리다 보니 학보사에 대한 의욕이 많이 사라졌다. 신문 만들 때보다 술 마실 때 주로 나타나는 건달 기자 생활과 더불어 서강대 최초의 지하 서클 중 하나인 '황토'에도 기웃거렸다. 2학년 선배들과 1학년 몇몇이 모인 아주 작은 규모의 서클이었다. 그나마도 뒷날 서강 출신의 『한겨레신문』 삼인방이 되는 2학년 선배들이 1977년 가을 긴급조치로 구속되는 바람에 1학년만 달랑 뒤에 남겨져 벼랑 끝에 선 조직이었다. 순진함과 열정이 유일한 자산인 이 어설픈 조직에서 나는 더 어설펐고, 금방 들통났다. 황지우 시에서 튀어나온 것 같은 '인간적인 너무나 인간적인' 마포서 정보과 형사가 내복과 음료수를 사들고 가정방문을 오자 집안이 발칵 뒤집혔다. 나는 처음으로 할아버지의 사상에 대해 들었고 '연좌제'가 자식들에게 미칠 결과에 대한 아버지의 공포를 읽었다. 일 년 전 진학 전공을 달리하겠다는 소식에 몸져누웠던 어머니는 올 것이 왔다는 표정으로 오히려 차분했다.

할아버지 이야기를 듣고 내가 처음 한 일은 도서관에 가서 식민지 시대의 『조선일보』·『동아일보』와 서대숙과 김창순의 한국 공산주의 운동사 책들을 찾아 할아버지의 행적을 추적하는 것이었다. 자료 색인에서 '임원근'이라는 할아버지 이름 석 자를 찾고는 전율했다. 많은 자료들이 줄줄이 나왔다. 거물이었다. 아버지한테는 미안한 이야기지만, 나는 처음으로 어린 시절의 가난에 대해 자부심을 갖게 됐다. 왜 할아버지 얘기를 진작 안 해주었는지 원망스러웠다. 개성 아래 장단의 중농 출신 자식인 할아버지가 어떻게 동경까지 가서 게이오 대학

'이재과理財科'에 적을 두었는지는 아직도 수수께끼다. 자료는 3·1 운동 이후 학업을 작파하고 상해로 건너간 할아버지가 상해 영어학원에서 만난 박헌영, 김단야와 함께 조선공산당을 창당한 트로이카이고, '조선의 콜론타이'라 불렸던 허정숙이 할아버지의 첫 번째 부인이라고 알려줬다.

가까운 친척 할아버지의 증언에 따르면, 임원근과 허정숙은 만주인가 어딘가의 기차 안에서 처음 만났다. 1922년 1월 모스크바에서 개최된 극동민족대회에 참석하고 귀국길에 체포되어 신의주에서 재판을 받고 1년 반 형기를 마치고 출옥한 할아버지가 경성에 도착했을 때, 허정숙은 할아버지 한복을 한 벌 지어서 역전에 마중 나왔고 둘은 그때부터 같이 살기 시작했다. 1925년 할아버지가 조선공산당 1차 사건으로 검거되어 감옥에 있을 때, '신여성' 허정숙이 동지 송봉우와 사랑에 빠져 동거하면서 그의 아들을 낳았다. 그래서 할아버지는 "낡은 도덕과 거짓 형식 두 사람을 매여 둘 힘 없어라"라는 시 한 수를 남기고 쿨하게 마음을 정리했다. 1930년 1월 1일 출옥 후 할아버지는 전 장인 허헌 변호사의 집에 한동안 기거했다. 자신들을 매개했던 허정숙은 간 데 없고 전 장인과 전 사위가 같이 동거를 했다니 특이한 분위기였을 것이다.

한 가지 확실한 것은 둘 다 쿨하지 않으면 불가능한 동거였다는 점이다. 혹은 남성 헤게모니를 박차고 나간 딸이면서 전 부인인 허정숙에게 시위하는 듯한 장인과 사위의 은밀한 남성 동맹이 이 희한한 동거를 가능케 했는지도 모르겠다. 할아버지는 1931년 2월 『신천지』에

일제시대 조선공산당 삼인방 중 한 명이었던 할아버지 임원근과 사회주의 페미
니스트 허정숙의 수형자 사진. 세상에 회자되었던 그들의 낭만적 사랑은 "낡은
도덕과 거짓 형식 두 사람을 매여 둘 힘 없어"져서 끝났다.

신간회 해소를 반대하는 글을 발표하고, 1936년부터는 여운형이 사장으로 있던 『조선중앙일보』의 지방부장으로 일했다. 1933년에는 안맑남과 재혼했는데 그분이 내 친할머니다. 송봉우 동지만 없었다면, 혹은 1920년대 구라파를 휩쓸고 식민지 조선까지 불어닥친 '신여성'의 유행이 없었다면 나는 태어나지도 못할 뻔했다. 할아버지와 허정숙 사이에는 임표라는 아들이 있었는데, 내 이복 큰아버지가 된다. 한국전쟁 때 모스크바로 보내 의학을 공부하고 귀국해서는 북에서 의사를 했다는 소식까지는 들었는데 그 이후는 알 수 없다.

실은 1969년 아버지가 실업자 신세를 면한 것도, 나나 내 동생들이 '후암동 할아버지'라고 부르던 김재춘 전 중앙정보부장의 덕택이다. 박정희의 괘씸죄에서 벗어난 그가 국책기관의 장으로 가면서, 아버지를 데려간 것이다. 위에서 임원근과 허정숙의 연애 이야기를 들려준 '친척 할아버지'도 바로 그이다. '후암동 할아버지'의 증언에 따르면, 해방 직후 오랜 동지 조봉암의 도움으로 흑석동 적산가옥에 둥지를 튼 내 할아버지는 김포군 검단면에 살던 외사촌 동생 김재춘을 서울로 불러들였다. 내 이복 큰아버지 임표와 동갑내기였던 김재춘의 총기를 높이 샀기 때문이다. 둘은 막역한 친구처럼 사범대 진학을 목표로 같이 공부도 하고 놀기도 하면서 어울려 다녔는데, 큰아버지 임표는 먼저 북에 가 있던 친모 허정숙이 불러 월북했고 친구의 월북으로 김이 샌 '후암동 할아버지'는 육사 5기로 군대에 들어갔다.

대한민국 국군 장교가 된 김재춘은 조선공산당의 트로이카인 임원근을 가까이하기 힘들었고, 그 대신 아버지를 후원했다. 가정형편상 대학 진학이 어려운 아버지에게 간부학교를 추천한 것도 그였고, 김종필에 이어 중앙정보부장에 취임하자 현역 장교인 아버지를 중앙정보부로 데려간 것도 그였다. 나와 내 동생들에게 연좌제가 미치지 않도록 슬쩍 손을 써 준 것도 '후암동 할아버지'였다. 나중에 김재춘 할아버지가 내게 해준 얘기에 따르면, 정보부장 시절 임표가 하도 궁금해서 북으로 넘어가는 요원에게 지령해서 접촉을 시켜 볼까 하다가, 나와 내 동생들을 생각해서 생각을 접으셨단다. 당신이 정보부장 직에서 물러가고 그 기록들을 누군가 보면 우리가 곤란해지지 않을까 하는 배려에서였다.

정보부장 직에서 밀려나자 '넝쿨 인사'가 특징인 정보 부처의 속성상 아버지도 실업자 신세가 됐다. 지금 생각해 보면 임원근의 아들인 내 아버지가 중앙정보부 요원이 될 수 있었다는 게 안 믿어진다. 아는 이를 통해 쌀 한 말 정도로 손만 쓰면 빨치산 포로들도 풀려날 수 있었다는 이야기들을 접해 보면, 이데올로기보다 인적 네트워크가 더 중요한 시대가 아니었나 싶다. 아버지 회고에 따르면 해방 직후에는 툭 하면 미군 방첩대에서 사람들이 나와 흑석동 집을 수색했다고 하는데, 그걸 생각하면 아버지가 중앙정보부에서 일했다는 건 정말 놀랍다. 할아버지는 어금니를 뽑고 바로 술을 드신 것이 화근이 되어 '치암'으로 돌아가셨다는데, 그런 할아버지의 허무주의적 말년이 도움이 됐는지도 모르겠다. 나중에 할머니가 털어놓은 바에 따르면, 조봉암의 사형 집행 이후 식구들의 만류를 무릅쓰고 사형장에서 조봉암의 시신을 수습한 이후 할아버지는 '맨날 술'이었다. 젊은 시절 아버지는 술을 잘 못했는데, 할아버지의 유전자는 아무래도 격세유전의 성질이었던 듯하다.

'후암동 할아버지' 이야기 가운데 가장 흥미로운 것은 박정희·임원근 음주 에피소드이다. 박정희가 대구 군수사령관으로 있을 때, 김재춘이 대구로 피난 온 할아버지와 박정희의 술자리를 주선한 적이 있단다. 술을 못하는 김재춘 할아버지는 맑은 정신으로 박정희와 임원근이 밤새 통음하며 이야기 나누는 것을 지켜보셨다. 구체적인 내용은 잘 기억하지 못하지만, 도저히 어울리지 않을 것 같은 두 사람이 밤새 이야기 나누는 것을 보고 '저 둘이 다 예전에 빨갱이여서 이렇게 죽이 잘 맞나'라는 생각이 들었단다. (언젠가 한국 현대사 연구자들 몇몇에게 이 일화를 이야기해 준 적이 있는데, 할아버지 임원근이 5·16을 지지했다는 세간의 속설은 아마도 이 일화가 와전된 것이 아닌가 한다.) 내 해석은 조금 다르다. 주변부로 오면서 노동해방 이데올로기에서 후진국 근대화론으로 둔갑한 마르크스주의의 전파 과정을 살펴보면, 그날 밤 대구 술자리의 조합이 반드시 이상할 것도 없다. 박정희의 '시장 스탈린주의'와 '후진국 근대화론'으로서의 마르크스주의 사이의 간격은 흔히 생각하는 것처럼 그리 크지 않다. 북한을 방문한 박근혜 당시 한나라당 총재에게 새마을 운동의 성공을 부러워한 김정일 위원장의 발언은 어떤가? 역사에는 이념을 갖고 이해할 수 있는 일들이 생각만큼 많지 않다. 나중에야 깨달은 사실이다.

3

살아남은 자의 슬픔

Doing
History

"자네도 사학과 학생인가?"

학부 졸업논문과 대학원 진학을 상의코자 연구실로 찾아뵀더니, 차하순 선생께서 던진 첫 질문이었다. 나는 사실대로 그렇다고 말씀 드렸다. 학부 시절 선생의 수업을 한 번도 들은 적이 없고 그렇다고 과 행사에 열심히 참가하지도 않았다. 교수 연구실과 조교실은 바이러스 오염 지역처럼 가능한 한 멀리하고 살았으니 선생이 몰라보신 건 당연했다. 학교생활을 성실히 하지도 못했지만, 전공수업은 주로 한국사에 치우쳐서 들었고 그나마 몇 안 되는 서양사 강의도 대부분 길현모 선생이 담당한 사회경제사 강의였다. 그럼에도 서양사를 공부하겠다고 불쑥 차하순 선생 연구실 문을 두드렸던 것이다. 지도교수와의 첫 대면을 마치고 나니 앞으로 대학원 생활이 그리 밝지는 않겠다는 예감이 들었다. 광주에서 신군부가 학살을 자행한 지 1년여가 지나 5공화국의 반동이 기세등등한 1981년 가을의 일이었다.

학부에서 역사 전공을 택한 이래 내 관심은 줄곧 한국의 '자본주의 이행' 문제였다. 대학원에 간다면 근현대 한국 경제사를 전공하겠다고 생각한 지도 오래였다. 내 눈에 비친 1960년대 이후 남한의 개발독재는 국가권력이 위에서 자본의 '본원적 축적'을 강제하고 고도

성장과 압축적 근대화를 통해 서구를 따라잡는다는 단일 목표에 올
인하는 체제였다. 한국 노동자들의 척박하고 신산한 삶을 문학적으
로 형상화한 조세희의 연작소설 『난장이가 쏘아 올린 작은 공』은 19
세기 영국 맨체스터 노동자들의 비루한 삶에 대한 엥겔스의 사회학
적 보고서와 크게 다를 바 없었다. 대규모 이농과 광주대단지 사태,
전태일의 분신과 동일방직, 원진레이온과 형제복지원 사건에 이르기
까지, 당시 한국 사회는 마르크스가 『자본론』에서 묘사한 자본의 본
원적 축적 과정을 그대로 재현하는 듯했다. 자연스레 마르크스주의
는 당대 한국 사회를 설명하는 설득력 있는 틀로 다가왔다.

　마르크스주의에 대한 내 관심은 사회적 소수자인 노동자들에 대
한 나로드니키적 공감에서 출발했지만, 역사학도로서의 '실사구시'
적 태도에서 비롯된 바도 컸다. 물론 마르크스가 분석 대상으로 삼
은 서구의 자본주의와 한국의 자본주의는 분명 달랐다. 남한 자본
주의의 개발독재적 발전 양상은 서구 자본주의의 고전적 경로에서
는 찾아볼 수 없는 현상이었고 다른 설명 틀을 필요로 했다. 식민주
의와 봉건제의 완강한 잔재들, 부르주아지의 정치적 허약성과 반봉건
화, 개발독재의 폭력적 정치 양식, 기본적인 노동권과 사회권을 박탈
당하고 '즉자적 계급'에 머물러 있는 노동자 계급, 허약한 의회민주주
의, 강력한 후견인적 국가의 존재, 근대적 개인 주체의 미성숙 등 이
른바 자본주의 발전의 '프로이센적 길'이야말로 남한 자본주의의 특
수성을 잘 설명해 준다는 생각은 당시로서는 거의 믿음 수준이었다.
나중에 조선 후기 자본주의 맹아론에 대한 연구들이 김용섭, 강만길

그리고 북한의 허종호 등에 의해 상당히 진전된 것을 알고는, 고대로 거슬러 올라가 아시아적 생산 양식과 노예제-봉건제 사회를 다루어 보고 싶은 생각도 있었다.

한국에서의 자본주의 이행 과정에 대한 역사적 관심은 기본적으로 서구 자본주의의 고전적 발전 경로와 다른 한국사적 특수성은 무엇인가라는 의문에서 비롯되었다. 저개발과 독재, 분단 등 1970~80년대 한국 사회가 안고 있던 문제들은 자본주의 발전의 한국사적 특수성에 그 기원이 있으리라는 생각이 그 밑에는 깔려 있었다. 돕 Maurice Dobb의 『자본주의 발전 연구』, 일명 돕-스위지Paul M. Sweezy 논쟁으로 알려진 자본주의 이행논쟁, 일본의 강좌파 마르크스주의자들과 다카하시 고하치로高橋幸八郎로 대변되는 전후 마르크스주의 경제사학, 전후 독일 역사학의 '특수한 길' 테제 등에서 이론적 자양분을 얻으며 그러한 확신은 더 굳어졌다. 얼핏 이질적인 것처럼 보이는 이들의 논의를 한데 묶어 주는 공통점은 잉글랜드의 자본주의 발전사를 보편적 모델로 설정하고 거기에 비추어 일본, 독일, 한국, 중국, 인도, 중동, 남미, 아프리카 혹은 '기타' 비서구 지역에서 나타나는 자본주의 발전의 후진성 혹은 특수성을 분석하는 비교사적 설정이었다. 아시아적 생산 양식에 대한 관심도 한국 자본주의의 특수성을 어떻게 설명할 것인가 하는 문제의식의 연장선상에 있었다.

서양사를 선택했어도, 그 문제의식은 크게 바뀌지 않았다. 돌이켜 보면 대학원에서 서양사를 전공으로 택할 당시 내가 서 있던 인식론적 지점은 '헤게모니적 거울'인 서양을 제대로 이해하고 거기에 비추어 한국 사회를 이해하자는 수준의 순진한 서구중심주의가 아니었나 싶다. 한국의 자본주의 발전을 이해하기 위해서는 '영국'의 자본주의 이행을 역사적으로 먼저 이해해야 한다거나 실학의 근대성을 찾으려면 서구의 계몽사상을 더 깊이 분석해야 한다는 정도였다. '서양'과 '한국' 사이의 역사적 갭을 어떻게 좁힐 수 있는가 하는 고민을 안고 자기 사회를 이해하기 위한 포석으로서 '서양사' 전공을 택한 것인데, 그것은 결국 서양의 보편적 혹은 모범적 근대에 비추어 자생적이면서도 일탈된 한국의 근대를 이해하려는 노력의 일환이었다. 다렌도르프Ralf Dahrendorf나 벨러Hans Ulrich-Wehler 같은 독일사의 '특수한 길' 테제 주창자들이나 다카하시 고하치로의 글에서도 비슷한 문제의식을 읽을 수 있었다. 고백하건대, 당시에는 그런 생각들이 서구중심주의의 결과라는 생각은 꿈조차 꾸지 못했다.

'프리드리히 2세의 계몽절대주의'를 학부 졸업논문의 주제로 잡은 것도 밑으로부터의 시민혁명적 길 대신 위로부터 권력이 주도한 프로이센적 길이 한국의 자본주의를 이해하는 데 더 의미 있는 길잡이가 된다는 판단에서였다. 논문의 결론 부분에서 그런 논지의 주장을 적었다가 차하순 선생께 꾸중 들었던 기억이 난다. 학술 논문에서 그런 식의 주장은 독자들이 행간에서 읽도록 배치하는 것이지, 잘못하면 너무 정치적 속물주의에 빠질 수 있다는 논지였다고 기억된다. 내 성향을 바로 눈치채시고, 지나치게 정치적으로 나갈까 봐 학문적 엄격성을 강조하셨던 게 아닌가 싶다. 여하튼 학부 졸업논문임에도, 차하순 선생께서는 논문계획서 작성 단계부터 최종 원고를 마무리

1981년 가을에 쓴 학부 졸업논문 원고뭉치. 2015년 2월 서강대학으로 연구실을 이사하면서 짐정리를 하다가 발견했다. 내 악필/졸필을 견뎌야 했던 지도교수 차하순 선생께는 지금도 죄송하다.

할 때까지 마치 대학원 논문을 지도하듯 학부생 글을 여러 차례 만나 읽고 비판하고 토론하면서 지도해 주셨으니 그만한 행운이 없었다. 2015년 2월 서강대학으로 연구실 이사를 위해 짐정리를 하다가, 34년 전 쓴 학부 졸업논문 원고뭉치를 발견하고는 감회가 새로웠다. 1989년 대학의 전임으로 자리를 잡은 이래 차하순 선생의 반만큼이라도 학부 졸업논문을 지도한 적이 없으니 부끄럽기 짝이 없다.

대학원에서 서양사를 전공하겠다는 결심은 반드시 합리적 선택의 결과는 아니었다. 대학원 진학을 눈앞에 두고도 나는 여전히 한국의 자본주의 발달사를 공부하고 싶다는 생각이 강했지만, 답답함을 지우기는 어려웠다. 마르크스와 엥겔스는 물론이고, 진보와 보수를 넘어서 기번Edward Gibbon, 피렌느Henri Pirenne, 한스 콘Hans Kohn, 에드워드 카Edward H. Carr, 홉스봄Eric J. Hobsbawm, 톰슨Edward P. Thompson, 돕, 스위지 등의 서양사 고전을 읽으면 거시적 안목으로 인간의 삶이나 사회와 역사를 이해하는 데 깊은 통찰력을 준다는 느낌이 들었다. 그들의 주장이 옳으냐 그르냐는 그 다음 문제였다. 당시만 해도, 이러한 지적 만족감은 한국사 연구들에서는 별로 얻을 수 없는 것들이었다. 반면 한국사의 경우에는 새로 개척해야 할 연구 분야가 많기 때문에 독창적 연구가 얼마든지 가능했다. 서양사와 한국사 사이에서 선택을 고민한다는 것은 세계적 대가들의 작업에 자주 접하며 지적 허영심을 만족시킬 것인가, 아니면 불모지를 개척하며 학문적 독창성을 지향할 것인가 사이의 선택이기도 했다.

지적 수월성과 독창성 사이에서 고민하고 있는 와중에 피렌느의 업적에 대한 후대 중세사가의 평가가 눈에 확 들어왔다. 중세의 기원에 대한 피렌느 테제의 핵심은 게르만의 침입이 아니라 이슬람의 팽창이 유럽의 중세 봉건제를 만들었다는 것이다. 북아프리카, 이베리아 반도, 터키, 시리아, 팔레스타인 등이 이슬람에 정복되자 지중해가 이슬람의 호수로 변했고, 그래서 고대 로마 세계의 교역로가 막히고 고립된 유럽의 중세는 겨우 생존을 유지할 정도의 폐쇄적인 농업사회인 봉건제를 발전시킬 수밖에 없었다는 것이다. 그동안 새로운 고고학적 발견과 꼼꼼한 실증적 연구의 축적에 힘입어 오늘날에는 피렌느 테제를 지지하는 역사가는 거의 없다고 해도 과언이 아니다. 그러나 피렌느의 『마호메트와 샤를마뉴』를 한번 읽어 보라. 이슬람사와 유럽사의 상호작용을 추적하는 그 웅대한 스케일, 자료의 적절한 배치와 설득력 있는 해석, 독자들의 공감을 배가하는 유려한 수사, 훗날 아날학파가 빠져든 장기지속의 내러티브 등 피렌느 테제의 매력은 전혀 퇴색되지 않았다. 틀렸다 해도, 독자를 빠져들게 만드는 매력은 여전한 것이다.

　1969년 피렌느 테제를 둘러싼 논쟁을 편집한 하버드 출신의 미국 연구자 하비거스트Alfred F. Havighurst는 피렌느 테제가 가진 이 오류의 매력을 '풍요로운 오류(fertile error)' 대 '황량한 진실(barren truth)'이라는 모순어법으로 설명한다. 인간과 역사를 이해하는 데 '황량한 진실'보다는 '풍요로운 오류'가 더 도움이 될 때가 많다는 것이다. 피렌느 테제에 대한 그의 이 모순어법은 서양사를 선택하는 데 큰 위안이 됐다. 서양사의 지적 수월성과 한국사의 독창성에 대한 기로에서

'풍요로운 오류'를 택하는 데 주저함이 없었다. '서양사=풍요로운 오류' 대 '한국사=황량한 진실'이라는 대립구도는 사실 조금 억지였는데, 서양사 선택을 정당화하기에는 딱 제격이었다. 또 한편으로는 사실이 스스로 말한다고 믿는 실증주의적 풍토에 대한 어렴풋한 반감도 한몫을 했을 것이다. 최근 기억 연구를 진행하면서 진실(truth)과 사실(fact)이 서로 어긋나는 '아우슈비츠의 아포리아'를 접했을 때, 피렌느 테제의 모순어법이 문득 떠올랐다. 인간이 만들어 온 세상은 대조어법의 세상이기보다는 모순어법의 세상인 것이다.

서양사를 공부하기로 한 당시 내 결정을 지적 허영심의 발로라고만 해석한다면, 그 해석이야말로 지적 허영일 뿐이다. 이럴까 저럴까하는데 당시에는 여자 친구였고 지금은 아내가 된 성혜영의 조언이내 결정을 못 박아 버렸다. 굳이 프로스트를 들먹이지 않아도 못 가본 길에 대한 미련이야 늘 우리네 삶에 따라다니는 오랜 친구 같은 것인데, 여자 친구 덕에 그 길에 대한 미련을 버릴 수 있었다. 나는 자의반 타의반 학부를 5년 다닌 덕에 동급생이었던 그네가 먼저 대학원에 들어가 그 분위기를 전해 주었다. 사학과의 전공 별 '집단심성' 지도 같은 것을 그려 준 것인데, 나 같은 인간은 한국사 대학원에 들어오면 공부는 둘째치고 먼저 인간적으로 생존하기 어렵다는 신탁이 나왔다. 어떻게 보면 남들은 다 알고 나만 모르는 일이었는지도 모르겠다. 좋게 얘기하면 나는 너무 리버럴한 거고, 나쁘게 이야기하면 선후배 간의 예의도 모르는 '사회적 부적격자'였던 것이다.

당시 서강대 한국사 대학원의 분위기가 특별히 보수적이었다기보다는 서양사 대학원의 분위기가 리버럴했다는 게 더 맞을 것이다. 조승래, 박상익, 이종훈, 곽차섭 등 당시 서양사 대학원 선배들의 스타일이 그랬고, 주명철, 조한욱, 임상우 등 유학파 서양사 선배들도 그랬다. 더 결정적으로는 이보형, 차하순, 진모덕 서양사 교수들이 당시 한국 대학의 교수로서는 보기 드문 리버럴이었던 탓이다. 아직도 생생하게 기억나는 장면은 학부 졸업논문의 지도교수 차하순 선생께서 원고지 한 장 한 장을 넘길 때마다 담배 냄새가 어찌나 지독하던지 혼났다며 담배를 좀 줄이거나 끊으라고 말씀하신 대목이다. 당시 선생은 담배를 막 끊은 참이었다. 대학원에 진학한 후에는 기말 리포트 제출 후 세미나 학생들을 늘 댁 근처로 불러 술을 사주셨는데, 2차를 가면 담배를 권하시면서 제자들이 불편해 할까 봐 당신도 부러 뻐끔 담배를 피우시곤 했다. 나중에 천신만고 끝에 담배를 끊은 후에야 그게 얼마나 어려운 일인지 알게 되었다. 미국에서도 잘 알려진 고전학자인 진모덕James R. Murdock 신부님의 서양 고대사 수업은 '스모킹 세미나'였는데, 신부님의 담배를 얻어 피우는 재미가 쏠쏠했다. 수업은 보통 신부님이 푼 '선' 담배 두 갑 정도가 바닥날 즈음 끝났다.

담배가 리버럴한 정도를 가늠하는 기준이야 아니겠지만, 리버럴한 기풍을 보여주는 징후이기는 했다. 1979년으로 기억되는데, '신학적 인간학'을 수강할 때의 일이다. 장익 신부의 해박한 강의와 격의 없는 토론은 실존적 고민을 철학적이고 신학적으로 사유하는 데 큰 도움이 됐다. 그런데 신부님이 갑작스런 부름을 받고 교황청으로 장기 출장을 가는 바람에 한 달 정도 박홍 신부가 대강을 한 적이 있다.

검은 바지 검은 목 스웨터에 은색 십자가를 툭 튀어나온 맥주 배 위에 길게 드리운 박홍 신부의 강의는 내용보다는 포즈가 상당히 리버럴했다. 첫 강의 시간 교단에서 자연스레 담뱃불을 붙인 박 신부의 리버럴한 포즈를 포착하자마자 강의실 뒷자리에 앉아 있던 나도 담배를 꺼내 물었고, 주변의 친구들 몇이 따라 피웠다. 약간 놀란 표정의 박홍 신부는 별 말없이 이내 평온을 되찾고 첫 강의가 무사히 끝났다. 그 다음 시간부터는 박 신부가 담뱃불 붙이기를 이제나 저제나 기다리는데, 전혀 기미가 보이지 않았다. 학수고대에도 불구하고, 그 학기 3주 동안의 대강이 끝날 때까지 박 신부는 강의실에서 한 번도 담배를 피우지 않았다. 최근에야 1980년대에 대학을 다닌 후배 그룹들에게 들은 이야기인데 박 신부는 1980년부터 다시 학부 강의실에서 담배를 피우셨단다. 3주에 그친 박 신부의 강의실 금연을 어떻게 해석해야 할지는 좀 난감하다.

진짜 자책감은 따로 있었다. 5·18 때 죽은 김의기 형은 말할 것도 없고, 감방에 갔거나 현장에 들어간 친구들에 대한 일종의 죄의식이었다. 아름다운 것을 보고 아름답다고 말하는 것조차 죄짓는 것처럼 느껴졌던 시절, 대학원에서 학문을 한다는 것이 사치는 아닌가 하는 의구심을 좀처럼 떨구기 어려웠다. 브레히트Bertolt Brecht에게 자신의 시대가 '서정시를 쓰기 힘든 시대'였다면, 내게 1980년대는 '순수 학문을 하기 힘든 시대'였다. 역사학은 시대와 대결하는 무기라는 생각이 강했다. 브레히트가 '살아남은 자의 슬픔'에서 나지막이 읊조린 것처럼, 학교를 떠나야만 했던 친구들에 대한 죄의식이나 부끄러움은 좀처럼 가시지 않았다. 그때 스스로에게 다짐한 약속은 공장의 노동자들이나 현장에 간 친구들처럼 최소한 하루 여덟 시간의 노동일을 지키겠다는 것이었다. 흔들릴 때마다 마음을 다잡고 공부를 한 데는 나름대로 이런 직업적 도덕률을 지키고자 노력했기 때문이다. 1982년 대학원을 입학한 이래 지금까지 하루도 빠짐없이 매일매일 여덟 시간을 공부했다고 자신하지는 못한다. 그래도 밤새 술 마시며 토론한 시간까지 시간외 근무로 치면 평균 잡아 여덟 시간 노동일에 가깝지 않을까 한다.

　돌이켜 보면 내 공부를 지금까지 추동해 온 것은 1980년 5월을 살아남은 자로서의 '부끄러움' 같은 것이었다. 수년 전 비교역사문화연구소에서 UCLA의 이남희 교수를 불러 한국 학생운동사에 대한 그네의 저작을 두고 같이 토론한 적이 있는데, 국사편찬위원회의 황병주 박사는 '분노'가 운동의 동력이었다고 해서 '부끄러움'을 주장한 나와 토론의 각을 세운 적이 있다. 아마도 세대 차이에서 비롯된 차이였을 것이다. 1980년 5월 당시 초등학교나 중학교 학생이었던 그 세대들에게 광주학살의 역사적 책임을 물을 수는 없는 일이다. 나중에 성인이 되어 그 진상을 알았을 때 분노가 그들이 몫인 것은 당연했다. 반면에 당시 이미 대학생으로 성인이었던 내 세대의 심성은 살아남은 자의 부끄러움이 아니었나 싶다. 2002년 12월 『당대비평』의 인터뷰 당시 지그문트 바우만이 이차대전 당시 폴란드의 역사적 경험에 기대어 '부끄러움의 해방적 역할'을 언급했을 때 느낀 감전된 듯 짜릿함은 분노의 세대들이 공유하기 어려운 감정일 것이다.

우리네 삶은 경로에 따라 조금씩 다른 문법으로 구성된다. 단순한 자들이 회의주의자들을 이긴다는 야체크 쿠론의 방정식은 운동의 문법이었다. 공부의 문법은 쿠론의 방정식대로라면 패자의 편이 되기를 요청했다. 대조어법이 지배하는 정치적 실천에서 한 걸음 물러나 세상의 모순어법을 이해하기 위해서는 회의주의가 더 필요했다. 자본주의 체제와 유신의 독재 권력에 대해서는 잔뜩 비판의 날을 벼리면서, 그에 저항하는 반권력의 논리와 문법에 대해서도 의심의 시선을 거두지 못했다. 체제에 대한 정치적 저항이 타도 대상인 권력과 인식론적 문법을 공유하는 광경이 자꾸 눈에 들어왔다. 찬성하면서도 반대하고, 동의하면서도 회의하는 독립적인 행보와 생각을 자주 이어 갔다. 아직 마르크스주의적 틀에 갇혀 포스트콜로니얼한 문제의식이 절실하지 않았던 때였지만, 공부를 시작하면서 나도 모르는 새 여기저기 생각의 균열이 일어나기 시작했던 것이다. 1990년대 폴란드에서 현실사회주의의 현실을 직시하면서, 생각의 이 미세한 틈새들은 지각변동으로 이어졌다. 마르크스가 가장 좋아했던 격언 "모든 것을 의심하라"는 마르크스 자신에게도 겨누어질 것이었다.

치기 어린 나로드니키의 이상주의를 벗어나 리얼리즘에 눈을 뜨기 시작한 것도 대학원에 진학할 즈음의 일이었다. 역사의 잔인한 리얼리즘에 눈을 뜬 것은 신군부가 자행한 광주 대학살 이후 민주화가 좌절되고 가장 추웠던 여름인 1980년 여름을 지나면서였다. 내가 서 있던 얼치기 이상주의가 얼마나 얇은 살얼음판이었는지를 광주는 똑똑히 가르쳐 주었다. 또 개인적으로는 서강대에서 80년 봄을 주도

1981년 가을 답사 차 들른 칠장사 입구 막걸리 집 앞에서.
왼쪽부터 나, 박환무(일본정치사), 조승래(유럽사상사), 백영민(개척교회 목사).

했던 경제학과의 김선택, 사학과의 박환무 두 선배에게서 배운 바가 크다. 80년 가을에는 5월의 광풍이 어느 정도 잦아들고 좌절과 분노의 충격을 추스르느라 두 선배와 자주 어울렸다. 사람 사는 세상에 대한 리얼리즘은 책이 아니라 두 선배와의 술자리에서 더 많이 배운 셈이다. 아직도 몇몇 대화는 기억이 생생하다. 평양이 서울을 불바다로 만들겠다고 위협할 때마다 박환무 선배는 자기 같은 사람이 사는 달동네가 제일 위험하다고 했다. 계급적 관점에서 부자들이 사는 강남이 제일 위험할 거라고 막연하게 생각했던 나로서는 전혀 뜻밖의 발언이었다.

박환무 형의 대답은 간단했다. 남한의 권력층이 모여 사는 강남을 포격해 권력자들이나 그 식구 중의 누구라도 죽거나 다치면 남북 간의 타협이 불가능하다는 게 그의 변이었다. 그러나 달동네에 사는 자기 같은 놈들 몇 죽어 봤자, 남이나 북이나 크게 개의치 않고 얼마든지 정치적 타협이 가능하지 않겠냐는 것이었다. 북에서 주장하는 북침론이 결국 김일성의 전쟁 책임을 호도하려는 내부적 권력투쟁의 산물이라던 김선택 형의 지적도 기억에 새롭다. 강화도에서 우연히 주운 김일성 꽃-김정일 꽃이 촌스럽게 인쇄된 북한의 선전삐라에 대한 소나무출판사 유재현 형의 해석도 잊히지 않는다. 제약회사 종근당에서 광고 일을 해봐서 아는데 이는 남한 인민을 겨냥해 만들어진 게 아니라 당의 내부 결재용으로 만들어진 게 틀림없다던 그의 확신은 상당한 설득력이 있었다. 북한 최고위층 내부의 현실을 적나라하게 보여주는 증거자료가 나타나지 않는 한, 이들의 평가가 맞는지 여부는 영원히 알 길이 없을 것이다. 그러나 그것이 실증적으로 옳으냐 그르냐의 문제가 반드시 핵심은 아니다.

정작 중요한 것은 이데올로기의 뒤에 웅크리고 있는 현실로서의 권력을 포착하는 눈인 것이다. 훗날 폴란드 현실사회주의의 현실과 맞닥뜨릴 때마다, 이름뿐인 국제주의의 밑에 완강하게 자리 잡고 있는 공산당의 반유대주의와 부딪칠 때마다, 노동자의 노동자에 의한 노동자를 위한 국가에 대한 노동자들의 분노에 찬 봉기를 목격할 때마다, 상고사 해석에서 남한 재야사학보다 더 극우적인 북한의 당 역사학을 발견할 때마다 나는 당시 20대 중반의 이 젊은이들이 가졌던 날카로운 리얼리즘을 새삼 떠올리게 된다. 그런데 이 예리한 리얼리스트들이 살아온 모습을 30년 넘게 가까이에서 지켜본 친구로서 자신 있게 이야기할 수 있는 것은, 이들의 일상에서 리얼리즘의 모습은 참으로 찾기 어렵다는 것이다. 이들의 리얼리즘은 해석의 영역에서만 눈부실 뿐, 지난 30년 이들의 과거는 끊임없이 리얼리즘을 배반하면서 살아온 무모한 삶의 흔적들로 가득 차 있다. 말로는 늘 리얼리스트였지만, 정치의 현실주의가 이념의 낭만주의를 이긴다는 그 평범한 사실을 끝까지 부정했던 이들이 만들고 살아온 세상 역시 모순어법으로 가득 찬 세상이었던 것이다. 그러니까 사람인 것이다. 어찌 우리들뿐이겠냐마는…….

4

한국적 서양사학?

Doing
History

환상이 깨지는 데는 오랜 시간이 필요 없
었다. 대학원 공부에 대한 망상은 1982년 3월 대학원 첫 수업에서부
터 깨졌다. 진모덕 신부의 서양 중세사 세미나였는데, 첫 미팅에서 한
학기 동안 각자 공부할 연구주제를 추첨으로 정했다. 내가 고른 쪽지
에는 'Cathari'라고 적혀 있었는데 생전 처음 듣는 단어였다. '카타리'
는 12~13세기 남프랑스에서 세력을 떨친 기독교 이단으로 세상을 선
과 악, 영성과 세속, 순수와 불순이라는 마니교적 이분법으로 나누고
극단적인 종교적 순수성을 추구한 이단 종파였다. 한 학기 내내 나는
팔자에도 없는 남프랑스의 기독교 이단 집단인 카타리파와 씨름해
야 했다. 백과사전부터 시작해서 중세 기독교 개설서와 입문서를 거
쳐 이단 전문서적과 카타리파에 대한 전문연구서나 논문에 이르기까
지 수준을 점차 높이면서 카타리파에 대한 기말 리포트를 제출하는
코스였다. 매주 수준을 높여서 제출해야만 했던 영어 리포트도 고역
이었지만, 중세 남프랑스의 이단이나 공부하려고 서양사 대학원에 온
것은 아닌데 하는 회의가 컸다. 종교 자체만 해도 버거운데, 그것도
순수파 이단과 한 학기 내내 씨름할 생각을 하니 참 막막했다.
　　진모덕 신부님은 이 수업을 '유격 코스(ranger course)'라고 부르면

1980년 초겨울 사은회에서. 둘째 줄 왼쪽부터 길현모, 전해종, 길현익, 이기백, 차하순 선생.
앞줄 맨 왼쪽이 나. 사은회는 같이했지만, 졸업은 동기들보다 1년 늦었다.

서 인정사정 봐주지 않았다. 자료가 없다고 불평하면 없는 자료 속에서 무언가를 집어내서 이야기를 만들어 가는 것이 역사가라고 일갈하셨고, 매주 제출한 리포트는 단어 하나하나의 뉘앙스까지 체크해서 돌려주셨다. 자신의 경험이라며, 꿈속에서 엄한 지도교수를 만나는 악몽을 자주 꾸어야지만 진정한 대학원생이 되는 거라는 독특한 교육관도 갖고 계셨다. 꿈에서 신부님을 몇 번 뵙고 악몽에 익숙해지고 학기 말이 가까이 오니, 서양 중세사 세미나는 더 이상 '유격 코스'가 아니라 그냥 일상적인 훈련처럼 느껴졌다. 서툰 것은 마찬가지지만, 영어를 쓰는 데 대한 두려움도 많이 없어졌다. 학부 졸업논문 작성 당시 차하순 선생이 지도하신 '논문계획서'의 양식과 진모덕 신부의 중세사 세미나 '유격 코스'는 지금까지도 공부의 가장 큰 밑거름이 되지 않았나 싶다.

이 과정에서 내가 배운 것은 기술적인 차원을 넘어서는 것이었다. 누군가 추수가 끝난 들판에서 떨어진 이삭을 줍는 작업에 비유한 것처럼, 공부란 지루하고 답답하며 웬만큼 해서는 표도 나지 않는 끊임없이 인내력을 실험하는 일이라는 것을 배웠다. 고등학교 동창 녀석들이 "임지현 교수 된 건 대한민국의 큰 실수"라고 놀리듯이, 지루한 걸 못 참는 내 천성과도 거리가 먼 일이었다. 언젠가 차하순 선생께서 아무리 꼼꼼해도 남들이 절대로 꼼꼼하다고 생각하지 않을 거라는 게 내 장점이라고 하신 적이 있는데, 아마도 더 꼼꼼해야 한다는 질책이 아니셨나 싶다. 어찌 됐든, 한국 사회를 비추어 이해하는 헤게모니적 거울로서의 서양사는 대학원에 없었다. 학문적 엄격성이 따라

오지 않는 문제의식은 그저 한번 찔러 보는 아이디어의 차원에 머물 뿐, 인간과 역사를 이해하는 데 큰 도움이 되지 않는다는 것도 깨닫게 되었다. 그런 깨달음과 비례해서 답답함도 커갔다. 어느 세월에 거기까지 간다는 말인가? 이미 석사논문 수준에서부터 거리낌 없이 거대 담론과 큰 이론을 이야기하는 사회과학 전공 친구들이 한없이 부러웠다. 그들이 더 이상 부럽지 않고 역사학에 대한 진정한 자부심이 생긴 것은 40줄에나 들어서의 일이었다.

이보형 선생의 미국사 세미나는 남부의 주별로 편찬된 해방 노예들의 구술사 자료를 읽는 식으로 진행되었다. 대졸 실업자들에게 일감을 주기 위한 뉴딜 정책의 일환으로 1930년대 중반 진행된 대규모 구술사 프로젝트의 결과물이었는데, 2,300명에 이르는 이들 해방 노예들의 육성은 흑인들 특유의 크레올 영어 그대로 기록해서 더 실감이 났다. 이 글을 쓰면서 그 자료의 구체적 제목이 생각나지 않아 지금 막 자료를 서치해 보니, '노예 이야기(Slave Narratives)'라는 제목이었다. 미국의 웹사이트(www.ozy.com)에서, 오스카상을 받은 영화 〈노예 12년(12 Years a Slave)〉과 이 구술 자료를 비교한 스티븐 버틀러 Steven Butler의 흥미로운 에세이(「Slavery: As Told by Slaves」)가 있어 방금 읽었다. 실화에 바탕을 둔 영화가 오히려 이 구술 자료보다 더 리얼했다는 주장이라서 깜짝 놀라고 있는 중이다. 이 에세이에 따르면, '연방작가 프로젝트(Federal Writers' Project)'에 동원된 6,600명의 작가들 중 일부가 해방 노예들을 인터뷰했는데 문제는 이들 대부분이 백인 작가들이었고, 흑인 인터뷰어들과는 달리 백인 인터뷰어에 대한 해방 노예들의 답변은 대개 노예제에 대해서 훨씬 더 호의적인 기억을 담고 있다는 것이다. 특히 이 자료들은 노예 농장이 온정주의적으로 운영된 것처럼 왜곡된 상을 제공한다는 에세이의 결론 부분에서는 마치 죄지은 사람처럼 깜짝 놀라지 않을 수 없었다.

1982년 봄 학기, 위의 구술사 자료를 통해 미국 노예제의 온정주의적 성격을 논하고자 했던 당시 기말 리포트의 주제가 선명하게 기억이 났다. 딴에는 인종의 경계와 계급의 대치선이 착종되어 있다는 점을 강조하려고, 온정주의 덕분에 일부 흑인 노예의 삶이 남부의 백인 프롤레타리아트보다 낫지 않은가 하는 의문을 제기하기도 했다. 나이브하기 짝이 없었을뿐더러, 녹슨 창을 갖고 너무 과감하게 그들의 과거로 쳐들어 간 것이다. 지금 생각해도 진땀이 난다. 당사자의 입에서 나온 구술 자료라 할지라도, 구술이 이루어지고 기록되는 세팅에 대해 얼마나 세심한 주의가 필요한가를 잘 보여주는 예이다. 일본군 위안부의 단편적 구술 증언에 대해 질풍처럼 달려가서 자기 멋대로 창을 휘두르며 역사적 진실을 발견했다고 법석을 떠는 태도에서 전혀 역사가적인 진정성이 느껴지지 않는 것도 그런 이유에서이다. 철없는 대학원 초학자의 수준을 못 벗어난 그런 정도의 주장에 들썩이는 사회도 문제이다. 군 위안부가 조선의 가부장주의의 피해자라는 포스트콜로니얼적인 문제의식조차 이런 막가파적인 논리와 뒤엉켜 그 의미가 퇴색되니 답답할 뿐이다. 이런 기술적인 문제를 떠나 정작 더 큰 문제는 이들 증인들에 대한 공감의 노력 없이 물화된 자료나 객체화된 대상으로 취급하는 태도가 아닌가 한다.

한편 구술사 사료와는 별도로 노예제에 대한 연구서들을 읽는 가운데, 제노비즈Eugene D. Genovese를 발견한 것은 큰 행운이었다. 미국 노예제에 대한 마르크스주의 연구서 가운데에서도 제노비즈의 저작들은 상당히 정교하면서도 단단한 논리를 전개하고 있어, 다른 속류 유물론적 해석과는 질이 달랐다. 기말 리포트에 제노비즈를 많이 인용했더니 이보형 선생께서 그가 재미있더냐고 물으시더니 다음 학기에 제노비즈를 읽자고 하셔서 그의 사론집과 노예제 삼부작을 재미있게 읽었던 기억이 난다. 그 다음 학기 기말 리포트에서 1960년대 중반 미국 학계에 그람시를 처음 소개한 그를 나는 '그람시적인 역사가'로 규정했고, 한때는 그것을 석사논문으로 발전시킬까 하고 심각하게 고민한 적도 있다. 노예제 문제를 노예 소유주의 탐욕이나 자본주의로 환원시키는 초기 속류 마르크스주의의 경제결정론적 해석과 비교할 때, 백인 노예 소유주의 문화적 헤게모니를 놓치지 않은 제노비즈의 해석은 노예제에 대한 마르크스주의적 해석의 격을 한 차원 높인 것이었다.

자신의 연구 경험에 비추어 마르크스주의가 인종문제를 어떻게 다루어야 하는가를 다룬 그의 사론도 매우 흥미로웠다. 노예 소유주를 다룬 그의 저작이 나오자 급진적 흑인 활동가들이 당신은 왜 노예들의 역사 대신에 노예 소유주의 역사를 다루냐며 보수 반동이라고 공개 비판한 에피소드가 특히 기억에 남는다. 이에 대해 부르주아지를 모르면 프롤레타리아트에 대해서도 반쪽 이해만 가능하듯이, 노예 소유주의 세계를 모르고는 노예의 세계를 알 수 없다는 것이 제노비즈의 반박이었다. 실제로 그는 몇 년 후 노예 소유주에 대한 이해를 밑바닥에 깔고 노예들의 세계를 생생하게 그린 걸작 『요단강 건너서 만나리(Roll, Jordan, Roll)』(1974)를 썼다. 제노비즈에 대한 비판에서 드러난 소재환원론은 비단 미국의 '밑바닥으로부터의 역사(history from the bottom up)'뿐만 아니라 영국의 '아래로부터의 역사(history from below)'에서도 간혹 목격된다. 소재환원론의 경향은 1980년대 한국사 연구자들 사이에서 고개를 들기 시작한 이른바 '민중사'에서도 아주 강했다. 피지배 계급의 저항문화에 대한 관심이 고조되면서 정작 지배 계급의 지배 양식 등에 대한 연구는 아예 관심 밖이었던 것이다. 천박한 소재환원론에 대한 제노비즈의 단호한 경고는 1980년대 한국 민중사를 지켜볼 때 두고두고 귀감이 됐다. 속류 마르크스주의로 빠지지 않은 데는 제노비즈에게서 배운 바가 컸다.

서양사 공부를 통해 인간과 사회를 통째로 이해하겠다는 청운의 꿈은 깨졌지만 지루하면서도 답답한 대학원 공부에 어느 정도 적응이 되자, 석사논문을 부지런히 준비해야 했다. 군대 문제를 해결하는 게 급선무였는데, 4학기 안에 논문을 마쳐야 석사장교 시험에 응시할 수 있다는 규정 때문에 더 서둘러야 했다. 1983년 1학기 안식년에서 돌아온 차하순 선생의 세미나는 '다윈과 프로이트'를 집중적으로 다루었다. 세미나를 준비하면서 논문 주제로 처음에는 사회적 다윈니즘에 관심이 많았다. 그러나 호프스태터Richard Hofstadter의 『미국 사상과 사회적 다윈주의(Social Darwinism in America Thought)』를 통독해 보니 할 얘기가 너무 뻔할 것 같아서 '다윈과 마르크스'의 지적 관계를 논문의 주제로 잡았다. 아직 신군부의 서슬이 시퍼렇던 때이니, 마르크스를 이야기하면서 다윈을 방패막이로 삼자는 얄팍한 계산도 있었다. 그러나 석사과정 대학원생 주제에 다윈과 마르크스라는 19세기 사상사의 두 거장을 다룬다는 것은 아무래도 무리라는 생각이 떠나지 않았다. 둘 중 한 사람만 평생 파고들어도 제대로 이해할지 자신 없는 일이었다. 다른 한편으로는 젊었을 때, 거장들을 공부하면서 배워야겠다는 욕심도 컸다. '풍요로운 오류'에로의 유혹이 서양사를 지원한 계기였는데, 후퇴할 수는 없는 일이었다.

30여 년이 훌쩍 지난 아직도 다윈과 마르크스를 이해했는지 자신할 수 없고, 여타의 다른 거장들에 대해 쓰려고 치면 이런 딜레마에서 자유롭지 못하니 당시에는 더 막막했을 것이다. 결국 문제는 초점이었다. 초점을 잡아 주제를 좁히는 게 관건이었다. 나는 마르크스가 다윈에게 『자본론』을 헌정하려고 했는데 다윈이 거부했다는 이른바 '헌정설'에 초점을 맞추기로 했다. 사실을 따져 보면, 마르크스의 『자본론』 헌정설은 조금 어처구니가 없다. 마르크스 사후 그의 원고뭉치들과 편지들은 엥겔스를 거쳐, 다시 엥겔스가 죽자 마르크스의 막내 딸 엘리너 마르크스Eleanor Marx에게 넘어갔다. 엘리너가 자살로 비극적인 생을 마감하자 마르크스의 편지와 원고뭉치들은 다시 독일 사회민주당 아카이브로 옮겨지는데, 이때 엘리너의 연인이자 동거인이었던 에이블링Edward Aveling의 편지 자료들 일부가 마르크스의 편지들과 한데 섞여 빚어진 소동이었던 것이다. 그러나 이는 서지학적 오류의 한 에피소드를 넘어서, 사상사적으로 많은 의미를 함축하는 주제였다. 헌정설은 초점을 잡기 쉬운 작은 구멍이지만, 그 구멍을 통해 볼 수 있는 세상은 다채롭고 풍요로웠다.

에이블링에게 보낸 다윈의 헌정 거절 편지에는 수신자가 적혀 있지 않았기 때문에 다윈이 마르크스에게 보낸 편지로 착각할 수 있는 여지는 충분했다. 에이블링은 19세기 후반 빅토리아 시대 무신론을 표방한 '자유사상가'의 한 사람으로 다윈의 『종의 기원』이 자신의 무신론적 자유사상을 뒷받침하는 과학적 증거라고 생각했다. 그래서 에이블링은 자신의 책을 다윈에게 헌정하려고 했고, 무신론자라는 혐의가 자신의 과학적 업적을 망가뜨린다고 생각한 다윈은 당연히 거절 편지를 보냈다. 1931년 모스크바에서 마르크스와 에이블링의 뒤섞인 편지들을 착각해 헌정설이 처음 제기된 이래, 이 어처구니없는 실수는 신화가 되어 굳어졌다. 서지학적 오류가 소련의 정치적 권위를 업고 진리로 행사한 것이다. 마르크스의 장례식에서 마르크스를 다윈에 비유한 엥겔스의 연설, 사회주의 서점에서 『종의 기원』과 『자본론』이 나란히 진열되어 팔렸듯이 자연변증법이 유행한 19세기 말의 사상적 트렌드, 스탈린의 비호 아래 다윈의 획득형질의 유전설을 이데올로기적으로 밀고 나간 리센코주의(Lysenkoism)의 득세 등이 '헌정설' 신화에 힘을 더했다.

신화의 힘이란 무서운 것이다. 1990년대 중반 크라쿠프에서 발덴베르크Marek Waldenberg와 이야기를 나누다 문득 '헌정설'로 화제가 흘렀는데, 그도 놀라고 나도 놀랐다. 카우츠키Karl Kautsky에 대한 최고의 전기를 쓴 마르크스주의 사상사의 이 대가가 여전히 '헌정설'을 믿고 있다는 데 내가 놀랐다면, 그는 '헌정설'이 사기였다는 내 이야기에 깜짝 놀랐다. 다시 2009년 서울에서는 과학사, 과학철학, 생물학 연구자들 중심으로 『종의 기원』과 『정치경제학 비판 서설』 발간 150주년을 기념하는 다채로운 행사가 있었다. 나는 단지 그 주제의 석사논문을 썼다는 죄로 4반세기 동안 한 번도 들여다보지 않은 다윈과 마르크스에 대해 한 번의 강연과 한 번의 인터뷰를 해야 했는데, 또 한 번 놀라지 않을 수 없었다. 다윈에 대해 나보다 훨씬 높은 식견을 갖고 있는 많은 연구자들이 여전히 '헌정설'을 믿고 있는 것이었다. 나만큼 놀란 최재천 교수가 다른 자리에서 그 얘기를 했던 모양이다. 그 얘기를 전해 듣고는 철학을 전공한 한 원로교수께서 임지현 교수는 주장만 하지 말고 주장의 근거를 제시하라는 말씀을 최재천 교수 편에 전해서 1984년 6월 『역사학보』 102집에 실린 논문을 보내드렸다. 그때로부터 거의 7년이 지났지만, 나는 아직도 그분의 답장을 기다리고 있다.

신화가 지배적인 사회에서는 건조한 사실 한두 개가 전복적인 힘을 가질 때가 있다. 그러니까 '풍요로운 오류'가 항상 '황량한 사실'보다 풍요로운 것은 아니다. 역사가라고 해서 사실이 다는 아니지만, 사실이 가진 힘은 부인할 수 없는 사실인 것이다. 사실을 신화화하는 실증주의를 비판하는 것과 사실에 가까이 가려는 노력 자체를 부정하는 것은 다른 이야기이다. 나는 역사적 사실은 발견되는 것이 아니라 구성되는 것이며, 따라서 역사가들이 과거를 구성하는 내러티브의 파악이 중요하다는 포스트모더니즘의 인식론에 공감하는 편이다. 또

1983년 9월 가을 답사 때 봉정사에서 이기백 선생과 함께. 선생께서는 생전 큰소리 한번 안 냈지만, 답사 중에도 프로 복싱 빅 매치가 있으면 꼭 다방에 가서 시청하셨다. 학문을 위해 군더더기 하나 없이 절제해 온 선생을 생각하면 지금도 숙연해진다.

언어가 현실을 구성하며 세상에 대한 우리의 실천 방식은 세계를 인식하는 방식에 따라 달라진다는 '언어적 전환(linguistic turn)'이나 '문화적 전환(cultural turn)'의 문제의식이 역사 인식에 매우 유용한 무기라고 생각한다. 그럼에도 불구하고 그야말로 단순한 사실 하나가 갖는 폭발적인 힘을 경험하는 경우가 종종 있다. 특히 신화를 해체할 때야말로 작은 사실 하나가 무서운 파괴력을 가질 때가 많은데, 이 사실의 힘을 이론적으로 어떻게 수용할 것인가는 아직도 고민 중이다.

심사용 논문 초고를 제출하고 나자, 논문을 쓰느라 그동안 묻어두었던 또 다른 고민이 고개를 들기 시작했다. 박사과정을 어떻게 할 것인가 하는 문제였다. 1983년 가을학기에 나는 거의 녹초 상태였다. 논문을 쓰면서 논문 주제와는 상관없는 두 과목의 세미나 준비를 해야 했고, 행정 조교가 없는 사학과 조교실의 조교장을 겸했다. 바쁘다는 핑계로 일주일 단위보다 긴 미래의 계획은 억누르는 게 상수였다. 그러다 막상 논문 초고를 제출하고 나니 억압되었던 생각들이 고개를 든 것이다. 1980년대는 전반적으로 학생운동이나 반체제 운동이 강하게 치고 올라오던 시기였다. '학술운동'이라는 말에서 보듯이, 인문사회과학 대학원생들도 대개 그 학술운동의 자장에서 크게 벗어나지 못했다. '한국적 사회과학' 혹은 '한국적 서양사학'이라는 말들이 우리네 입안에서 맴돌았고, 한국 사회의 고유한 문제의식과 그에 뿌리박은 학문을 해야 한다는 나름대로의 실천적 당위성이 강조되던 시기였다. '서양사'라는 학문의 특성상 한국에서 계속 공부를 하는 것이 바람직한 것인가 하는 회의도 없지 않았지만, 여기서 못할 이유도 없다는 일종의 오기도 있었다.

　지금은 '한국적 사회과학'에 대한 김경만 교수 등의 비판에 대체로 수긍하는 편이다. 쉽게 이야기하면 국제적인 학문 세계에서 인정받고 통용되는 좋은 논문과 나쁜 논문이 있을 뿐인데, '한국적'이라는 울타리 안에 숨어서 자기 방어막을 쳐서는 곤란하다는 것이다. 언젠가 코넬 대학의 사카이 나오키酒井直樹 선생과 동아시아의 학자들에 대해 이야기를 나누다 보니, 국내파보다 구미 유학파 학자들 중에 민족주의자가 더 많은 기이한 현상이 화제가 된 바 있다. 미국에서 오랜 교수 생활을 한 사카이 나오키의 대답은 간명했다. 서구 학계의 축적된 학문적 역량을 넘어서 이론적으로 도전하거나 정면 대결하기 어려울 때, '한국적'이니 '일본적'이니 하는 고유성 속으로 숨고 그런 도피를 민족주의적으로 정당화한다는 것이 선생의 진단이었다.

　더 나쁜 것은 이들이 지식 권력의 세계적 분업 체제에서 자기 사회의 경험론적 자료를 제공하여 구미 이론의 역사적 정합성을 검증하는 종속적 위치를 기꺼이 감내하면서도, 서구의 지식 권력에 대한 위계적 종속을 민족주의의 수사로 은폐한다는 점이다. 미국에서 학위를 마치고 귀국해서는 개량한복을 즐겨 입으며 남북한을 아우르는 한반도 민족주의의 대변인이 된 연구자들의 학위논문을 보면 대개 한국 현대 정치나 한국 현대사에 대한 것들이 많다. '서구중심주의'를 극복하는 길은 '한국적 사회과학'이라는 우산 속에 숨는 것이 아니라, 서양에서 만들어진 이론을 비서양의 경험연구를 통해 검증하는 위계적인 지식의 세계사적 분업 체계를 해체하는 데 있는 것이다.

'한국적'이라는 방어막 속에 숨지 말고 세계 학계의 보편적인 지적 자장권 안에서 놀아야 한다는 김경만 교수의 제안은 그러므로 아주 소중하다. 그럼에도 그의 주장에는 끝내 유보적일 수밖에 없는 부분도 있다.

서양의 대가들이 만든 이론이나 패러다임이 학문을 위한 학문의 결과이기보다는 자기 사회의 문제들과 치열하게 대결하고 그 경험을 이론화하는 과정의 부산물인 때문이다. 평생 영국혁명을 연구한 세계적인 대가이면서도 한 번도 혁명적 상황을 살아 본 적이 없기 때문에 자기 연구가 맞는지 자신이 없다고 실토한 로렌스 스톤의 고백을 다시 한 번 상기하자. 급속한 근대화와 광주의 역사적 무게에 짓눌려 있는 서양사 대학원생인 1980년대 초반의 내게 가장 절실했던 것은 한국 사회의 문제와 어떻게 대결하고 그리고 한국 사회를 설명하는 책임을 한국의 서양사가 어떻게 떠안을 수 있는가 하는 문제였다. 그러나 서양 대가들이 설명하고자 했던 현실이 자기 국가와 사회의 경계를 넘어 동시대의 세계였다면, 내가 대결했던 현실은 한국의 경계에 갇혀 있었다.

'한국적 서양사학'이라는 안이한 규정은 당시 내가 가진 인식론적 수준의 일천함에서 온 것이지만, 내 문제의식이 한국 사회에 갇혀 버린 데서 오는 것이기도 했다. 한국 사회의 문제라는 게 이미 세계와 연결된 문제였다는 점을 생각하면, 인식 지평이 좁은 것도 문제였다. 지금이야 국내 학위냐 해외 학위냐가 아니라 논문의 수준이 가장 중요하다고 일갈하겠지만, 그때는 그렇게 간단히 일축하기에는 광주의 무게가 너무 무거웠다. 비단 나뿐만 아니라 내 세대의 적지 않은 연구자들이 유학을 마다하고 국내의 대학원에 진학한 것은 나름 그러한 시대적 고민의 산물이었다. 1990년대 초 젊은 조교수 시절 서울대 서양사학과의 최갑수 교수가 술만 거나하면 늘 나보고 "(국내파인) 우리 둘이 잘해야 한다"고 비장하게 이야기했던 기억이 새롭다. 그 비장함도 이제는 구시대적인 것이 됐다. 지금 내 입장은 상식적 실용주의다. 한마디로 "안에서 새는 바가지 밖에서도 새고, 밖에서 새는 바가지 안에서도 샌다"는 게 내 입장이다. 밖에서 새는 바가지들이 어설프게 장착한 이론으로 안에서 설치는 만큼이나 안에서 새는 바가지들이 '민족'으로 땜빵하고 버티는 것도 희극이다.

그래도 그때는 치고 나가려는 무모한 패기라도 있었다. 지금의 한국 학계는 자존감을 잃고 그야말로 구미 학계에 연결된 식민지적 연줄을 통해 겨우 연명하는 수준이다. 자신들이 누구에게 무엇을 왜 가르치는지 모르는 교수들의 책임도 크고, 누구나 인정할 수밖에 없는 학문적 수월성을 성취하지 못한 젊은 세대 연구자들의 책임도 못지않다. 밖에서 새는 바가지가 안에서 새는 바가지보다 낫다는 한국 학계의 서양 콤플렉스는 방법이 없지만, 그렇다고 안에서 새는 바가지가 더 낫다는 식의 민족주의적 대응이 이 천박한 학문적 식민주의를 극복하는 길은 아닐 것이다. 한국 사회의 현실에 깊이 뿌리박고 그 문제의식을 담은 학문에 대한 당위적 고민과 그래도 큰물에 가서 놀고 싶다는 지적 허영심 사이에서 허둥댔지만, 쉽게 결론이 날 수 있는 것은 아니었다.

이런 고민을 시작하기도 전에 쐐기를 박은 것은 지도교수 차하순 선생이었다. 아직 석사논문 심사를 기다리고 있는데, 먼저 박사과정 입학시험부터 보라는 거였다. 논문 심사에서 통과되지 않으면 입학은 자연스레 취소되니까, 최악의 경우 입시 전형료만 날린다고 생각하면 되는 것이었다. 골치 아픈 고민은 잠깐 접어 두고 얼떨결에 그냥 박사과정으로 떠밀려 갔다. 1980년 신군부에 의해 해직당한 후 한림대학으로 적을 옮긴 길현모 선생을 찾아뵈면, "일본의 서양사학이 서양을 따라 하다 망했다"는 알 듯 모를 듯한 말씀을 하시곤 했다. 한국의 서양사학이 서양을 좇아가기 위해 막 유학의 시동을 걸기 시작한 타이밍에 나온 말씀이었다. 그렇다면 한국의 서양사학이 서양을 좇는 데 그치지 않고, 서양을 넘어갈 수 있는 길이 있다는 것일까? 훗날 인도의 섭얼턴 연구자들이 그런 가능성의 일단을 보여주었지만, 섭얼턴 연구를 만난 것은 훨씬 나중의 일이었다.

5

마르크스주의와 민족주의

Doing History

"우리는 자네가 맑시스트라는 데 의견의
일치를 봤네."

　"마르크스·엥겔스와 민족문제"라는 제목 아래 제출한 박사학위
논문에 대한 첫 심사 모임이 있던 날이었다. 지금은 고인이 되신 심
사위원장 길현모 선생께서 내게 던진 첫 코멘트였다. 지도교수인 차
하순, 그리고 다른 세 분의 심사위원인 서울대의 이민호, 이인호, 서
강대의 김영한, 모두 다섯 분의 심사위원이 함께 모인 자리였다. 88
올림픽의 과장된 열기가 식고 겨울로 접어드는 1988년 11월 중순 어
간의 일로 기억된다. 드디어 올 것이 왔다는 심정으로 어떻게 답변을
드리나 고민하고 있는데, 내 답변을 기다리지 않고 바로 길현모 선생
의 코멘트가 이어졌다. 심사위원들은 나의 사상에 관심이 있는 게 아
니라 내 논문의 학문적 수준에 관심이 있다는 취지의 말씀이었다.
나는 크게 놀란 가슴을 쓸어내렸고, 이후 두 차례에 걸친 논문 심사
는 그야말로 학문적 토론의 장이었다.

　마지막 논문 심사가 끝나고 심사위원들 사이의 의견 조율을 마친
후 길현모 선생께서 주심의 자격으로 종합적인 심사평을 들려주셨
다. 홉스봄이나 에드워드 톰슨 같은 탁월한 마르크스주의 역사가들

을 언급하시면서, 어설프게 정치판에 끼어들지 말고 더 열심히 공부해서 훌륭한 마르크스주의 역사가로 성장했으면 하는 심사위원들의 바람을 말씀하셨다. 길현모 선생은 교수 선언을 주도했다는 이유로 신군부에 의해 1980년도에 해직되었고 서강대에 재직하는 미국 신부들의 적극적 개입이 없었다면 지도교수 차하순 선생도 선언에 서명했기 때문에 해직될 형편이었다. 그러나 선생들의 정치적 입장은 보수적 자유주의에 가까웠고, 정치로서의 마르크스주의에 대한 비판적 입장은 단호했다. 그럼에도 학문으로서의 마르크스주의에 관한 한, 그야말로 리버럴한 관점에서 학문적 토론과 비판의 대상이라는 점을 분명히 했다.

10월 유신부터 시작된 긴 독재의 터널을 거쳐야 했던 남한의 지식인들에게 서강의 서양사 은사들이 가졌던 이처럼 열려 있는 리버럴리즘은 좀처럼 찾기 어려운 미덕이 아니었나 싶다. 학문적 약점보다는 단지 마르크스주의적 관점을 견지했다는 이유만으로 많은 어려움을 겪어야 했던 다른 친구들에 비하면 나는 억세게 운이 좋은 편이었다. 마르크스주의적 관점을 유지하면서도 큰 어려움 없이 박사논문을 쓸 수 있었기 때문만은 아니다. 그보다 더 중요한 것은, 사유의 유연성과 학문적 엄격성을 동시에 추구할 수 있었다는 점이다. 다른 데서 서양사를 공부해야 했던 내 동료들의 대부분은 나만큼 운이 좋지 않았다. 몽매한 보수주의와 대결해야만 했던 그들은 본의 아니게 그만큼 경직된 마르크스주의로 흘렀고, 이데올로기적 정당성 뒤에 학문적 비성실성을 감추기도 했다. 훌륭한 연구자적 자질을 갖춘 많은 내 동료들이 이런 이유로 공부를 작파한 것은 두고두고 아쉽다. 몽매한 우파가 명석한 좌파를 만들지는 못한다. 또 역으로 경직된 좌파는 양식 있는 리버럴을 만들기 어렵다.

한국 사회의 비극은 양식 있는 리버럴 지식인들이 우파의 주류가 되지 못한 데 있다. 몽매한 우파는 경직된 좌파를 만들어 내고, 그 둘 사이에는 일체의 지적 긴장감도 없이 무지한 설전만이 오갈 뿐이다. 20대 중반의 문학청년 김현이 잔뜩 술이 취해 김지하에게 던졌다는 고백, 자신은 결코 좌파가 될 수 없지만 양심적인 리버럴로 남겠다던 그의 취중 독백은 21세기에 이르러서도 여전히 소중한 유산이다. 과거를 미화할 생각은 추호도 없다. 지도교수와의 갈등도 당연히 있었다. 어느 경우에도 지도교수와 대학원생 사이의 갈등은 불가피하고 또 필요악인 측면도 있다. 내 경우, 관점이 다르니 갈등의 소지는 더 클 수밖에 없었다. 프로이트가 『토템과 터부』에서 잘 그렸듯이, 공포와 존경의 양가적 감정 속에서 아버지를 살해하고 회개하는 자식들과 그 애비와의 관계가 지도교수와 제자와의 관계를 잘 상징한다는 생각에는 변함이 없다. 문제는 지도교수와 제자 사이에 갈등이 존재하느냐 여부가 아니라, 그 갈등이 생산적인가의 여부가 아닌가 한다. 갈등이 없는 관계는 오히려 더 위험한 것이다. 오죽하면 에코Umberto Eco조차 후학들에게 박사논문 작성법을 강의하면서 독립된 절을 할애하여 '지도교수에게 이용당하지 않는 방법'을 논했겠는가?

그러니까 갈등이 없는 지식사회는 없다. 단지 차이는 그 갈등을 공개적으로 이야기하고 어떻게 생산적으로 만들 수 있는가를 논하는 사회와 그것을 감추는 사회의 차이인 것이다. 언젠가 코와코프스키와 이름도 기억나지 않는 젊은 철학자 간의 토론 배틀 포스터를 바르샤바에서 본 적이 있는데, '지도교수와 제자의 논리 대결'이라는 점을 강조하고 있어 흥미로웠다. 평소 존경하는 독문학 전공의 반성완 선생께 언젠가 이 포스터를 보고 놀란 이야기를 드린 적이 있다. 인문학에서 지도교수와 제자는 궁극적으로 라이벌 관계일 수밖에 없다는 게 선생의 생각이었다. 선생은 조심스럽게 이런 취지의 말씀도 하셨다. 외국에서 공부한 많은 한국 인문학 박사들의 큰 문제점은 지도교수와 지적으로 대결해서 학위를 받는 것이 아니라 지도교수가 베푼 시혜처럼 학위를 받아 온다는 것이다. 국내 학위의 경우에도 크게 다르지는 않다. 건강한 긴장이 없는 관계는 죽은 관계다. 지도교수와 지도학생의 죽은 관계는 위계적 권위주의의 온실이 되고, 위계가 학문적 토론을 가로막는다.

1984년 봄 학기에 박사과정을 시작했지만, 가을 학기에는 '석사장교'로 군대를 가는 바람에 한 학기 휴학을 했다. 6개월 훈련을 마치고 소위로 임관과 동시에 제대하는 '육개(월)장(교)' 제도는 공부의 흐름을 이어 갈 수 있어 큰 혜택이었다. 원래는 이공계 대학원생을 겨냥해 만들어진 제도였지만, 그즈음에는 문과 대학원생들에게도 문이 열렸다. 2대 독자면 6개월 방위복무를 하던 때이니 병력 자원이 많은 전후 베이비붐 세대의 특전이기도 했다. 그래도 신군부의 제도적 혜택을 받았다는 것은 여전히 찝찝하다. '육개장'처럼 군대 경험에 대한 자기 비하적 말투는 지금도 여전한데, 아마도 신군부의 혜택을 받았다는 불편함 때문이 아닌가 싶다. 박사과정에서 본격적으로 공부를 시작한 것은 육개장을 마치고 난 1985년 봄 학기부터였다. 어디를 막론하고 당시 대학원 수업에서는 원서 강독이 많았다. 고전을 원서로 꼼꼼히 읽는다는 취지도 있었지만, 대학원생들의 원서 해독 능력이 일반적으로 약했기 때문이다. 원서라야 영어 일색이었지만, 내 보기에도 영어 강독조차 안 되는 학생들이 적지 않았다. 학기가 지나면서 좋아지는 친구들도 있었지만, 도대체 요령부득인 학생들도 많았다.

나는 일찍부터 이른바 '원서'를 많이 읽은 편이었다. 마르크스주의가 사회적 금기였던 시절, 한글로 된 책은 아예 찾아보기 힘들었기 때문에 원서 이외의 선택은 없었다. 군사독재의 야만적인 사상 검열 체제가 외국어 공부의 큰 동력이었던 셈이다. 학부 때부터 원서를 읽는 속도가 빠른 편이었고 그것은 대학원에서도 큰 자산이었다. 유신 시대 학부 시절부터 광화문 뒷골목의 후미진 빌딩에서 마르크스주의 관련 서적들의 해적판을 알음알음 야매로 파는 원서 가게가 있어 아르바이트로 돈만 생기면 자주 찾았다. 그 시절에 그게 어떻게 가능했는지 모르겠지만, 그곳에서 돕, 스위지, 휴버먼Leo Huberman, 배런Paul Baran, 랑게Oskar Lange 등의 마르크스주의 경제사, 정치경제학 서적들을 구해서 읽었던 기억이 난다. 당시 마르크스주의 서적 해적판들이 돌아다닌 데는 아마도 이윤을 추구하려는 자본주의적 동기가 큰 역할을 했을 것이다.

1980년 이후에는 복사기가 대량 보급되면서, 금서 목록이 점차 의미를 잃었다. 대학가 주변의 영세한 복사 가게들의 생존을 위한 조그만 이윤 추구가 거대한 이념의 금기를 갉아먹기 시작한 것이다. 그래서 나는 구텐베르크 인쇄술의 발명이 유럽 부르주아지의 성장에 기여한 만큼, 복사기의 도입이 남한 프롤레타리아트의 발전에 결정적으로 기여했다고 주장하곤 한다. 하지만 성능이 좋지 않은 습식 복사기로 여러 번 복사를 거쳐 희미한 텍스트가 많아, 눈 건강에는 좋지 않았다. 내가 20대 중반부터 안경을 쓰기 시작한 데는 그 이유가 컸다. 박환무 형이 구해 준 김산의 『아리랑』 원전 영어판 복사본을 흥미로운 소설처럼 밤새 엎드려 읽었던 기억이 새롭다. 읽는 이를 빨아들이는 흡인력도 대단했지만, 빨리 읽고 돌려주어야 하는 사정도 속독에 기여했다. 무엇보다 걸리면 큰일이었으므로, 폭탄 돌리기처럼 내 손을 빨리 떠나도록 하는 게 상책이었다. 그때는 어디서 구했는지 말하지도 또 묻지도 않는 게 예의였다.

반공규율 체제의 이데올로기적 금기를 야금야금 무너뜨리며 마르크스주의 책들을 유포시킨 데는, 이윤 추구의 '시장' 논리와 더불어 '제국주의'의 기여가 컸다. 미국인 신부가 총장으로 있던 서강대 도서관에는 그 서슬 퍼런 시절에도 붉은 커버의 마르크스 선집이 버젓이 개가식 서가에 꽂혀 있었고, 마르크스주의 관련 신간 서적들이 적지 않았다. 또 당시 서강대 도서관에는 국내에서 구할 수 없는 해외 저널의 논문을 외국에서 복사해 주는 서비스가 있었는데, 도서관에서 관련 경비의 반을 부담해 주어 비교적 합리적인 비용으로 마르크스주의 관련 저널의 논문들을 복사해서 볼 수 있었다. 그렇게 구할 수 없는 단행본들은 영국문화원의 대출 서비스를 이용했다. 가격이 비싸다는 것이 흠이었지만, 신청하면 3주 안에 바로 대영도서관을 비롯해 런던의 공공도서관에 있는 책을 공수해 주어서, 양면 복사 해적판을 만들 수 있었다. 19세기 말 프롤레타리아 도서클럽처럼 여러 명이 기금을 모아서 했기 때문에 결과적으로 큰 부담은 아니었다. 더욱이 영국문화원의 대출 통로는 외교파우치가 아니었나 싶다. 신속하다는 것 외에도, 검열망의 밖에 있어 안심하고 무엇이든 빌려 볼 수 있다는 게 큰 장점이었다.

대학가 영세 복사 집의 이윤 동기, 제국주의 미국의 예수회 신부, 영국문화원과 대영제국 도서관. 출판과 관련해서는 이렇게 삼박자로 이어지는 시장과 제국주의가 남한 마르크스주의의 성장에서 일등공신이었다. 다른 맥락이긴 하지만, 자본주의가 자신의 무덤을 파는 계급인 프롤레타리아트를 만들어 냈다는 마르크스의 메타포는 이 점에서도 호소력이 있었다. 대학원의 수업 방식에 익숙해지면서, 나는 나름대로의 공부법을 찾아냈다. 다음 학기 수업의 내용과 강의계획서가 발표되면, 나는 방학 때 미리 그 주제에 맞는 마르크스주의 중심의 참고문헌을 따로 만들어 저널 논문은 도서관, 단행본은 영국문화원을 통해 미리 주문해서 개강에 대비했다. 학기가 시작되면 지도교수의 강의안을 따라가면서, 내 스스로 만든 마르크스주의 관련 문헌 목록들을 별도로 더 읽고 공부했다. 힘은 들었지만 오히려 내 관점과 다른 리버럴한 관점을 같이 공부할 수 있다는 데서 위안을 찾았다.

차하순 선생의 리버럴한 태도도 다시 크게 도움이 됐다. 예컨대

1985년 선생의 민족주의 세미나는 수강생들이 자기가 맡은 부분을 번역해 와서 그 번역 원고를 읽는, 민족주의에 대한 20세기 고전들의 강독 수업으로 진행됐다. 선생은 그야말로 대학원생들의 영어 독해 능력에 대한 고려 때문에 번역 수업을 하셨을 뿐, 대학원생들의 번역 원고를 묶어 자기 이름으로 번역서를 내는 따위의 행태와는 거리가 먼 것이었다. 그럼에도 내 성에 차는 수업 방식은 아니었다. 나는 내 차례가 돌아오기 전, 선생을 찾아뵙고 내 나름대로 잡은 주제의 연구 발표로 번역 원고를 읽는 것을 대신하고 싶다는 말씀을 드렸다. 선생께서는 예외는 없다, 단 번역 원고를 미리 제출해서 세미나 참가자들이 그 원고를 각자 집에서 읽을 수 있게 하면 발표를 허가하겠다는 말씀이셨다. 나중에 박사논문을 쓴 이후에도 내가 여러 방면에서 고집을 부리자, 선생께서는 "내가 자네를 너무 서양적으로 키운 것 같아 후회된다"고 하실 만큼 선생께서는 리버럴하게 대해 주셨다. 선생을 못 만났다면, 지금의 나는 없었을 것이다.

선생의 배려 덕에 나는 과외로 공부해 온 "마르크스주의와 민족문제"에 대해 충분한 시간을 갖고 발표하고, 동료들과의 토론에서 많은 것을 얻을 수 있었다. 나는 이때 발표를 준비하며 읽었던 글들을 편집 번역해서 그 다음 해인 1986년 『민족문제와 마르크스주의자들』(한겨레)을 출판했다. 읽었던 글 중에서, 스미스Anthony D. Smith, 로스돌스키Roman Rosdolsky, 네언Tom Nairn 등 총 13편의 논문들을 추렸는데 당시로서는 비교적 선도적인 글들이 아니었나 싶다. 번역 원고의 맨 앞에 역자 해설을 덧붙였는데, 해설 원고에 대해서는 당시로서는 거

박사과정 수업의 부산물로 1986년 13편의 외국 논문들을 편역
하여 출판한 『민족문제와 마르크스주의자들』. 훗날 박사논문
의 이론적 프레임을 제공했다.

금인 매당 2천 원을 준다고 하기에 하룻밤을 꼬박 새워 해설 분량을 원고지 100매까지 늘려서 쓴 기억이 난다. 빈약한 호주머니 사정이 큰 동기였지만, 이 해설이 훗날 박사논문의 이론적 프레임으로 발전했고 이때 번역한 논문들도 두고두고 참조할 수 있었다.

그럼에도 이 책 때문에 앞으로는 가능하면 번역을 하지 않겠다는 결심을 하게 됐다. 수준에 못 미치는 성급한 번역인데도 시간이 꽤 걸렸다. 뿐만 아니라 몇 달에 걸쳐 번역을 하고 나니, 자꾸 번역하는 식으로 영어 책을 읽게 되고 따라서 읽는 속도가 현저하게 느려진 것이다. 일종의 번역 후유증이었는데, 거기서 벗어나는 데도 시간이 걸렸다. 후학들에게 가능한 한 번역을 피하고, 번역할 시간에 공부나 더 열심히 하라고 강하게 이야기하는 것도 이때의 경험 때문이다. 다행히 지금은 수준 높은 전문 번역가 집단이 생겨나 번역 문화가 한 단계 업그레이드 됐다는 느낌을 가질 때가 많다. 웬만한 책의 번역은 이들 전문 번역자들에게 맡기고, 전문 연구자들은 전문용어를 중심으로 교열을 보는 형식이 바람직한 번역 과정이 아닌가 한다. 물론 고전의 경우에는 전문 연구자들이 충분한 시간을 두고 직접 번역하는 것이 바람직하겠지만, 고전 번역일지라고 정년퇴직한 후에나 손대겠다는 생각에는 지금도 변함이 없다.

그 다음 해인가 독일에서 "사회주의와 민족주의"라는 제목으로 박사논문을 쓰고 귀국한 박호성 선생이 나를 찾는다고 해서 마침 서강대 정외과에 막 부임한 선생의 연구실로 찾아뵌 적이 있다. 선생은 같은 주제로 독일에서 막 나온 소책자를 보여주면서, 독일어로 번역 출판된 4편의 글 중 3편이 내가 편역한 책의 논문들과 일치한다며 반가워했다. 이제 유럽과 한국 사이에 학문적 시차가 거의 없는 것 같다는 말씀을 덧붙였던 것 같다. 나는 이 일로 많이 고무되었다. 솔직히 마르크스주의에 관한 한 독학이나 마찬가지였기에, 내가 제대로 이해하고 있는지 늘 불안했다. 그런데 박호성 선생이 건네준 독일에서 출판된 소책자는 내가 보는 눈이 그들과 크게 다르지는 않다는 것을 보여주었다. 틀렸다 해도 최소한 같이 틀렸다는 생각은 적지 않은 위안이 됐다.

막연한 생각이지만, '마르크스주의와 민족문제'라는 주제로 박사논문을 쓴다 해도 나름대로 할 이야깃거리가 있지 않을까 하는 생각이 든 것도 이때의 일이다. 그러나 논문의 독창성 따위는 여전히 부차적인 고려 대상이었을 뿐이다. '마르크스주의와 민족문제'에 대한 이론적 관심은 1980년대 중반 학술운동을 떠들썩하게 만든 '사회구성체 논쟁' 혹은 민족해방론 대 민중민주주의(NL-PD) 논쟁을 어떻게 이해할 것인가 하는 고민에서 비롯되었다. 식민지의 경험과 분단체제, 그리고 민주주의가 아닌 독재를 정치적 외양으로 가진 한국 자본주의의 파행적 발전을 둘러싼 이 논쟁은 이제 와 생각하면 자신의 정파적 노선과 이론에 현실을 꿰어 맞추는 무리한 논쟁이었지만, 당시에는 나름대로 절실했다.

한국 사회의 역사적 성격 논쟁에 직접 뛰어들기 어려운 '서양사'라는 지식장에 서 있는 연구자로서 나는 마르크스로부터 레닌에 이르기까지 고전적 마르크스주의자들의 민족론을 비판적으로 정리함으

1991년 10월, 사회주의 운동의 역사와 현실을 다룬 한국서양사학 대회 토론 모습.
핀란드 대사로 나가기 전 이인호 선생이 학회장, 김인중 선생이 총무였고
나는 편집이사였다.

로써 이 논쟁에 기여하겠다는 생각이었다. 그런데 자료를 보면 볼수록, 마르크스주의자들이 민족문제를 이해하는 방식은 혁명에 도움이 되는가 여부의 도구주의적 시각이 지배적이고 엄밀한 이론적 시도는 거의 눈에 띄지 않았다. '마르크스주의와 민족문제'를 이론적으로 정리하기 위해서는 일단 마르크스·엥겔스로 돌아가야겠다는 판단이 섰다. 서구에서는 '마르크스 산업'이라는 신조어가 생겨날 정도로 마르크스에 대한 연구가 대량 생산되는 상황에서도 민족문제에 초점을 맞춘 연구는 눈을 씻고 찾아야 할 정도여서 신기했다. '사회제국주의'에서 보듯이 그들의 문제는 차라리 제국주의였지 민족문제는 아니었던 게다. 마르크스와 엥겔스로 돌아가고 나니 논문의 길이 보였다. 그들에게만 초점을 맞춘다고 생각하니 일이 훨씬 수월했다.

그러나 1987년 대선 국면에서 잠시 논문을 중단해야만 했다. 노태우의 6·29 선언과 직선제 개헌 이후 정국은 소용돌이치기 시작했고, 독재 대 민주주의라는 이분법에 익숙한 우리에게 정치적 민주화는 전혀 다른 세상을 돌려주었다. 대선을 앞두고 이 복잡한 국면을 읽는 데 도움이 될 레퍼런스로서 마르크스의 『프랑스 혁명사 3부작』(소나무, 1992)을 급히 번역했다. 이종훈, 이윤삼, 안해균, 김용우 등 서양사 선후배들과 분량을 나누어 초역을 하고, 경기도 광주의 매운탕 집에서 2주 정도 합숙하면서 윤독을 거쳐 번역 원고를 탈고했다. 신생 소나무출판사를 세상에 널리 알린 책이었다. 유재현 형이 종근당의 홍보 일을 그만두고 출판사를 차렸다고 연락이 와서 물어물어 찾아간 소나무 사무실이 을지로 허름한 빌딩 옥상 위에 군용 텐트였다.

한국전쟁 당시 미군 야전병원의 에피소드를 그린 미국 드라마 〈매시MASH〉에서 자주 보던 커다란 군용 텐트였는데, 허름하기는 해도 시내 한복판이라는 이점이 있었다. 6·29 선언 직전 6월의 가투 당시 잠깐씩 들러서 술도 마시고 이야기도 나누고 하다가 『프랑스 혁명사 3부작』이 탄생한 것이다.

만약의 사태를 대비해서 번역자는 유재현 형이 만들어 낸 가공인물로 하고, 문제가 생기면 유재현 형이 모든 책임을 지기로 했다. 돌이켜 보면 어설픈 기만전술이었는데, 워낙 큰 문제들이 산적해 있어서인지 문제가 되지는 않았다. 날마다 펼쳐지는 텐트 속의 왁자지껄한 술자리를 피해, 옆 건물 다방으로 피난 가서 역자 서문을 쓴 기억이 아직도 생생하다. 책은 대선 국면을 분석하는 레퍼런스로서 쏠쏠하게 나갔지만, 민정당 노태우 후보의 승리로 끝난 선거의 뒷맛은 매우 썼다. 88 올림픽이 끝나고 민주화가 진전된 이후에야 이 책은 역자 이름을 되찾았다. 소나무와의 인연은 이때부터 시작되었으니, 지금 이 책까지 30년에 이르는 긴 인연이었다. 소나무는 이후에도 제주 4·3에 관한 책(『제주민중항쟁』)을 출판하고, 재일교포 김병진이 쓴 『보안사』를 출간하는 등 한국 민주화의 정도를 시험하는 책들을 많이 냈다. 한국 정부는 유재현 형을 구속함으로써 민주화의 현주소를 드러냈다.

길거리 역사가 시절은 쓰디 쓴 패배로 끝나고 나는 논문으로 돌아왔다. 승리감에 도취해 있을 때보다는 정치적 패배주의의 착 가라앉은 분위기가 논문을 쓰는 데 더 적격이었다. 나는 강의도 접고 친구

이종훈 선생과 함께 대표 역자로 실명을 밝혀 재출간한
『프랑스 혁명사 3부작』. 이제 와 생각하니 열정만으로 덤
볐던 참으로 엉성하기 짝이 없는 작업이었다.

들과의 왕래도 끊고 매일 아내가 싸 준 도시락과 천 원 한 장 타서 구립도서관으로 출근했다. 버스 토큰 두 개, 담배 한 갑, 점심 도시락 먹을 때의 우동 국물, 자판기 커피 두세 잔을 사 마시기에 천 원이면 충분했다. 논문 쓰는 동안 수입원은 없었지만 오히려 강사 할 때보다 돈에 쪼들리지 않았다. 황지우의 시구처럼, 강사는 부업일 뿐 주업은 실업이었다. 강사보다는 전업 학생으로 논문을 빨리 쓰는 게 경제적으로도 비전이 보였다. 낮에는 구립도서관에서 읽고 저녁 이후에는 집에 와서 정리하고 쓰는 일상이 1년 정도 지속되니 논문의 골격이 잡혀 갔다. 2주에 한 번꼴로 학교 근처 술집에서 선후배들과 어울려 음주의 한계량을 시험하면서 논문의 피로를 씻었는데, 그때 나와 같이 술을 자주 마신 친구들 중에는 아직까지도 자신이 내 박사논문의 희생자라고 생각하는 친구도 있다.

마르크스·엥겔스 전체 저작 중에서 약 2~3퍼센트에 해당되는 민족문제에 대한 그들의 논의를 추적해서, 1차적 추상: 역사적 유물론과 프롤레타리아 국제주의 — 2차적 추상: 제국주의론과 발전단계론 — 현상 분석: 민족문제에 대한 저널리즘이나 정치적 분석이라는 세 층위로 재구성해서 논문을 완성했다. 마르크스·엥겔스와 민족문제에 대한 연구도 많지 않지만, 얼마 안 되는 기존의 연구들조차 대부분은 이론적 재구성을 시도하기보다는 사회주의 혁명을 위한 도구주의적 시선이나 운동전술의 차원에서 논의가 그쳤다. 독일에서 유학 중이던 김학이 형이 어렵게 보내준 마르크스·엥겔스 전집을 집에 두고 늘 참조할 수 있었기 때문에 시간이 많이 단축됐다. 김학이 형에게는 그동안 충분히 고맙다는 말을 표현하지 못했는데, 이 지면을 빌려 깊이 감사드린다.

지금 와서 보면, 지나치게 도식적이라는 생각도 들지만 나름대로 체계를 세우려다 보니 어느 정도의 도식성은 불가피했는지도 모르겠다. 그러나 도식성보다 더 큰 문제는 '사명감'이 아니었나 싶다. 역사적 사명감이 어느 정도까지 공부를 추동해 온 중요한 동력이었던 것은 분명하지만, 학문에 대한 도구주의적 시각을 고착시킨 것도 사실이다. '학문을 위한 학문'이란 '예술을 위한 예술'만큼이나 고답적이지만, 학문을 정치에 종속시키는 도구주의적 관점도 위험한 것이다. 나는 아직도 학문지상주의적 관점과 실천적 도구주의 사이에서 어느 지점에 선을 긋는 것이 바람직하고 균형 잡힌 학문을 가능케 하는 것인지 자신이 없다. 역사적 맥락에 따라 그 경계 자체가 늘 유동하는 것이라는 점을 생각하면, 수학 공식처럼 정답을 이끌어 낼 수 있는 문제는 아닐 것이다. 그럼에도 한 가지 확실한 것은 있다. 학문에는 사명감보다 열정이 더 중요한 덕목이라는 것이다. 물론 사명감과 열정은 서로 밀어내기보다는 중첩되는 경우가 더 많지만, 사명감이 앞서는 것과 열정이 앞서는 것 사이에는 생각보다 큰 차이가 있다.

열정의 위험이라야 자신의 미숙함에서 끝나지만, 지나친 사명감은 다른 생각을 가진 사람들에 대한 폭력으로 이어질 수 있는 것이다. 그 역사적 사명감이 과학적 진리와 결합해서 핵융합을 일으킨다면, 그것은 최악의 경우일 것이다. 진리를 못 깨우쳐 필연적이고 올바른 길을 거부하는 자들은 설득해 보고 안 되면 폭력을 써서라도 데려가야 하는 것이다. 더구나 상황이 긴박하게 돌아갈 때는, 설득할 시간도 많지 않다. 1980년대를 살아온 젊은이들에게는 많이 익숙한 플롯이다. 아롱Raymond Aron이『지식인의 아편』을 쓴 이유이기도 하다. 마르크스의 날카로운 비판처럼 종교가 '인민의 아편'이라면, 이데올로기야말로 '지식인의 아편'인 것이다. 자신이 세계를 해석하는 '해석자'가 아니라 세상을 개혁하는 '입법자'라고 생각하는 지식인의 과대망상을 쿨하게 깨트린 지그문트 바우만의 논조도 여기에 닿아 있다. 흥미로운 것은 지식인에 대한 아롱이나 바우만의 성찰이 모두 사명감과 과학적 진리에 도취했던 자신들의 과거에 대한 절절한 자기비판의 결과였다는 점이다.

전 폴란드 사회가 연대노조와 혁명의 열기로 가득할 때, 넌지시 '비겁함'이야말로 폴란드인들에게 가장 필요한 미덕이라고 꼬집은 기에드로이츠Jerzy Giedroyc의 해학은 씹을수록 맛있다. 평생을 궁핍과 고난 속에서 누구보다 용감하게 현실사회주의 권력과 대결한 파리의 폴란드 망명 지식인 기에드로이츠가 '비겁함'을 강조한 것은 폴란드 특유의 과대망상적 영웅주의에 대한 신랄한 비판이었다. 단순한 자들이 회의주의자들을 이기기 마련이라는 쿠론의 실천이성에 대한 반명제로도 읽히는 기에드로이츠의 비겁 예찬은 무엇보다 큰 용기의 발로였다. '비겁하게' 일상을 살아간다는 것은 매일매일 그리고 거의 매 순간마다 결단과 용기를 요구한다. 순간순간마다 우리를 갈등에 빠트리는 이 비겁한 일상은 매 순간 상식적이되 현명한 판단을 요구하고, 매일매일의 패배를 딛고 일어설 수 있는 영웅적 용기를 요청한다. 나는 매 순간 새로운 판단과 결단을 요청하는 복잡한 현실을 직면하기보다는 사명감의 방벽 뒤에 숨어 도식주의적 사고에 안주한 것은 아닌지 부끄러울 뿐이다. 알량한 사명감으로 얼버무린 내 도식주의가 깨지려면 전혀 새로운 계기가 필요했다. 그 계기는 생각보다 빨리 왔다.

6

89년 왕십리와 탈냉전

Doing
History

"임 선생, 딱 한 가지만 물어봅시다. 당신 맑시스트요, 아니요?"

단도직입적이고 화통한 성격으로 잘 알려진 선생다웠다. 선릉 근처의 갈비탕 집에서 한양대학교 사학과의 최문형 선생께서 내게 던진 질문이다. 선생께서는 나를 점심에 초대해 일종의 격식 없는 심층 인터뷰를 진행하신 것이다. 박사논문 심사가 한창 진행 중이던 1988년 가을의 일이다. 참으로 난처한 질문이었는데, 내가 처한 난처함은 한반도 핵무기 배치 질문이 나올 때마다 긍정도 부정도, 시인도 부인도 하지 않는 당시 미 국무부의 딜레마와 유사한 것이었다. 진실을 말할 수도 그렇다고 거짓말을 할 수도 없어 난감했는데, 순간적으로 그만 "선생님, 저는 맑솔로지스트Marxologist(마르크스 연구자라는 뜻)입니다"라는 답변이 튀어나오고 말았다. 선생께서는 호탕하게 웃으시더니 알았다고 하면서 더 이상 묻지 않아 다른 화제로 이야기가 흘렀다. 아마도 선생께서 짐짓 모른 척하고 넘어가기로 작정하시지 않았나 싶다. 만에 하나 문제가 생겼을 때 선생은 이 문제를 짚었다는 알리바이가 생겼고, 나도 생계를 위해 내 사상을 부정하지 않았으니 됐다는 생각이었다.

언젠가 이 에피소드를 네덜란드의 국제사회사연구소(International Institute of Social History) 소장을 지낸 마르셀 반 데어 린덴Marcel van der Linden에게 이야기했던 모양이다. 이 연구소는 마르크스·엥겔스를 비롯해서, 로자 룩셈부르크, 카를 카우츠키, 에른스트 만델 등 세계 사회주의 운동을 이끈 마르크시스트들의 오리지널 원고들을 보관하고 있는, 노동운동사 연구의 메카이다. 동 연구소에서 나오는 『국제사회사평론(International Review of Social History)』의 편집장을 역임했고 10개 이상의 유럽어에 능통한 마르셀은 아직도 나를 보면, "어이, 맑솔로지스트!"라고 부르며 킬킬 웃는다. 지금이야 웃지만 당시에는 심각했다. 최문형 선생이 "맑솔로지스트"라는 내 답변에 웃음으로 넘기지 않고, 당신의 질문에 더 정확하게 답하라고 계속 추궁했다면 어떤 결론이 나왔을지 자신할 수 없다. 황해도 대지주 출신으로 정치적으로는 상당히 보수적이고 반공주의에 투철하신 분이었지만, 영국식 민주주의를 전범으로 삼는 휘그적 역사 해석에 충실한 분이었기 때문에 그런 여유가 있었던 듯하다.

선생과의 인연은 1986년 유네스코 프로젝트 '한국 서양사학의 수용과 발전'의 일환으로 개최된 워크숍으로 거슬러 올라간다. 지도교수 차하순 선생이 연구책임자인 그 프로젝트에서 나는 '서양사 교육' 부분의 자료 수집과 초고 집필을 맡았다. 자료를 수집해서 읽고 보니 해방 이후 한국의 역사교육은 비판적 시민의식의 양성이라는 목표에서 민족주체성의 양양이라는 '국민 만들기' 교육으로 후퇴한 것이 명약관화했다. '혁신주의'의 영향을 받아 미군정기 '교수요목'에서 명시

한 역사교육의 목표가 이후 독자적으로 만들어진 여러 차례의 교육 과정보다 더 리버럴했던 것이다. 교육부 담당 국장과 주무 관리들, 역사교육 전공자들이 모인 이 워크숍에서 나는 해방 이후 역사교육이 계속해서 후퇴했다는 점을 강조해서, 모든 교육 과정 개편이 시대적 요청과 교육적 고려에 의해 성공적으로 개편되어 왔다고 정당화하고 있는 그들과 정면으로 부딪쳤다. 오전 세션이 끝나고 참가자들이 모두 식당에 갔는데, 토론자로 오신 최문형 선생께서 수고했다며 앉으라고 손수 의자를 내주셨다. 소문을 들어 호랑이 선생이라고 익히 알고 있는데, 뜻밖이었다. 그 후로는 전혀 뵌 적이 없는데, 논문 심사 국면에서 보자고 연락을 하신 거다.

당신 스스로도 호전적인 선생께서는 아마도 내 그런 전투성을 좋아하신 게 아닌가 싶다. 개인적인 기질의 호불호가 이념의 경계를 부쩍 넘을 때가 있는데, 아마도 선생과 내 관계가 그런 게 아니었나 싶다. 김영한 선생께서도 중간에서 선전전을 하셨다. 안 할 얘기는 안 하고 할 얘기만 하신 것이다. 돌이켜 보면, 그래도 최문형 선생으로서는 큰 모험을 하신 것이다. 덕분에 생활 걱정 하지 않으면서 긴 호흡으로 공부할 수 있었다. 서강대로 적을 옮기기까지 만 26년을 한양대에 재직하면서 선생의 뜻을 거스른 적도 많았지만, 선생께서는 미흡한 후학을 많이 보듬어 주셨다. 이 점 아직까지도 선생께 감사하는 마음이다. 어쨌든 최문형 선생의 배려와 두 분 은사님의 강력한 추천서 덕분에 논문을 마친 1989년 봄 한양대학교 사학과에 취직되었다. 내가 마르크시스트라고 확신하셨던 길현모 선생께서는 특별히 내 사상이 온건하다고 강조하는 추천서를 써 주셨고 지도교수 차하순 선생께서는 지도학생에 대해 쓸 수 있는 최상의 추천서를 써 주셨다고 한다. 그 추천서들을 직접 본 적이 없는 나로서는 최문형 선생께 들어 그렇게 알고 있을 뿐이다. 요컨대 2차 자료인 선생의 해석에 의존할 수밖에 없는데, 이 경우에는 선생의 해석을 전적으로 따르고 싶다.

당시에는 소련 고르바초프 서기장의 개혁개방 정책으로 냉전의 빗장이 느슨해지기는 했지만 완전히 풀린 것은 아니었다. 아직도 그렇지만, 특히 한반도는 여전히 뜨거운 냉전의 현장이었다. 고르바초프가 소련의 모든 학교에서 역사 시험을 유보시켰을 때, 남한에서는 아직도 스탈린주의 교과서의 조야한 번역판들이 돌아다녔다. 내가 한양대학교에 갓 부임했던 1989년 왕십리는 그 뜨거운 냉전 전쟁터의 한복판이었다. 한양대는 전대협과 한총련의 핵심 역량이었고, '임종석'이라는 전설이 이끄는 학생운동은 절정에 달했다. 당시만 해도 비교적 젊어 보이던 나는 학교 정문을 들어설 때마다 자주 검문에 걸렸다. 심기가 불편해진 나는 전경들이 내 신분증에 손을 댈 때마다 "왜 남의 사유재산에 함부로 손을 대는가, 너는 공산주의자인가?"라고 짜증을 냈고 자주 승강이를 벌였다. 같이 등교하던 사학과 학생들이 우르르 달려와서 일촉즉발의 상황까지 간 적도 있다. 지금 생각하면 그 어린 전경들이 무슨 죄가 있다고 하는 미안함도 있다. 결국 내가 찾은 해결책은 운전을 배워서 학교 마크를 운전석 유리창에 붙이고 자가용으로 등교하는 것이었다. 덕분에 운전을 배웠으니 내 사유재산에 함부로 손을 댔던 그 '공산당' 전경들에게도 감사하는 마음이다.

　넓게 보면, 냉전으로 뜨거운 한반도와는 달리 탈냉전의 흐름은 전 지구적 차원에서 거스를 수 없는 대세였다. 1989년 천안문 사태와 베를린 장벽 붕괴, 같은 해 평화적인 체제 이행에 성공한 폴란드-체코슬로바키아-헝가리의 '벨벳혁명', 루마니아의 유혈사태, 1990년 노태우 정부의 북방정책, 1991년 소련 공산주의 보수파 쿠데타의 실패와 공산당 독재의 붕괴, 발틱 삼국 등 소연방을 구성한 15개 연방공화국의 독립 등으로 느슨해진 냉전의 빗장이 완전히 풀리는 것은 시간문제인 것처럼 보였다. 그래도 제도의 변화에 비하면, 사유방식이나 집단심성의 변화는 훨씬 뒤처지기 마련이다. 바로 우리가 그랬다.

　1988년부터 이영석, 김봉철, 이종훈, 강성호, 김현일, 양효식 등과 더불어 이른바 '진보적' 성향의 젊은 서양사 연구자 모임을 시도한 바 있다. 서로 다른 성장 배경과 지적 경험의 차이 등으로 모임은 처음부터 많은 난항을 겪었는데, 결국 냉전적 사유의 덫에 걸려 모임은 좌초된 아픈 기억이 있다. 여러 가지 잠재적 갈등으로 초반부터 위태위태했지만, 내홍이 폭발한 것은 '노동사' 연구팀의 커리큘럼을 둘러싼 노선투쟁 때문이었다. E. P. 톰슨과 존스Gareth Stedman Jones 등 영국 좌파의 노동사 연구로 짜인 커리큘럼에 대해 일부에서 강력한 이의를 제기했기 때문이다. 영국 좌파의 수정주의 역사서 대신, 모스크바에서 나온 다섯 권짜리 『세계노동운동사』라는 정통 마르크스주의 연구서를 읽어야 한다는 거였다. 읽어 본 사람은 알겠지만, 『세계노동운동사』는 마르크스주의적 프레임이 있기보다는 의도적으로 선별된 사실들을 나열하기 바쁜 저급한 실증주의적 역사책이었다.

훗날 폴란드의 당 역사학을 연구하면서 알게 된 사실이지만, 사실 이들 공산당의 공식 역사학은 교조주의적인 경직된 해석이라고 평가하기에도 아까운 것이었다. 해석은 당이 독점하기 때문에, 역사가들의 과제는 모든 자료를 샅샅이 뒤져 당이 내린 해석에 맞는 사실들을 찾아내 배치하는 것이었다. 당의 입맛에 맞는 미시적 사실의 지루한 나열, 운동의 성공은 지도부의 옳은 전략전술에 공을 돌리고 모든 실패는 개량주의와 모험주의에 덮어씌우는 공식적 당사에 나는 크게 질렸다. 마르크시즘의 관점을 고수하던 젊은 시절에도 학생들에게는 덜 익은 좌파들의 어설픈 역사 서술보다는 제대로 된 우파들의 역사책을 읽으라고 권하고는 했는데, 그나마 조그만 위안이 된다. 브레주네프 시대 소련의 이론가였던 수슬로프Mikhail Andreevich Suslov에 대한 일화도 흥미롭다. 그는 키워드별로 레닌의 인용문들을 정리한 커다란 카드 박스를 사무실에 갖고 있었는데, 정치국의 결정이 내려질 때마다 그 기다란 손가락으로 당의 결정에 맞는 레닌의 인용문을 재빨리 찾아내는 데 뛰어난 재능을 보였다.

수슬로프가 당의 대표적인 이론가가 될 수 있었던 이유이다. 머리보다는 손가락 때문에 이론가가 된 것이다. 대표적인 당 이론가가 이런 정도니, 독자적인 해석과 평가가 금지된 역사가들이 할 수 있는 일이 도대체 무엇이겠는가? 역설적으로 폴란드 역사가들 중에는 민주화 이후 역사 쓰기가 더 어려워졌다고 불평하는 이들도 적지 않다. 이미 당이 서론과 결론을 제시했던 예전에는 기계적으로 그에 맞추어 써 나가면 됐기 때문에 논문이나 책 쓰기가 편했는데, 이제 갑자기 독자적인 해석이나 평가를 시도하려다 보니 고민스럽기 짝이 없다는 것이다. 그러나 체제가 바뀌고 사상이 바뀌어도 수슬로프가 가진 능숙한 손은 늘 필요한 법이다. 바르샤바의 도시사를 전공하는 대표적 마르크스주의 역사가가 가톨릭 추기경의 고문 역사가가 되는 인생의 반전은 머리보다는 손 때문이었을 것이다. 반공 선전과 친공 선전의 사이에서 후자를 택했던 당시 대부분의 남한 좌파들이 이런 사정을 알았을 리 없다.

돌이켜 보면, 정통 마르크스주의 역사서라며 『세계노동운동사』를 읽어야 한다고 강변했던 동료들도 실은 냉전의 희생자가 아니었나 싶다. 그러나 냉전의 자식들이라고 해서 모두가 같은 것은 아니었다. 우리들 사이에도 차이는 분명히 존재했으며, 리버럴의 세례를 받았는가의 여부가 그 차이를 만드는 데 중요했다. 학교의 특성상 몽매한 보수주의와 맞서야 했던 동료들은 많은 경우 경직된 마르크스주의로 흘렀다. 더 아쉬운 것은 그들 중 많은 친구들이 결국 공부를 접었다는 점이다. 그러나 이런 차이를 넘어서 당시 우리들이 공유했던 문제의식은 있었다. 그것은 자본주의의 본원적 축적과 급속한 산업화에서 발원하는 것이었다. 나는 그것을 정리해서 「한국 서양사학의 반성과 전망: '시민계급적 관점'에서 '민중적 관점'까지」(『역사비평』 1990년 봄호)를 발표했다. 지금 와서 보면 도식적인 논리들이 많이 거슬리지만, 당시에는 나름대로 절실하지 않았나 싶다.

취직한 첫해인 1989년에는 단 한 편의 논문도 발표하지 못했다. 공부는커녕 강의라는 발등의 불을 끄기 급급했다. 두 학기 모두 11학점씩을 강의했는데, 모든 과목이 처음 하는 강의였다. 근현대사는 최문형 선생이 담당했기 때문에, 나는 '고대 그리스·로마사'를 필두로, '서양 중세사', '절대주의 시대사' 등 주로 전근대사 강의를 담당했다. 논문에 집중하느라 남들처럼 박사과정 때 강의를 많이 하지도 않았을뿐더러, 고대사나 중세사는 그야말로 맨땅에 헤딩하는 식으로 준비해야만 했다. 강의 준비를 열심히 하다가도, 예컨대 고대 그리스어의 '오이코스Oikos' 같은 단어의 번역을 둘러싼 논쟁에 부딪치면 그 지점에서 접어야 했다. 강의는 그야말로 하루 벌어 하루 먹고사는 식이었다. 술을 마시면 그 다음 날 강의가 불가능했기 때문에, 내 평생 가장 술을 적게 마신 해가 한양대에서 보낸 첫해인 1989년이 아니었나 싶다. 박사논문을 쓸 때도, 이때만큼 절주하지는 않았다.

힘들었지만, 이때의 강의는 훗날 큰 도움이 됐다. 고대 그리스·로마의 '공화주의'에 대한 이해는 이른바 '시민적 민족주의(civic nationalism)'을 이해하는 밑바탕이 됐고, 중세사와 절대주의 시대사는 전공 외 영역인 서양 경제사와 봉건제로부터 자본주의로의 이행 문제를 정리하는 좋은 계기가 됐다. 1989년부터 10여 년은 학부 학생들에 대해서도 가장 정성을 쏟았던 시기였다. 오랜 시간이 걸려도 시험은 일대일 구두시험을 고집했고, 수많은 리포트의 피드백은 물론 1학년 수업인 '그리스·로마사' 수업에서는 노트 검사까지 했다. 노트를 양면으로 나누어 홀수 면에는 강의 시간에 내가 택한 해석을 적고 짝수 면에는 내가 나누어 준 참고문헌에서 내 강의와는 다른 해석을 찾아 내 강의를 반박하는 논리를 구성하도록 했다. 3학년 전공필수인 '논문작성법' 수업은 차하순 선생과 진모덕 신부의 두 강의 경험을 종합해서 '논문계획서'를 학기 말에 제출하도록 하는 유격 코스로 삼았다. 수강생의 30퍼센트 정도에게 F학점을 날렸다.

1989년 첫해가 지나고 몇몇 교과목의 강의노트 초벌이 준비되자, 1990년에는 약간 숨통이 트였다. 학위논문을 모태로 해서 「마르크스의 동양사회관」, 「마르크스의 후기 사상과 유물사관: 단선론적 단계론에 대한 비판적 고찰」을 『한국사 시민강좌』와 『역사학보』에 발표하고, 학위논문을 탐구당에서 『마르크스·엥겔스와 민족문제』라는 단행본으로 출간했다. 학위논문을 다소 고답적이라 할 수 있는 탐구당에서 출간한 이유는 먼저 지도교수 차하순 선생의 권유가 있었지만, 공부가 축적될 때까지 조금 침잠해 있어야겠다는 판단도 컸다. 마르크스주의와 민족문제라는 주제가 당시 한창 관심이 고조되던 터라, 명망 있는 몇몇 사회과학 출판사들에서 요청이 있었지만 정중하게 사양했다. 탐구당에서 막상 책을 내고 보니 당시에는 아쉽다는 생각도 들었지만, 지금 와서 생각해 보니 그때 절제하기를 잘했다는 생각도 든다. 학문적 축적이 깊지 않은 상태에서 자꾸 불려 다니고 사회적 논의에 뛰어들어서는 금방 바닥이 드러날 것이었다. 마르크스주의 역사학도 좋은데 학문적 엄격성을 갖고 정진하지 않으면 안 된다는 길현모 선생 이하 학위논문 심사위원들의 조언이 깊이 새겨진 탓이다.

대신 나는 다른 도전을 택했다. 박사논문의 일부를 해외의 저명한

논문을 본격적으로 쓰기 시작하면서 최종적으로 제출한 1988년 3월 7일자 논문계획서. 절 제목 두어 개 수정한 것을 제외하면 박사논문과 거의 일치한다. 그리고 이 논문을 "마르크스·엥겔스와 민족문제"라는 제목 그대로 탐구당에서 단행본으로 간행했다.

저널에 투고하는 것이었다. 그저 내 박사논문이 어느 정도 수준인지 한번 가늠해 보고 싶었다. 지도교수인 차하순 선생이나 논문 심사위원들은 역사가로서의 경륜이나 학문적 업적으로는 한국 최고의 서양사가라고 확신했지만, 마르크스 전문가는 아니었다. 따라서 심사위원들의 평가는 논문을 끌고 가는 힘이나 논문 구성의 창의력 등에 대한 일반론적인 차원이었지, 전문가적인 것은 아니었다. 내 자신도 마르크스주의에 관한 한 독학이나 마찬가지여서, 내 논문에 대한 세계적 전문가들의 평이 궁금했다. 먼저 투고할 잡지를 정했다. 재론의 여지없이 『사이언스 & 소사이어티Science & Society』였다. 가장 오래된 영어권 마르크스주의 잡지였을 뿐만 아니라, 1950년대 이른바 자본주의 이행논쟁이 그 지면에서 벌어진 터라 학부 시절부터 동경해 오던 잡지였다.

동아시아 학자로 그 이행논쟁에 참가해 돕, 스위지, 힐튼Rodney Hilton 등의 영미권 마르크스주의 연구 대가들과 당당히 겨룬 일본의 다카하시 고하치로를 은연중에 롤모델로 삼은 바도 컸다. 2013년 교토에서 열린 일본서양사학회대회의 기조강연에서는 다카하시 고하치로의 마르크스주의를 결과론적 서구중심주의라고 비판하면서도 사석에서는 그가 젊은 시절 내 롤모델이었다고 고백해서 일본의 서양사학자들이 놀라기도 하고 즐거워하기도 했던 기억이 새롭다. 지금 와서 보면 다카하시의 문제의식은 '독일사의 특수한 길' 테제처럼 영국의 자본주의 발전을 보편적 모델로 설정하고 그와 비교해서 일본 자본주의의 특수성을 설명하려 한 강좌파 마르크스주의의 '서구중심주의'에서 크게 벗어나지 못했다. 그럼에도 메이지 일본이라는 주변부의 문제의식에서 출발하여 봉건제로부터 자본주의로의 이행이라는 마르크스주의 역사학의 핵심 문제에 대해 당당하게 서구의 대표적 마르크스주의 이론가, 역사가들과 어깨를 겨룬 다카하시 고하치로는 내게는 영웅처럼 보였다. 그가 경성제대에서 서양사를 가르친 것을 안 것은 훨씬 나중의 일이다.

2008년인가 폴란드의 역사가이자 사회학자인 바르샤바 대학의 마르친 쿨라Marcin Kula 교수가 내 초대로 방한한 적이 있는데, 느닷없이 다카하시 고하치로를 언급해서 깜짝 놀란 적이 있다. 1950년대 후반 자기가 어렸을 때 다카하시 교수가 바르샤바의 자기 집을 방문해서 인사를 드린 적이 있다는 것이었다. 그의 부친이자 세계적인 경제사가인 비톨트 쿨라Witold Kula를 찾아온 것이었다. 비톨트 쿨라가 세계경제사학회의 회장일 때, 다카하시 고하치로는 부회장이었다. 일본 국내산 마르크스주의 역사가였던 다카하시가 국제 학회에서 그토록 활약한 것은 불가사의한 일이었다고 회고하는 일본의 지인들이 있다. 서양 중세사와 미술사를 전공한 가바야마 고이치樺山紘一 선생이 공식적인 자리에서 회고한 바에 따르면, 다카하시는 영어는 아주 약했고 불어 회화가 어느 정도 가능했지만 그나마 능통하지는 않았다는 것이다. 그럼에도 일찍부터 다카하시 선생이 보여준 국제무대에서의 활약상은 말이 말을 하는 것이 아니라 생각이 말을 하는 것이라는 좋은 증거가 아닌가 한다.

어쨌든 투고 내용에 대해서는 좀 더 신중을 기해야 했다. 국제적인 마르크스 전문가들이 주요 독자가 되고 또 내 기고문을 평할 거라는 전제 아래, 학위논문의 독창적인 부분을 중심으로 아주 구체적인 논점을 다루어야 한다고 판단했다. 숙고 끝에 학위논문의 4장인 '마르크스의 제국주의론과 아일랜드 민족문제'를 중심으로 초고를 작성했다. 영어로 쓰는 논문은 처음이어서 스타일에 대해서는 영문과 후배의 도움을 받아 겨우겨우 꾸려 냈다. 주요 논점은, 유럽의 식민주의가 비유럽 세계에 아시아적 생산 양식의 정체성을 파괴하고 자본주의적 진보를 가져올 것이라고 확신했던 마르크스와 엥겔스가 1860년대에 이르면 생각을 바꾸기 시작했다는 것이다. 나는 그 시점을 아일랜드 민족해방이 영국혁명의 전제 조건이 될 수 있다고 생각한 1867년으로 꼬집어 지적하고, 그 변화는 제국주의에 대한 이해가 전제되었기에 가능한 것이라고 썼다. 설레는 마음으로 초고를 보냈는데, 6개월 이후에 답장이 왔다. 가장 최근호에 마르크스주의와 민족문제에 대한 뢰비Michael Löwy와 님니Ephraim Nimni의 논쟁이 실렸는데, 그 논쟁을 반영해서 수정본을 보내 달라는 것이었다.

아일랜드 문제에 관한 한, 내 주장의 독창성에 대해서는 어느 정도 자신이 있었지만 그래도 많이 기뻤다. 더구나 뢰비와 님니는 둘 다 학위논문에서 주요한 전거 자료로 인용한 터였다. 당시 한국에는 어느 도서관에도『사이언스 & 소사이어티』가 들어오지 않았기 때문에, 해외에 급히 수소문해 구해 읽고 서문을 이 논쟁에서부터 출발하는 방식으로 초고를 수정했다. 그들의 논쟁은 비교적 단순해서 뢰비와 님니의 논지를 각각 정치주의(politicism)와 경제주의(economism)로 손쉽게 나눌 수 있었다. 나는 이들의 편향을 비판한 후, 마르크스의 민족문제론은 이론적 추상과 정치 분석 사이의 변증법적 상호작용의 결과로 이해해야 한다고 역설하고 제국주의론과 아일랜드 민족문제에 대한 내 논지를 피력했다. 이 글은 결국 초고를 보낸 지 2년째 되는 1992년 여름 "마르크스의 제국주의 이론과 아일랜드 민족문제(Marx's Theory of Imperialism and the Irish National Question)"라는 제목으로 게재되었다. 뢰비는 이로부터 20년 후인 2011년 11월 국제 철학 꼴레쥬(Collège International de Philosophie)가 파리에서 개최한 세미나에서 처음 만났다. 에티엔 발리바르와 같이 점심을 먹는 자리에서 로자 룩셈부르크를 꿈에서 만난 이야기를 할 때, 할아버지 연구자 미카엘 뢰비의 표정은 여전히 꿈꾸는 소년 같았다.

『사이언스 & 소사이어티』에 위의 논문을 게재함으로써 나는 크게 고무되었다. 기쁜 마음에 서강대 서양사 은사님들께는 별쇄본을 돌렸다. 1950년대 말 이미 한국 학계에 돕-스위지 논쟁을 소개한 길현모 선생께서는 이 잡지의 가치를 알고 크게 기뻐하고 격려해 주셨지만, 차하순 선생은 이 잡지가 동인지냐고 물어 흠칫 놀란 적이 있다. 영어권에서 가장 오래된 마르크스주의 잡지지만, 따지고 보니 영미권 마르크스주의 연구자들의 동인지라는 표현도 틀린 것만은 아니었다. 어쨌든 두 분의 상반된 반응은 서로 다른 의미에서 국제적 전문잡지에 논문을 투고하겠다는 결정이 옳았다는 반증이기도 했다. 이 논문은 후에 제슙Bob Jessop 등이 마르크스에 대한 사상사 논문들을 골라 편집한 『카를 마르크스의 사회정치 사상 II(Karl Marx's Social and

SUMMER 1992   VOL. 56, NO. 2

SCIENCE
& SOCIETY

HENRYK GROSSMAN AND THE DEBATE
   ON THE THEORETICAL STATUS
   OF MARX'S *CAPITAL*   *Kenneth Lapides*

MARX'S THEORY OF IMPERIALISM AND
   THE IRISH NATIONAL QUESTION
                                Jie-Hyun Lim

COMMUNICATIONS
      IN THE MATTER OF "THIS"
   COMMENT: *Cyril Smith*   REPLY: *J. C. Duffield*
DOMINANCE, DEPENDENCE, AND
   EXPLOITATION   *Jack Pitt*
EVOLUTION AND SETI   *David Schwartzman*

REVIEW ARTICLE
BANNING THE LEFT: GERMANY IN THE
   1970S and 1990S   *Dorothy Rosenberg*

BOOK REVIEWS

THE GUILFORD PRESS
NEW YORK LONDON

MARX'S THEORY OF IMPERIALISM AND
THE IRISH NATIONAL QUESTION
                                Jie-Hyun Lim

박사학위 논문의 일부인 「마르크스의 제국주의 이론과 아일랜드 민족문제」가 게재된 『사이언스
& 소사이어티』 1992년 여름호 표지. 자기 사회에 닻을 내린 문제의식과 그것을 학문적으로 형상
화하는 능력만 갖춘다면 국제 학계에서 통용될 수 있다는 자신을 갖는 계기였다.

Political Thought II: Critical Assessments)』(Routledge, 1999)에 재수록되었
다. 주변부의 관점에서 마르크스 사상을 비판적으로 재평가한 대표
적인 논문 중의 하나로 뽑힌 것이다. 국제 학계의 인정 못지않게 중요
한 성과는 스스로의 작업에 대해 어느 정도 자신감을 갖게 되었다는
점이다. 더 중요하게는 논문의 질을 결정하는 것은 기술이 아니라 문
제의식이라는 점을 다시 확인했다는 점이다.

두 번째는 많이 수월했다. 로자 룩셈부르크의 민족문제론을 폴란
드 및 러시아 사회주의 운동사의 맥락에서 재고찰한 논문 「프롤레타
리아 국제주의와 사회애국주의의 변증법에 대한 로자 룩셈부르크의
관점(Rosa Luxemburg on the Dialectics of Proletarian Internationalism and
Social Patriotism)」을 다시 『사이언스 & 소사이어티』 59권 4호(1995)에
실었다. 이 논문은 기술적인 면에서도 차별성이 있었다. 동독에서 출
간된 로자 룩셈부르크 전집에 실리지 않아 폴란드어 '날것'으로만 남
아 있는 '폴란드왕국 사회민주당'의 강령들을 새로운 사료로 채택해
분석했다. 다시 2년 뒤에는 체제 이행기의 폴란드 신좌파 역사학을
다룬 「폴란드 신좌파 역사학과 알량한 대의명분(The 'Good Old Cause'
in the New Polish Left Historiography)」이 역시 같은 잡지 61권 4호(1997)
에 실렸다. 이 마지막 논문은 원래 서평으로 보낸 것인데, 편집위원회
에서 리뷰 에세이로 확대해 달라고 요청해서 부랴부랴 확대 수정하
였다. 이 글들이 계기가 되어 서서히 다른 국제 저널이나 책 프로젝
트에 원고 청탁이 들어오기 시작했고, 그 다음부터는 훨씬 쉬웠다.

단언컨대 당시는 누구도 A&HCI와 SSCI를 이야기하지 않을 때였

고, 나 또한 그런 의식이 전혀 없었다. 처음에는 내 글의 학문적 수준이 국제 학계에서 통용될 수 있는지 여부를 측정해 보자는 생각에서 출발했고, 그 다음에는 학문적 긴장감을 유지하기 위한 좋은 채찍이었다. 솔직히 폴란드 역사 전문가가 학계에 전무한 상황에서 누구도 검증할 수 없는 한글 논문만을 발표한다면 아무래도 긴장감이 떨어질 수밖에 없었다. 마르크시즘의 경우에는 조금 나은 상황이었지만, 무성한 논의에 비해 국내 학계의 학문적 엄밀성은 다소 떨어지는 것도 사실이었다. 그런 상황에서 외국의 책이나 저널에 폴란드 사회주의 운동사나 마르크스주의와 민족문제에 대한 글을 발표하는 것은 스스로를 긴장시키는 좋은 방편이었다. 당시 내가 마음속으로 생각한 이상적인 글의 비례는 학술 논문 두 편에 비평 에세이 한 편꼴이었고, 학술논문은 가능하면 국제 저널과 국내 저널의 비례를 동등하게 유지하고자 했다. 산술적으로 정확하게 그런 비례를 맞추었는지는 자신이 없지만, 대체로 그런 비율로 염두에 두고 글을 써 오지 않았나 싶다. 이제 와서 보니 왜 그런 비례가 나왔는지 좀 엉뚱하다는 생각도 든다.

한 가지 더 부언하자면 에세이에 대한 의도적 관심이다. 학술논문에 비례해서 에세이를 쓰겠다는 결심은 줄곧 지켜온 원칙 중의 하나였다. 내 스스로 설정한 책임윤리이기도 한데, 인문학자라면 특히 역사가라면 자기 사회의 문제들과 대결하면서 그것을 설명할 수 있어야 한다는 게 내 작업 원칙이었다. 에세이는 그런 의도에 걸맞은 글 형식이었다. 유럽에서도 몽테뉴 이래의 에세이적 전통을 이어 온 것은 그 누구보다도 실천적 지식인 그룹이었다. 20세기에 들어서는 특히 좌파 지식인들 사이에서 에세이의 전통은 깊이 뿌리내렸다. 에세이의 전통은 '학문을 위한 학문', '논문을 위한 논문'이라는 지적 자폐증을 막는 가장 효과적인 약방문이었다. 모든 인문사회과학 연구자들의 연구 업적을 점수로 환원하고 이 산술적 평가 체제에서 에세이를 지워 버린 한국연구재단의 학문 정책이 학술논문들을 양산하는 대신, 계간지 중심의 에세이적 전통을 폐기처분한 것은 참으로 뼈아프다. 학문과 현실 사이에서 긴장의 끈을 놓아 버린 인문학은 죽은 인문학이다.

한국 인문학의 위기에 대한 다양한 처방전들이 있지만, 내가 볼 때 가장 근원적인 치유책은 계간지들과 함께 죽은 에세이적 전통을 되살리는 데 있다. 내 경험에 비추어 볼 때, 일상적 파시즘, 대중독재, 희생자의식 민족주의, 트랜스내셔널 기억 연구 등 국제 학계에서 내 목소리를 낼 수 있었던 연구의 아이디어는 먼저 에세이를 통해 개진했고 한국의 지식장에서 그에 대한 실천적 논쟁을 거치면서 생각이 더 다듬어지고 발전했다는 점은 분명히 이야기할 수 있다. 단행본으로 나온 『바르샤바에서 보낸 편지』(강, 1998)는 책 전체가 현실사회주의에 대한 에세이이고, 『세계의 문학』에 게재한 「사회주의 거대 담론의 틈새 읽기」, 『1998 지식인 리포트』에 실린 「이념의 진보성과 삶의 보수성」, 『당대비평』의 문제제기적 에세이 「일상적 파시즘의 코드 읽기」나 「파시즘의 진지전과 '합의독재'」 같은 에세이들은 국제 저널에 실린 연구논문으로 가는 중요한 징검다리였다. 머릿속에서만 맴도는 생각들은 생각에 그칠 뿐이다. 가설에 불과한 맹아적 생각들을 실험적으로 발전시키는 데는 에세이만큼 효과적인 형식은 없다는 게 내 생각이다. 에세이는 인문적 사유의 실험실이기도 하다.

한편으로는 마르크스주의 '동인지'에 실린 이 글들로 인해 뜻하지 않게 큰 혜택도 입었다. 폴란드에서 안식년을 마치고 귀국한 후이니, 아마도 1997년 아니면 1998년의 일이 아닌가 한다. 어느 날 본부에서 김종량 총장과의 미팅이 잡혔으니 반드시 참석해 달라며 갑작스레 연락이 왔다. 영문을 모르고 회의 장소에 가니 40여 명의 교수들이 왔는데 대부분 이공대 교수들이고 문과는 안산의 광고학과 교수와 나를 포함해 달랑 두 사람이었다. 그날 처음 SCI, A&HCI, SSCI라는 말을 들었다. 알고 보니 『사이언스 & 소사이어티』가 SSCI 목록에 포함되어, 거기에 발표한 논문의 포상으로 학기당 수업 시수를 3시간 면제해 준다는 것이다. 주니어 교수들이 많은 터라, 김종량 총장은 수업을 6시간만 하도록 총장의 엄명이 내렸으니 학과로 돌아가면 시니어 교수들에게 그리 말하고 양해를 구하라고 강하게 이야기했다. 총장의 엄명이니 사학과의 원로교수들께 그대로 전하지 않을 수 없었다. 더 강한 뉘앙스를 보태서 전했는지도 모르겠다.

그때까지 매 학기 11학점에서 13학점 정도를 강의하다가 6학점만 강의하니 그야말로 날아갈 것 같았다. 단순히 한 과목을 덜하는 정도가 아니라, 강의 부담이 반 이상 준 것 같았다. 미국의 연구 중심 대학교수들이 누리는 그 특권이 어느 정도 이해될 법도 했다. 물론 도서관이나 학교의 행정적 뒷받침 같은 것은 비교할 수도 없지만, 적어도 강의 시수에 관한 한은 그랬다. 그 이후에도 비슷한 이유로 강의는 6학점을 넘기지 않아, 강의를 더 듣고 싶어 하는 학생들에게는 미안했지만 연구에 집중할 수 있었다. 나중에 『당대비평』에 관여하면서 많은 시간을 뺏기면서도 공부의 끈을 놓지 않을 수 있었던 것은 강의 시수 삭감의 덕이 컸다. 큰 액수의 연구비를 주는 것보다 훨씬 요긴한 포상이었던 것이다. 또 얼마 후에는 연구비까지 나왔다. 1990년대 후반 한양대학이 한창 치고 올라가던 시절의 일이었다.

99년 왕십리는 냉전의 끝자락에 서 있던 89년 왕십리와는 달랐다. 10년간 학교는 많이 발전했다. 1989년 한양대에 부임한 지 얼마 안 됐을 때, 당시 학장이신 최문형 선생이 나를 학장실로 부른 적이 있다. 무슨 일인가 해서 갔더니, 뜬금없이 젊은 조교수 시절 당신 이야기를 하시는 게 아닌가. 연구실도 없이 모든 교수들이 교무실에 모여 일하고 있으면 사환이 "아무개 교수님 전화 왔어요" 하며 전화를 바꾸어 주던 이야기며 당시 교수들 대부분이 교사 출신이라 연구자는 그리 많지 않았다는 이야기였다. 그때에 비하면 왕십리는 정말 용됐다는 말씀이셨다. 선생은 내 얼굴에서 학교에 대한 실망을 읽으신 거였다. 한양대학이라면 그래도 서울의 메이저 대학인데, 이 정도밖에 안 되는가 하는 생각이 많았고, 그게 얼굴에 나타났던 모양이다. 선생께는 부끄럽고 감사했다.

그런데도 89년에 비하면 99년 왕십리는 다시 용이 된 셈이었다. 학생들의 문화도 변화가 컸다. 왕십리의 탈냉전은 사학과 답사 때 학생들이 부르는 노래에서부터 왔다. "왕십리 밤거리에 구슬프게 비가 내

1993년 조교수 시절 한양대 교정에서.

리면"으로 시작하는 김흥국의 〈59년 왕십리〉가 어느 순간 운동가요를 대신했다. 더 이상 당일치기 강의 준비도 없고 수업 시수도 거의 반으로 줄었지만, 행복하지는 못했다. 나는 탈냉전의 99년 왕십리에서 길을 잃었다. 루카치의 말대로 반짝이는 북극성이 그 밝은 별빛으로 우리를 인도하던 행복한 시대는 끝났다. 59년 왕십리는 깊어 가는 가을밤이 달랬는지 모르겠지만, 99년 왕십리는 무엇으로 달랠 수 있다는 말인가.

7

현실사회주의와 역사학

Doing
History

"**사회주의는 노동자 농민을** 억압하고 착취하는 체제 아닌가?"

소련제 라다 자동차의 조수석에 앉아 길을 가르쳐 주던 그가 퉁명스럽게 뱉었다. 1990년 여름 나는 라다 자동차를 빌려 그단스크에 왔고, 연대노조 운동의 발상지인 그디니아의 '레닌조선소'를 찾아가는 중이었다. 길을 못 찾아 로터리를 뱅뱅 돌다가 노동자 차림의 행인에게 길을 물으니 마침 자기도 그리로 가는 길이라기에 같이 내 차로 가는 중이었다. 조수석에 앉은 그와 나는 힘들게 대화를 이어 가는 중이었다. 아직 폴란드어가 약한 데다, 그의 노동자 어투는 내가 익숙한 대학 주변의 폴란드어와는 많이 달랐다. 나는 내 귀를 의심하고 재차 물었지만, 역시 같은 대답이었다. 그러니까 폴란드에서 사회주의는 자연히 우파로 등치되고, 사회주의에 반대하는 반공 인사들이 좌파가 된다. 노동자의 노동자에 의한 노동자를 위한 체제에 반대해 노동자들이 일으킨 봉기는 이처럼 좌파와 우파가 도치될 때 이해 가능하다. '인민의 적'인 불순한 반사회주의자들이 공산당으로부터 노동자를 보호하는 '노동자보호위원회(KOR, Komitet Obrony Robotników)'를 만든 현실사회주의의 역설을 이해하는 순간, 내 청춘

1991년 여름 그단스크의 노동자봉기 기념비 앞에서. 길을 묻다 만난 옆의 폴란드 노동자는 사회주의는 노동자·농민을 억압하는 이념이라고 믿고 있었다. 가운데는 당시 다섯 살배기 큰딸.

은 이미 저만치 가 버렸다.

현실사회주의의 역설에 대한 흥미로운 일화는 무궁무진하다. 영미권의 대표적인 폴란드 전문가 노먼 데이비스Norman Davies는 1980년대 초 버클리 대학의 동유럽 전공 학생들을 이끌고 폴란드로 현지 연수를 온 적이 있다. 그는 공산주의자에 대한 인상을 리포트 과제로 냈는데, 도대체 만나 보지도 못한 공산주의들의 인상을 어떻게 적느냐는 학생들의 항의에 부딪쳤다. 뜻밖의 항의에 당황한 그는 부랴부랴 당시 부수상과 학생들의 대화를 주선했다. 미국 학생들과 만난 자리에서 폴란드 공산당의 이 고위 관료는 자기는 실용주의자이지 결코 공산주의자가 아니라고 주장함으로써 학생들은 다시 공산주의자를 만나는 데 실패했다. 결국 이 학생들은 공산국가에 와서 공산주의자들을 하나도 못 만나고 돌아갔다. 현실정치에서 핵심 당원이긴 했지만 결코 공산주의는 아니었다고 주장하는 전직 공산당원은 부지기수이다. 고위 관직을 지낸 이들일수록 그런 경향은 더 강하다. 결국 이들이 말하는 '실용주의'는 '기회주의'의 다른 표현이다.

1945년 해방 이후 공산당이 급속도로 팽창하면서 당은 출세 지향적 경력주의자들과 기회주의자들의 소굴로 변했다. 반대로 베테랑 사회주의자들은 일찍부터 대거 숙청되었다. '폴란드통합노동자당'은 권력을 장악하면서 약 8만 명의 구 사회당 동지들을 숙청했다. 1953년 당시 체코슬로바키아 공산당 당원 명부를 보면 전전부터 활동해 온 당원들의 수는 겨우 전체 당원의 1.5퍼센트에 불과했다. 이것은 신념에 찬 사회주의 혁명가들 대신 기회주의자와 출세주의자들이 득시글

거리는 도덕적으로 타락한 당을 의미하는 것이었다. 사회주의 블록에서 공산당 서기장을 비롯한 최고 지도자들의 거의 대부분이 공학도 출신이라는 점도 이와 관련해 흥미롭다. 고르바초프는 소련의 공산당 서기장으로는 대학에서 철학을 공부한 최초의 인문학도였다. 중국의 당서기들은 예외 없이 청화대학 공학도 출신들인데 정치공학적으로 움직였던 현실사회주의의 작동 원리와 무관할 수 없다. 노동자·농민은 사회주의의 주인이 아니라 정치공학의 대상이었을 뿐이다.

1950년대에 있었던 자신의 입당 심사에 대한 옐친의 회고담은 그 타락과 관료적 형식주의의 실상을 생생하게 전해 준다. 마르크스의 『자본론』의 한 구절을 읽어 주고 『자본론』 몇 페이지에 이 구절이 적혀 있었는가가 구두시험 문제였다는 것이다. 『자본론』을 전공한 전문 학자조차 기억하지 못할 이 문제에 대해 옐친은 물론 모르면서도 자신 있게 몇 페이지라고 대답했고, 그 자신조차 답을 모르고 있었던 시험관은 그의 당당한 대답에 시험을 통과시켰다는 것이다. 사회주의 이념이 암기용 교리문답으로 변질된 사회에서 사회주의가 노동자 계급과 전적으로 유리되었다고 해서 놀랄 일은 아니다. 노동자·농민들이 이해한 마르크스주의 또한 마르크스·엥겔스와는 크게 상관이 없었다. 마르크스주의 어휘들은 손쉽게 러시아 정교의 언어체계 속에 편입되었고, 전통 기독교적인 수사로 무장하고 종교적 관습과 결합된 마르크스주의는 정치종교적 성격을 띠게 되었다. '지식인의 아편'과 '인민의 아편'이 결합된 것이다.

실용주의의 외투를 입은 이들 기회주의 노멘클라투라들이 현실사회주의의 붕괴 이후 관료적 자본가로 변신한 것도 놀라운 일은 아니다. '사회자유주의' 혹은 '사회민주주의'로 치장한 이들의 실체는 아마도 '사회자본주의'일 것이다. 동유럽을 대표하는 트로츠키주의자이자 폴란드의 역사가 루드빅 하스Ludwik Haas는 이들에게 '배교자'라는 딱지를 붙이는 것도 거부한다. 한 번도 사회주의자나 공산주의자였던 적이 없는 이들에게 공산주의를 배반했다고 할 수는 없다는 것이다. 현실사회주의는 노멘클라투라가 지배했고, 1989년 이후의 자본주의는 그 자식들이 지배하고 있다는 게 그의 시니컬한 진단이다. 영국의 트로츠키주의 잡지 『혁명의 역사(Revolutionary History)』에서 한 권을 통째로 할애해서 특집으로 다룬 바도 있는 하스는 지금은 우크라이나 땅이 된 '르부프Lwów/Lviv' 출신이다. 전전부터 트로츠키주의 활동가였던 그는 1939년 스탈린의 적군이 르부프를 점령하자 곧 체포되어 소련의 강제수용소 굴락에 수용되었다. 이차대전 발발 당시 르부프 대학의 사학과 학생이던 그는 로만 로스돌스키Roman Rosdolsky에게 배웠다.

『공산당 선언』과 민족문제에 대한 로스돌스키의 짧지만 정곡을 찌르는 논문은 편역서 『민족문제와 마르크스주의자들』에도 번역해서 실었지만, 엥겔스의 '무역사민족'에 대한 100여 페이지가 넘는 그의 논문도 박사논문을 쓸 때 매우 긴요하게 써먹어서 아직도 기억에 생생하다. 나중에 우연히 암스테르담 국제사회주의사 연구소 마르셀 반 데어 린덴과 이야기를 나누다가 알게 된 사실인데, 로스돌스키는 원래 '무역사민족'에 대한 논문을 동 연구소의 『국제사회사평론』에 게재하고 싶어 했는데 분량이 너무 길다고 편집진이 난색을 표명해서 독일 사회사 잡지로 넘어갔다는 것이다. 인쇄된 잡지 분량으로만 100 페이지가 훌쩍 넘고, 훗날 단행본으로 다시 나올 정도로 긴 논문이었으니 그럴 만도 했다. 반 데어 린덴의 표정이나 제스처에서 그가 로스돌스키의 논문을 놓친 것을 얼마나 아쉬워하는지 쉽게 알 수 있었다. 로스돌스키의 연구는 마르크스·엥겔스의 민족문제를 이해하는 데는 그만큼 중요한 글들이다.

그래서인지 로스돌스키에게 직접 배운 하스와의 인연도 남다르게 느껴졌다. 하스는 1956년 소련의 20차 전당대회에서 스탈린주의에 대한 비판 이후 굴락에서 석방되어 폴란드로 귀국할 수 있었다. 골수 스탈린주의자로 전후 인민폴란드에서 마르크스주의의 황제로 군림했고, 훗날 세계적으로 저명한 마르크스주의 철학자가 된 아담 샤프 Adam Schaff가 자신을 소련의 비밀경찰에 밀고한 것 같다고 하스는 굳게 믿고 있다. 나중에는 아담 샤프조차 1968년의 반유대주의 캠페인 당시 시온주의자-개량주의자로 몰려 당에서 쫓겨났으니, 권력무상이다. 어쨌거나 1956년 말 어간 귀국한 하스는 바르샤바 대학에서 못다한 공부를 마친 후, 탈스탈린주의의 분위기에 힘입어 과학아카데미 역사연구소에서 자리를 얻었다. 그러나 당은 역사가로서의 하스에게 '프리메이슨'의 역사에 대해서만 연구와 집필을 허용했다. 당의 입장에서 볼 때, 이 트로츠키주의자가 사회주의 운동사나 노동운동사를 연구한다면 정치적으로 위험부담이 너무 컸던 것이다.

내가 갖고 있는 프리메이슨에 대한 책들은 폴란드어로 된 것뿐인데 모두 하스가 준 자기 저작들이라 그렇다. 프리메이슨에 대한 풍부한 아카이브적 지식을 가진 그는 러시아 프리메이슨에 대한 이인호 교수의 하버드 대학 박사논문도 알고 있었고, 현재 한국의 부산에도 프리메이슨 조직이 있다고 귀띔해 주었다. 당은 위험한 주제에 대한 이 트로츠키주의자의 연구와 집필을 금지시켰지만 그의 생각까지 금지시키지는 못했다. 1965년에는 야체크 쿠론과 아담 미치니크Adam Michnik의 당에 보내는 비판적 공개편지를 지지해서 투옥되기도 했고, 에른스트 만델이 만든 제4인터내셔널의 멤버로도 활동했다. 1965년 감방에 있을 당시 폴란드를 방문한 만델이 그의 부인에게 몰래 건네준 백 달러로 다행히 그의 부인은 기근을 면했다. 이 재주 많은 역사가는 굴락에 있을 당시 그 동네의 학교 선생이던 러시아 처녀를 사로잡아 결혼해서 같이 귀국했다. 같이 활동한 폴란드의 반체제 인사들 중 몇몇은 반러시아 감정을 숨기지 못하고 그의 부인에게 '그 러시아 여자'라 칭한다며 하스는 못마땅해 하기도 했다. 연애 이야기를 자세히 물어보지 못한 게 지금은 자꾸 걸린다.

루드빅 하스 같은 위험인물이 '프리메이슨'처럼 조금 별나지만 안전한 주제로 배치됐다면, 공산주의 운동사나 노동운동사 등은 비교적 체제 순응적 역사가들의 몫이었다. 남한과 같은 반공 사회는 물론 서구 자본주의 사회의 사회주의 운동사나 노동사가 이른바 저항적 역사가들이나 반체제 지식인들에 의해 발전되어 온 것과는 정반대의 정치적 현상이다. 내가 볼 때, 동유럽의 이른바 정통 마르크스주의 역사학 혹은 당의 공식 역사 서술의 가장 큰 특징은 현저히 탈

정치화된 실증주의이다. '붉은 궁정 역사학'이라 불리면서까지 체제를 지지하고 옹호하는 이데올로기적 기능을 위해서 정치적 슬로건은 난무하지만, 그것들은 정치적 의미가 탈각된 요식행위로서만 존재할 뿐이다. 사회주의 운동사나 노동사의 경우 역사 해석은 당의 정치국이나 이데올로그들에게 맡기고 역사가들은 그 해석에 맞는 역사적 사실들을 샅샅이 찾아내서 제시하면 그만이었다. 실제로 1990년대의 민주화 이후 몇몇 역사가들은 논문 쓰기가 공산주의 시대보다 훨씬 어려워졌다고 실토하기도 했다. 과거에는 당에서 서론과 결론을 제시했기 때문에 역사가들은 그저 기계적인 사실만 나열하면 됐는데, 이제는 자신의 고유한 해석을 제시하려 하니 익숙하지도 않을뿐더러 시간도 한층 많이 걸리고 고민도 많이 된다는 것이었다.

그러니 현실사회주의 시절 나름의 역사 해석과 이론적 프레임을 고민하는 문제적 역사가들이 당의 검열을 피해 근현대사 대신 고대사나 중세사로 몰린 것도 충분히 이해할 만하다. 현실사회주의 당시 폴란드의 저항적 역사가의 상징이었던 모젤레프스키Karol Modzelewski가 피아스트 왕조 시대의 폴란드 중세사를 전공한 것이나 역시 연대노조의 핵심 멤버이자 반체제 지식인으로 훗날 외무장관을 지낸 게레멕Edward Geremek이 중세 파리의 빈민에 대한 훌륭한 사회사 저작을 남긴 것 등이 그렇다. 나는 현실사회주의 역사학의 이런 역설을 나중에야 알아차렸다. 바웬사Lech Wałęsa가 이끄는 그디니아 레닌조선소 노동자들의 파업으로 연대노조 운동이 출범한 1980년은 5년마다 개최되는 폴란드 전국 역사가대회가 열린 해이기도 했는데, 자연히 역사가들의 관심은 현실정치에 집중될 수밖에 없었다. 나는 이들의 토론 기록을 읽다가 뜻밖의 사실을 발견했는데, 역사학의 실천성과 정치성을 주장하는 역사가들이 대부분 고대사나 중세사 전공자들인 반면 정작 근현대사 연구자들은 철저하게 침묵을 지켰던 것이다.

역사 서술의 관점에서 보면, 현실사회주의는 너무 거짓말을 많이 하는 체제였다. 공산주의라는 위대한 목표를 향해 나아가는 인류 역사의 진보를 위해서라면 작은 거짓말은 용인될 수 있다는 자기 정당화가 컸다. 큰 정의를 위해 작은 정의는 희생되어도 괜찮다는 식의 논리 말이다. 그러나 거짓말을 정당화하는 상황 논리가 윤리적 원칙의 차원으로 승격되는 순간, 이는 '선의의 거짓말'과는 차원이 다른 문제가 된다. 큰 정의를 독점한 권력 집단의 거짓말은 진실이 되고, 역사적 진정성은 작은 정의로 전락해 정치적 필요에 따라 손쉽게 무시된다. 페레스트로이카의 막바지인 1988년 고르바초프가 소련 내 모든 학교의 역사 시험을 중단시킨 교육지책은 인간 사회의 발전 법칙에 대한 마르크스주의의 과학적 이해가 어느 지경에 이르렀는지 단적으로 드러내 준다. 역사의 진보를 위한 거짓말로 점철된 당의 마르크스주의 역사학은 '궁정 역사학', '원치 않은 역사', '역사의 쓰레기통', '사상의 공동묘지'라는 별칭을 갖게 됐다.

로자 룩셈부르크의 출생 연도에 대한 소련/동독 대 폴란드 당 역사가들의 논쟁만큼 이 사소한 거짓말 혹은 그 거짓에의 유혹을 잘 드러내 주는 예도 드물 것이다. 구 사회주의 블록에서 로자 룩셈부르크의 생년에 대해서는 두 개의 이론이 대립해 왔다. 소련과 동독의

마르크스-레닌주의 연구소가 1871년 설을 고집한 반면, '폴란드통합
노동자당' 중앙위원회 산하 역사위원회를 비롯해 폴란드 사회운동사
가들은 줄곧 1870년을 주장해 왔다. 처음에는 로자 룩셈부르크 생
년이 1870년이든 1871년이든 그게 무슨 큰 상관인가 하는 생각도 들
었고, 마치 두 진영의 학문적 자존심 싸움이 아닌가 생각했다. 나중
에 알게 됐지만 그건 너무 순진한 생각이었다. 문제는 레닌의 생년이
1870년으로 로자 룩셈부르크와 동갑이라는 점이다. 내게 이 문제를
짚어 준 사람은 펠릭스 티흐Feliks Tych였다.

자타가 공인하는 세계 최고의 로자 룩셈부르크 전문가인 그는
1958년 약관 스물아홉 살의 나이에 당의 역사기관지『투쟁의 들판
에서(Z Pola Walki)』의 초대 편집장을 맡아 동유럽 최고 수준의 역사
학 잡지로 발전시켰다. 모스크바의 문서 보관서에 잠자고 있던 로자
룩셈부르크의 많은 미공개 편지, 특히 첫사랑의 연인 레오 요기헤스
와 주고받은 편지들이 대부분 그의 손을 거쳐 1960년대 중반 세상
에 공개됐다. 로자 룩셈부르크의 자료에 관한 한, 그는 결코 타협하지
않는다. 최근까지 나온 로자 룩셈부르크에 대한 정평 있는 전기들을
유심히 보면, 대부분의 서문에서 티흐의 도움에 대한 감사의 글귀들
을 찾을 수 있을 정도이다. 영어로 된 로자 룩셈부르크의 전기로는
최고라 평가되는 전기를 쓸 당시 피터 네틀Peter Nettl은 티흐 부부를
한 달 간 영국의 자기 집으로 초청해 초고에 대한 비판적 교열을 부
탁할 정도였다. 그 얘기를 해주면서 봉건 시대 영주의 대저택이었던
네틀의 집은 마치 성 같았다며 티흐는 빙그레 웃었다.

폴란드어와 독일어, 러시아어는 물론 프랑스어와 영어까지 자유자재로 구사하는 그의 어학 능력은 그야말로 경이롭다. 나는 린츠의 국제학술대회에서 여러 나라의 연구자들과 대화하면서 독일어에서 러시아어로, 러시아어에서 프랑스어로 다시 프랑스어에서 폴란드어로 순식간에 언어 코드를 바꾸어 자연스레 이야기하는 그를 보고 경악했다. 어학 능력에 더하여 독일-폴란드-러시아의 사회주의 운동사에 깊고도 넓은 지식 덕분에 그의 학문적 고집은 당의 검열에서 살아남았다. 1968년 폴란드 공산당의 반유대주의 캠페인 당시 자리에서 물러났지만, 서유럽과 동유럽의 사회주의 운동사를 꿰뚫는 그의 방대한 지식마저 버릴 수 없었던 당은 그에게 사회주의 운동사에 대한 미공개 자료들을 취합해서 정리하는 책임을 맡겼다. 그의 동료들은 폴란드의 마르크스주의 역사학이 다른 사회주의 국가들에 비해 그나마 나름대로의 학문적 수준을 유지하는 데는 티흐의 역할이 컸다고 한결같이 인정한다.

티흐의 주장에 따르면, 1970년 동독의 마르크스-엥겔스-레닌주의 연구소에서 레닌 탄생 100주년 기념행사를 준비하는 과정에서 룩셈부르크 생년 1871년 설이 본격적으로 불거져 나왔다는 것이다. 1870년 설을 따르면 룩셈부르크와 레닌 탄생 100주년을 같이 기념해야 하는데, 레닌의 민족자결권이나 농업 강령, 민주집중제 등에 대한 룩셈부르크의 신랄한 비판이 걸릴 수밖에 없지 않았겠냐는 게 그의 해석이다. 레닌에 대한 룩셈부르크의 비판은 없었다고 치기에는 이미 너무 잘 알려졌고, 룩셈부르크의 비판을 상기한다면 레닌 100주년은

김이 샐 것이었다. 동독의 입장에서는 그렇다고 독일공산당의 창시
자이자 이른바 수정주의에 대한 가장 통렬한 비판자였던 로자 룩셈
부르크를 버리고 갈 수도 없었을 것이다. 동독의 통일노동자당이 독
일공산당의 역사적 후예이고, 수정주의가 서독 사회민주당의 사상적
전신이라는 점을 상기한다면 더욱 그렇다.

사실 1917년 러시아 혁명 당시 국제사회주의 운동의 연단에서 로
자 룩셈부르크에 비하면 레닌은 이름 없는 변방의 마르크시스트에
불과했다. 독일 사회민주당의 연대기금을 러시아의 다양한 정파들
사이에 어떻게 분배할 것인가를 결정하는 데는 로자 룩셈부르크의
입김이 크게 작용했다. 심지어는 러시아 혁명이 일어난 후에도 룩셈
부르크는 레닌주의를 '타타르 마르크시즘'이라 차치해 버릴 정도였다.
룩셈부르크를 기리자니 레닌이 울고, 레닌만 기리자니 자기 당의 역
사적 적통을 깡그리 무시하는 처사가 될 것이었다. 그러니 로자 룩셈
부르크는 빼고 레닌의 100주년만 기념하기도 그렇고, 두 사람을 같
이 기념하기도 부담스러운 상황이었던 것이다. 소련의 이데올로그들
과 달리 동독의 당 이데올로그들이 직면했던 딜레마는 충분히 이해
할 만하다.

레닌과 룩셈부르크 사이에서 오도 가도 못하고 있는 현실사회주
의 이데올로그들을 구출한 것은 뜻밖에도 취리히 대학에 제출한 로
자 룩셈부르크의 신상 서류 한 장이었다. 1871년으로 생년을 적은 이
력서가 한 장 남아 있었던 것이다. 룩셈부르크의 서명조차 없지만,
1871년 설을 뒷받침하는 근거는 충분히 확보된 셈이다. 이에 대해 자

기 태어날 때의 일을 생생하게 기억하는 건 갓난아기인 본인이 아니라 엄마를 비롯해 주변의 가족이 아니겠냐며 티흐는 씩 웃었다. 가족들의 증언이나 폴란드의 자료들이 모두 1870년을 가리키고 있는데, 룩셈부르크가 왜 1871년이라고 그 문서에서 썼는지는 도무지 모를 일이라고 티흐는 부언했다. 로자 룩셈부르크와 동시대인으로 개인적으로도 가까웠던 루이제 카우츠키Luise Kautsky나 프뢸리히Paul Frölich 도 모두 아무 의심 없이 룩셈부르크가 1870년 3월 5일 생이라 적고 있다.

나중에 동독의 룩셈부르크 전문가이자 자료에 충실한 단단한 전기를 쓴 라쉬차Annelies Laschitza를 방문한 자리에서 이 이야기를 꺼냈더니 정색을 했다. 티흐의 그 주장은 추측에 근거한 것으로 이해하기 힘들다며 자신은 자료에 충실할 뿐이라고 했다. 실제로 1929년에 나온 소련의 대백과사전에서도 이미 룩셈부르크의 생년은 1871년으로 되어 있다. 부하린Nikolai Bukharin이 책임편집자로 간행된 이 백과사전은 아직 스탈린주의에 왜곡되기 이전의 학문적 성과를 반영하고 있어 비교적 신뢰를 주는 사전이다. 그러니 1970년 레닌 100주년 기념행사를 준비하는 과정에서 로자 룩셈부르크의 생년에 대한 1871년 설이 처음 등장한 것은 아니다. 실제로 폴란드 학파는 예외 없이 1870년 설을 주장하지만, 독일 학파는 대부분 1871년 설을 따르고 있다. 영어권의 경우에는 1871년 설이 우세하다. 독일 연구는 단단하고 폴란드 연구는 그렇지 않다는 선입견이 지배적이기 때문에 1871년 설이 우세하다는 게 폴란드 연구자들의 불만이다.

나는 심정적으로는 폴란드 학파 편이지만, 냉정하게는 두 가지 설이 공존할 수밖에 없다는 게 내 판단이다. 두 가지 주장이 다 나름대로 근거를 가지고 있고, 룩셈부르크의 가족 중 오빠의 손녀를 비롯해 이미 3대 아래의 자손들만 찾을 수 있을 뿐인데 그들이 기억할 수 있는 일도 이미 아니다. 어느 설이 사실이냐 여부를 떠나서 내가 주목하는 것은 1871년 설에 대한 티흐나 폴란드 당 역사가들의 의심이 생겨나고 또 그것이 설득력을 갖는 사회사적 배경이다. 그들의 의심이 룩셈부르크의 생년에 대한 정답을 제시해 주지는 못하지만, 현실사회주의의 지성사적 한 단면을 생생하게 보여준다는 데 그 의미는 충분하다. 역사의 진보와 사회주의 진영의 단결, 그리고 최종 승리를 위해 로자 룩셈부르크의 생년을 1년 정도 뒤로 돌리는 게 대수는 아니지 않느냐는 심리 상태가 느껴지는 것이다. 더구나 1871년 설을 입증하는 공식 자료도 있으니 거짓말은 아니지 않느냐는 알리바이까지 있는 터라 아무 문제될 것 없다는 식이다.

역설적이게도 큰 정의를 위해 작은 정의는 희생해도 된다는 혹은 작은 진실은 큰 진실에 종속되어도 좋다는 도구주의적 논리는 로자 룩셈부르크에게서도 발견된다. 약관 스물두 살의 나이로 요기혜스 등과 함께 취리히에서 '폴란드왕국 사회민주당(SDKP)'를 창당한 후 룩셈부르크는 일인 다역으로 당 기관지를 발행했는데 폴란드 본국으로부터의 '독자편지'를 쓰는 것도 룩셈부르크의 역할 중 하나였다. 이들이 망명지에서 발행했던 기관지에는 본국에서 사람이 취리히를 다녀간 후에야 독자편지가 실렸다. 본국의 방문객이 전해 준 소식이 독자편지 형식으로 각색된다는 것은 주변의 누구나 다 아는 사실이었다. 아마도 본국의 방문객이 전해 준 소식이니 거짓말도 아니거니와 또 독자편지라는 형식도 본국에서 전하는 거나 마찬가지이니 그 또한 크게 틀린 일은 아닐 거라는 생각이 밑에 깔려 있지 않았을까 한다.

사회주의 혁명이라는 역사적 대의를 위해서는 새빨간 거짓말도 용서될 수 있는데, 사실에 기초한 이 정도의 각색 정도야 무슨 문제일까 하는 정당화의 논리도 느껴진다. 실은 1980년대 남한의 민주화라는 긴 터널을 지나온 세대라면 생각이나 행동에서 어느 정도 그런 프레임을 갖지 않았나 싶다. 적어도 나는 그랬던 것 같다. 돌이켜 보니, 생각을 공유하지 않는 타자에 대한 끔찍한 오만이 아니었나 싶다. 또 레닌의 민주집중제가 당내 민주주의를 질식시킨다는 룩셈부르크의 날카로운 비판은 그녀 자신에게도 부메랑으로 돌아온다. '폴란드왕국 및 리투아니아 사회민주당(SDKPiL)'의 당내 반대파에 대한 룩셈부르크의 태도는 레닌의 민주집중제와 크게 다르지 않다. 이론적으로는 그 어떤 최고의 당 중앙위원회 결정보다 평범한 노동자들의 밑으로부터의 '창발성'이 더 중요하다고 강조하면서도, 룩셈부르크는 결코 당내 반대파의 '창발성'을 인정하지 않았다. 반대파의 싹을 짓밟기 위해서는 거짓말도 서슴지 않았다. 거짓말과 과장의 경계는 늘 애매하다.

그러나 분노를 넘어 헛웃음을 짓게 하는 가장 악의적인 거짓말은 폴란드 당의 공식적 역사 해석이다. 강경한 반유대주의이자 완고한 민족공산주의자로 현역 군인이자 역사가인 미흐타Norbert Michta 장군은 공산당의 원류인 '폴란드왕국 및 리투아니아 사회민주당'의 지도부를 유대계와 폴란드계로 나누고, 교묘한 방식으로 폴란드계 인맥에 역사적 정통성을 두는 역사 서술을 제시했다. 이 과정에서 그는 로자 룩셈부르크가 '폴란드왕국 및 리투아니아 사회민주당'의 당원인 적이 없다는 희한한 주장을 내세웠다. 당 강령 초안을 작성하고 기관지를 발행하는 등 창당의 주역이었다고는 하나, 로자 룩셈부르크가 당비를 냈다는 역사적 증거가 없다는 것이다. 이 실증주의적 개 그 앞에서 나는 경악했지만, 1980년대를 거친 남한의 역사가들 가운데 '우리 안의 미흐타'는 없는지 자꾸 되묻게 되었다. 10월 유신에 복무한 남한의 보수적 민족주의 역사가들도 물론 그렇지만, 북한의 완고한 민족공산주의에 기대어 상고사에까지 거슬러 올라가 민족적 정통성을 찾고 매판사학 운운하는 자칭 진보적 민족주의 역사가들은 어떤가?

역사에서 지고지순한 도덕화는 저급한 정치화 못지않게 위험하다. 한국의 한 출판사에서 이탈리아 작가가 쓴 청소년을 위한 로자 룩셈부르크 전기를 낸다고 해서 내용 교열을 본 적이 있는데, 로자 룩셈부르크가 자신의 친구 클라라 체트킨Clara Zetkin의 아들 콘스탄틴과 연애한 이야기를 통째로 빼먹은 걸 발견하고 크게 놀란 적이 있다. 편집부 책임자와 통화를 해보니, 룩셈부르크가 한창 연하인 친구 아들과 연애한 사실을 자라나는 청소년들에게 알리기가 부담스러웠다는 것이다. 이탈리아 청소년은 괜찮은데 왜 한국 청소년은 알면 안 되는지 아직도 납득하기 어렵지만, 그 출판사 편집부가 로자 룩셈부르크 전기를 기독교적 '성인전'으로 착각하는 게 아닌가 하는 생각 때문에 착잡했다. 도덕화된 역사는 인간의 삶이 아름답기도 하지만 꾀죄죄하고 더럽고 추악하기도 하다는 너무도 당연한 사실에 눈을 감는다. 인간이 꽃보다 아름답다고만 배운 이 청소년들이 나중에 추악하기도 한 삶의 이면과 역사의 현실을 맞부딪칠 때 아무런 준비 없는 이 숭고한 도덕주의는 당혹과 좌절, 패배감을 낳기 십상이며, 때로는 이상을 손쉽게 던져 버리기까지 한다. 도덕화된 역사가 위험한 이유이다. 어느 면에서 역사의 도덕화는 저급한 정치화보다 더 위험한지도 모르겠다.

1990년대 내내 폴란드사와 싸우면서 나는 길을 잃었다. 1990년대 중반까지 일상 구석구석에 남아 있는 현실사회주의의 음험한 잔재들에 계속 치이면서 무수히 넘어졌다. 당시 폴란드에서 길을 잃고 방황하던 마음의 행로는 『바르샤바에서 보낸 편지』에 그 궤적을 남겼다. 처음으로 쓴 에세이식 글쓰기였는데, 내 스스로에게 심경을 토로한다는 기분으로 쓴 현장 리포트 같은 것들이었다. 또 현지에서의 자료조사를 바탕으로 『그대들의 자유, 우리들의 자유: 폴란드 민족해방운동사』(아카넷, 2000)를 썼다. 은사이신 이기백 선생께서 폴란드 역사에 대한 내 글을 읽으면 항상 한국 역사에 대한 내 고민이 느껴진다고 엽서를 보내주셔서 크게 고무되었던 기억이 새롭다. 한국의 독자들을 겨냥한 내 문제의식이 다른 어느 독자보다 존경하는 이기백 선생께 전해졌다는 기쁨이 크지 않았나 싶다.

또 한편에서는 『사이언스 & 소사이어티』에 게재한 로자 룩셈부르크에 대한 논문이 계기가 되어 버거Stefan Berger와 스미스Angel Smith가 공동편집한 책『민족주의, 노동 그리고 민족성 1870~1939(Nationalism, Labour and Ethnicity 1870~1939)』에 폴란드 노동운동과 민족문제에 대한 챕터를 썼다. 룩셈부르크 논문을 읽고 버거가 폴란드 편에 대한 집필을 의뢰했던 것이다. 2년간 폴란드 체류를 마치고 떠날 때, 자르노프스카Anna Żarnowska 교수가 바르샤바 대학 역사학부에서 조직한 송별 세미나에서 이 주제에 대해 발표하고 폴란드 역사가들과 열띤 토론을 했던 기억이 난다. 어쨌거나 나로서는 영어권 국제 학계로부터 받은 첫 원고 청탁이었던 셈인데, 내 마음은 서서히 폴란드를 떠나고 있었다. 그때부터 계속 폴란드사 연구에 전적으로 매달렸다면, 그런대로 괜찮은 지역 전문가가 되지 않았을까 생각한다. 폴란드 노동운동사 때문에 맺어진 스테판 버거와의 인연은 나중에 '국사를 넘어서'라는 프로젝트로 다시 이어질 것이었다.

그래도 폴란드에 대한 기억은 항상 따듯하고 아련하다. 1990년대 초 중반, 폴란드 사회주의 운동사에 대해 관심을 가진 거의 유일한 젊은 역사가였던 나를 폴란드의 베테랑 마르크스주의 역사가들은 국제주의라는 이념만으로는 설명할 수 없을 만큼 따듯하게 대해 주었다. 역사학의 국제무대에 발을 딛게 된 것도 그들의 배려 덕분이었다. 폴란드에서 안식년을 보내던 1995년과 1996년 나는 폴란드 대표단의 일원으로 매년 9월 오스트리아 린츠에서 개최되는 국제노동사학회에 참여할 수 있었다. 린츠의 이 학회는 냉전 시기 동유럽의 당 마르크스주의 역사가들과 서유럽의 민간 마르크스주의 역사가들이 만나 의

견을 교환하는 장으로서 독특한 위상을 갖고 있었다. 정통주의와 수정주의 사이의 긴장과 날카로운 논쟁이 늘 이 모임을 아슬아슬하게 했지만, 서유럽과 동유럽 사이에 끼인 중립국 오스트리아의 지정학적 위치 덕분에 린츠의 국제노동사학회는 동유럽 마르크스주의와 서유럽 마르크스주의가 만나는 가교 역할을 톡톡히 해냈다. 냉전 체제의 붕괴로 말미암아 오스트리아는 동구와 서구를 잇는 중립적 가교의 역할을 잃어버리고 린츠의 노동사학회도 같이 내리막길을 걸었지만, 1990년대 중반까지도 냉전 시기의 아우라는 아직 남아 있었다.

아우라 못지않게 중요한 것은 동유럽의 참가자들에게만 오스트리아 실링을 일비 명목으로 지불하는 관행이었다. 폴란드 대표단의 일원이었기 때문에 나도 그 혜택을 받았는데, 천오백에서 이천 오스트리아 실링 정도였던 것으로 기억한다. 작은 액수지만, 서유럽의 경화를 동유럽의 암시장에서 높은 시세로 팔 수 있었던 1980년대까지 암시장 환율로 환산한 그 액수는 동유럽의 참가자들에게는 결코 적은 돈이 아니었다. 크라쿠프 사범대학의 총장직을 무려 네 차례나 연임한 내 막역한 친구 미하우 실리바Michał Śliwa가 자기 부인에게 절대 이 일비는 비밀로 해달라고 신신당부해서 막 웃었던 기억이 난다. 폴란드어로 마누라 몰래 감춘 돈을 자스쿠르니악zaskórniak이라고 하는데 '살갗 밑에 감춘 돈'이라는 뜻이다. 과부 사정 홀아비가 안다고, 나는 기꺼이 이 돈에 대한 침묵의 공모자가 됐다. 린츠에서는 늘 폴란드 대표단과 한방을 썼고 동유럽 역사가들의 비공식적인 밤의 모임에도 당당하게 참가해서 웃고 떠들었다. 린츠에서 폴란드 역사가들은 항상 동유럽 역사가들 모임을 주도하곤 했는데, 나는 이 못 말리는 폴란드 과대망상증이라고 꼬집으면서도 밤마다 늘 그 모임을 기다리는 열혈당원이었다. 최초의 한국인 참가자였다는 이유만으로 나는 국제노동사학회의 국제위원회 위원으로 선출되기도 했다.

21세기의 문턱에서 20세기 노동운동사를 회고하는 1999년의 린츠 대회에서는 홉스봄, 지그문트 바우만과 같이 발표하는 행운도 얻었다. 특히 같은 세션에서 옆에 앉아 같이 발표한 바우만과는 폴란드 커넥션으로 이후에도 계속 소통하여, 2003년 『당대비평』 봄호에 "'악의 평범성'에서 '악의 합리성'으로"라는 제목 아래 바우만 인터뷰를 게재하기도 했다. '희생자의식 민족주의'처럼 국제 학계에서 통용되고 있는 내 개념은 특히 바우만의 생각에 힘입은 바 크다. 그러나 이런 거장들과의 만남 못지않게 중요한 것은 현실사회주의의 참담한 현실과 맞닥뜨리고 그 실패를 곰곰이 씹는 과정에서 나도 모르게 슬금슬금 포스트마르크스주의의 포지션으로 이동한 것이다. 포스트마르크스주의로의 방향 전환은 1999년 린츠에서 발표한 「해방에서 동원으로: 반서구적 근대화론으로서의 사회주의」에서 가장 잘 드러난다. 원래 폴란드 현대사 잡지인 『현대사(Dzieje Najnowsze)』에 발표한 글 「사회주의, 그런데 어떤?(Socjalizm, ale jaki?)」을 영어로 다듬어서 린츠에서 다시 발표한 글이다. 다행히 반응이 좋아 린츠 학술대회 논집에 영어판이 게재된 이후 구동독의 노동운동사 잡지인 『노동운동사 평론(Beiträge zur Geschichte der Arbeiterbewegung)』에서도 2001년 독역본을 게재했다.

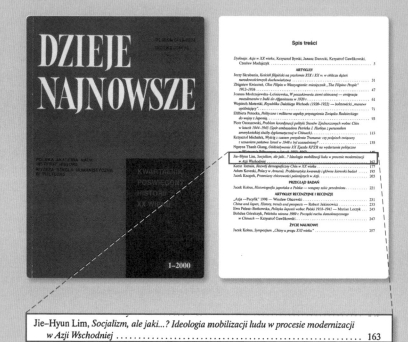

Jie–Hyun Lim, *Socjalizm, ale jaki...? Ideologia mobilizacji ludu w procesie modernizacji
w Azji Wschodniej* 163

폴란드 20세기사 연구 잡지 『현대사』 2000년 봄호 표지와 목차. 「사회주의, 그런데 어떤?」이
라는 폴란드 마르크스주의 논쟁을 패러디한 이 논문은 주변부 사회주의가 어떻게 노동해방
에서 노동동원의 이데올로기로 전락했는가를 밝히고 있다.

해방의 이념에서 동원 이데올로기로 전락한 사회주의의 역사적 현실에 대한 비판적 자각은 포스트마르크스주의적 관점으로 나아가는 데 결정적이었다. 정치적으로는 민족주의가 사회주의를 전유하고, 인식론적으로는 계급본질주의가 젠더, 인종, 세대, 민족적 불평등을 가리고 정당화하며, 철학적으로는 서구 중심적 보편주의가 붉은 오리엔탈리즘을 만들어 냈다는 반성은 폴란드에서의 경험 덕분에 가능한 것이었다. 현실사회주의의 노멘클라투라가 보수주의 우파보다 때때로 더 깊이 타락한 권력의 추태를 보여주는 것도 그만큼 이론적 자기 정당화가 강했기 때문이다. 자기 정당화가 자기 성찰을 가리기 시작하는 순간 바로 정치적 부패와 도덕적 타락이 시작하는 것이다. 실은 이미 린츠 대회의 발표에 앞서 나는 「사회주의 거대 담론의 틈새 읽기」와 「20세기와 잃어버린 마르크스주의: 프로메테우스적 진보에서 디오게네스적 해방으로」라는 두 에세이에서 같은 문제를 제기했다. 20세기 말 비슷한 시기 『세계의 문학』(1998년 가을)과 『문학과 사회』(1999년 여름)에 발표한 두 글은 인종주의, 성차별주의, 생산력주의, 포디즘, 반유대주의, 붉은 오리엔탈리즘 등으로 오염된 사회주의의 역사에 대한 뒤늦은 반성문이었다.

　　어쨌든 나는 폴란드에서 맞닥뜨린 현실사회주의의 잔해 더미 아래서 길을 잃었지만, 그래서 새로운 길을 찾을 수 있었다. 당시 아직 30대였다는 점도 중요하지 않았나 싶다. 현실사회주의가 10년만 늦게 무너졌어도, 개인적으로는 많이 어려웠을 것이다. 40대나 50대에 비해 아직 사고가 말랑말랑한 30대였기에 새로운 길을 찾을 수 있었던 것이다. 내 초청으로 크라쿠프 사범대학에서 강연을 한 영국의 트로 츠키 계열 국제마르크스주의자이자 포츠머스 대학에서 '사회주의와 민족주의에 대한 영국 연구집단'의 책임자였던 브라이언 젠킨스Bryan Jenkins는 너는 아직 젊어서 괜찮다고 음울하게 말했다. 기존의 꿈을 깨고 새로운 꿈을 꾸기에 자기는 이미 늦었다는 것이다. 새로운 길을 찾기 위해서는 새로운 상상력이 절실했다. '일상적 파시즘'이나 '대중 독재' 등은 새 길을 찾는 과정에서 발견한 부산물들이었다. 그에 대 한 논쟁은 서로 다른 상상력들 간의 충돌이었다. 낡은 상상력이 진 보를 선점하고 새로운 상상력을 보수라고 몰아붙였지만, 진보-보수 라는 구도로 현실을 꿰어 맞추려는 시도 자체가 이미 낡은 것이었다. 현실은 저만치 달아나고 있었다.

8

아메리카 사회주의

Doing
History

1996년 가을 바르샤바에서 열린 로자 룩셈부르크 국제학술회의 때의 일이다. 당시 폴란드에서 안식년을 보내고 있던 나는 상대적으로 현지 사정에 익숙한 탓에 외국에서 온 몇몇 참가자들을 안내해 바르샤바의 술집을 순례 중이었다. 몇 순배가 돌자 모두 왁자지껄 떠들면서 중앙방송은 이미 사라진 지 오래고 여러 지방방송들이 판을 치는데, 빌 펠츠William Pelz가 갑자기 물었다. "미국 어디서 공부했나?" 나는 무슨 소리인지 어안이 벙벙해 있다가 뜸을 들이고 답했다. "미국에는 가 본 적이 없다." "아니, 왜?"라고 '미국사회당(American Socialist Party)'의 국제관계 비서이자 시카고의 국제노동운동사연구소 소장인 그가 다시 물었다. 안 간 데 무슨 이유가 있다는 말인가? 난감했던 나는 농 반 진 반으로 "미국에 편견이 있어서……"라고 시니컬하게 답했다. 그러자 그가 말을 이었다. "미국에 편견이 있기는 나도 마찬가지다. 하지만 한 번쯤 와 볼 만하지 않겠는가?" "why not?" 외에 달리 어떤 답변이 가능했겠는가?

내 생애 첫 번째 미국행은 이렇게 시작됐다. 대회가 끝나자 펠츠는 시카고로 돌아갔고, 나는 안식년을 마치고 1997년 2월 귀국했다. 아마도 한두 번 편지를 주고받았을 것이다. 그즈음 보편화되기 시작한 이메일로 연락을 주고받으면서 아메리카행은 급진전되었다. 초청자는 미국 사회당 국제 분과. 나는 미국 자본주의를 보고 싶어서 가기로 했는데 초청자는 미국 사회당이니 역설도 그런 역설이 없었다. 게다가 미국 일정이 거의 확정된 순간에 IMF 위기가 터져 잠시 망설이지 않을 수 없었다. 그러나 시카고뿐만 아니라 뉴욕의 『사이언스 & 소사이어티』 편집부 방문 등 이미 여러 일정들이 잡힌 터였고, 또 미국을 가는 기회는 흔치 않을 것 같아 강행했다. 초청자도 빠듯한 살림인지라 이코노미 표 중에서도 가장 싼 변경 불가 좌석, 숙소는 시카고 펠츠 교수의 집, 강연료는 없는 대신 맥주 무제한 리필 등의 독특한 조건이었다. 결론부터 말하자면 1998년 2월의 첫 미국 여행은 자본주의는 하나도 못 보고 사회주의의 흔적만 둘러보는 희한한 여행이었다. 미국의 자본주의를 직접 둘러보겠다는 여행 목적으로 보면, 완전한 실패였다. 그래도 이 실패는 여전히 흥거운 기억으로 남아 있다.

공항까지 마중 나온 펠츠의 차로 도착한 그의 집은 옆집과 한쪽 벽을 공유하는 전형적인 이 층짜리 두 세대 연립주택이었다. 지하에는 보일러실과 창고, 라운지가 있고 1층에는 부엌과 식당, 2층에 침실이 있는 구조였다. 19세기 말 시카고 대화재 이후에 목조 대신 돌로 지은 집이었다. '엥겔스'라는 이름의 하얗고 긴 털을 가진 고양이가 온 집 안을 휘젓고 다니고, 내 방 주변에도 자주 출몰하여 어슬렁거렸다. 내 방에까지 날리던 그 털만 제외하면, 고양이 '엥겔스'와 같이 지낸 시카고의 그 일주일은 여러모로 즐거웠다. 도착한 날 펠츠가 처음 데리고 간 집 근처의 바는 이름이 '반란(Mutiny)'이었다. 인도의

'세포이 반란'을 지칭하는 것과 같은 단어를 쓰니, 잊을 수 없는 이름이었다. '믹키네 집(Mickey's)'이라는 폴란드계 미국인들이 자주 드나들던 바도 기억에 새롭다. 시카고 여행의 기억을 더듬으면서 사실관계를 크로스 체크하느라 빌 펠츠와 몇 번 이메일을 주고받았는데, 그 집의 단골 폴란드계 미국인들 중에 아직도 나를 기억하는 친구들이 많다는 전언이다. 내 입에서 폴란드어가 튀어나오리라고는 아무도 기대하지 않았기 때문에, 모두 즐겁게 놀라면서 따듯하게 환영해 주었던 기억이 새롭다.

그들은 내 폴란드어에 많이 놀랐는데, 이야기가 여러 번 전해지는 과정에서 기억의 왜곡도 생겨났다. 그들의 기억 속에서 나는 한국전쟁 당시 사회주의 형제국 폴란드로 보내져 그곳에서 배우고 자란 북한의 전쟁고아가 되거나 북한을 탈출해 폴란드에서 지내다가 미국으로 건너온 탈북자가 되었다. 나와 직접 술을 마시거나 이야기를 나눈 측들이 아니라, 여러 차례 돌고 돌아 전해 들은 자들이 주로 그런 이야기를 한단다. 시카고 교향악단에서 행정직으로 근무하던 폴란드 여성도 기억난다. 사회당 친구들이 폴란드계 미국인 친구들 중에 시카고에 있는 폴란드 문화원 탐방을 안내해 줄 사람을 수소문했는데, 그 여성이 자원했던 모양이다. 그녀의 안내로 도서관과 공연시설을 갖춘 폴란드 문화센터, 미국 최초의 이민자 박물관이라 할 수 있는 폴란드 박물관 등을 둘러볼 수 있었다. 폴란드인들이 가장 많이 사는 도시가 어디냐고 질문을 던지면, 바르샤바보다 시카고라는 농담 섞인 답변을 아직까지도 자주 들을 만큼 시카고는 폴란드 이민의 중심이다. 지금 그 사람 이름은 잊었지만, 쉬는 날 부러 시간을 내서 하루를 같이 보내 준 그 여성에게는 여전히 감사한 마음 가득하다.

내 강연은 '신세계자원센터(New World Resources Center)'에서 열렸다. 큰 책방과 카페를 겸한 동네 사랑방 같은 곳이었는데, 미국에 정착한 지 오래인 베테랑 사회주의자들과 이민 노동자들이 같이 모여 풀뿌리 사회운동을 하는 일종의 운동공간이었다. 강연 주제는 '인종과 계급: 유진 뎁스와 로자 룩셈부르크'였다. 유딘 뎁스Eugene Debs는 작금의 샌더스 돌풍이 있기 이미 백여 년 전에 미국 사회당 후보로 대선에 출마해 1912년과 1920년 대선에서 백만 표 가까이 득표한 미국의 대표적인 사회주의자였다. 초청자인 미국 사회당과 좌파 청중들을 특별히 고려해 고른 주제였다. 뎁스와 룩셈부르크를 비교선상에 놓고, 계급본질주의가 어떻게 각각 미국의 인종문제와 폴란드의 민족문제에 대한 도그마적인 이해를 낳았는지 이야기했다. 1998년 2월 강연 당시에는 아직 포스트마르크스주의라는 용어를 직접 사용하지는 않았지만, 내용은 포스트마르크스주의의 관점에서 뎁스와 룩셈부르크의 계급본질주의를 비판적으로 재평가하는 것이었다. 이 문제의식의 연장선상에서 3년 후인 2001년 「포스트 맑스주의의 로자 룩셈부르크 읽기」라는 논문을 『역사비평』에 게재하고 다시 2002년에는 독일 보훔에서 열린 로자 룩셈부르크 국제학술대회에서 같은 내용을 발표했다.

시카고 신세계자원센터의 청중은 매우 이채롭고 흥미로웠다. 지금까지 내 청중들 중에서 가장 인상적이었던 그들은 연구자라기보다는 활동가들이었다. 백발이 성성한 노 활동가들은 1960년대 마틴 루터 킹의 인권운동이 한창이던 때 킹과 직접 팔짱을 끼고 비폭력시위를 벌인 베테랑들이었다. 당시 사회당 부당수였던 밥 페차첵Robert Pechacek은 백인임에도 불구하고 백인 극우파의 테러를 피해 흑인 정착촌에서 살고 있었다. 당시 마틴 루터 킹과 같이 활동했던 그의 집 안마당에는 수시로 사제폭탄이 날아와 터졌고, 그래서 그는 안전한 흑인 정착촌으로 이주했다. 1960년대 인권운동 당시 줄다리기 끝에 시에서 장기 임대한 시유지에 흑인 정착촌 건설을 주도하고 그 자신도 그중 작은 집 한 채를 얻었던 것이다. 1960년대 당시 '붉은 공장'이라 불렸던 위스콘신 대학에서 미국 외교사를 공부하고 미 대륙을 횡단하는 트럭운전사였던 그는 아프리카계 미국인들 사이에서 더 편안하고 안전하다고 느낀다. 인디애나 주에 있는 뎁스의 생가까지 태워다 주겠다는 그에게, 나는 차로 네다섯 시간 정도의 거리니까 너무 멀다고 사양했다. 그러나 그는 미 대륙 횡단 트럭운전사로 일했기 때문에 왕복 10시간 정도의 운전은 아무것도 아니라면서 기어코 태워 주었다. 시카고 교외에 있는 풀만 철도회사 파업의 역사적 현장으로 나를 안내해 준 것도 그였다.

또 한 명 각별히 생각나는 청중은 지금은 이름을 기억할 수 없는 어느 유대계 활동가였다. 아프리카계 미국인을 부인으로 둔 그는 1960년대 중반 마틴 루터 킹과 같이 행진하곤 했다. 당시에는 유대계와 아프리카계 미국인의 결혼이 자주 있었으며, 연대의식도 강했다고 그는 회고했다. 나중에야 안 사실이지만, 1960년대 말 전투적 흑인 저항조직인 '블랙 팬더'가 강령에 반유대주의적 구절을 집어넣은 것은 유대계 엘리트들이 미국 사회의 주류로 편입되어 유대인-흑인 연대를 무너뜨린 데 대한 반발 때문이었다. 여하튼 사회당 활동가로서의 그의 입장은 사회주의의 관점을 고수하면서 맬컴 엑스와 흑인민족주의에 상당히 비판적인 거리를 유지했다. 당시 당에서 인종의 벽을 넘는 연대 책임자였던 그는 맬컴 엑스에 대해 회고했다. 맬컴 엑스가 암살당하기 6개월 전부터 흑인민족주의에 비판적인 거리를 두기 시작했고, 비슷한 시점에 사회당으로 편지를 보내 인종주의에 대한 투쟁에서 사회주의적 연대를 강조했다는 것이다. 흑인 이슬람 민족주의자들에게 암살당하지만 않았다면, 맬컴 엑스는 훌쩍 사회주의 진용으로 건너왔을 거라는 게 그의 진단이었다.

이들 1960년대 사회당 활동가들과의 만남과 대화는 참으로 유쾌하고 흥미로웠다. 정말 시간 가는 줄 모르고 웃고 떠들었다. 강연이 끝난 다음 날과 그 다음 날은 다시 밥이 자기 차로 좌파 시카고의 역사적 흔적들로 데리고 다녔다. 멋모르고 미시간 호수의 백인전용 모래사장으로 헤엄쳐 온 흑인 소년에 대한 린치로 촉발된 인종폭동의 현장, 시카고 교외의 풀만 철도공작소 파업 현장, 헤이마켓 희생자들을 비롯해 미국의 저명한 아나키스트 엠마 골드만Emma Goldman과 멕시코 망명지에서 트로츠키의 비서를 역임하고 제임스C. L. R. James와 탈식민주의 마르크시즘의 공동전선을 펼쳤던 두나예프스카야Raya Dunayevskaya 등의 좌파 활동가들이 한 섹션을 이루며 묻혀 있는 시카고의 공동묘지 '발트하임Waldheim' 등이 모두 기억에 새롭다. 당시 나

시카고 교외 발트하임 공동묘지에 있는 아나키스트
엠마 골드만의 묘비석.

를 안내했던 사회당 부당수 밥은 자신도 그곳에 묻히고 싶지만, 이제는 더 이상 자리가 없어 어려울 것 같다고 담담하게 이야기했다. 헤이마켓 사건의 주범으로 몰려 억울하게 희생된 아나키스트들을 기리는 기념비가 사건 현장에서 뚝 떨어진 공동묘지에 세워진 것도 흥미로웠다.

헤이마켓을 기억하는 미국 사회의 기억 방식이야말로 그 이후 1세기에 걸친 미국사를 상징적으로 보여준다. 밥과 함께 찾아간 헤이마켓 사건 현장에는 당시 수레 위에서 연설했던 연사들의 조각이 세워져 있었는데, 그나마도 1886년 사건 발생 백 년을 훌쩍 넘긴 1992년에 겨우 가능했다. 헤이마켓 사건 현장을 오랫동안 지켜온 것은 당시 폭탄 테러로 숨진 시카고 경찰관을 상징하는 동상이었다. 1889년 세워진 이 경찰관 동상은 1927년 한 전차 운전사가 전차로 돌진하여 부숴 버린 이래 베트남 반전운동 당시에도 아나키스트들에 의해 두어 차례 더 폭파된 이후 1976년 시카고 경찰학교 중정으로 옮겨져서 안전하게 보호받게 되었다. 내가 들은 풍문에 의하면 마지막으로는 어느 아나키스트 할머니가 먼저 간 남편의 기일을 기념하는 뜻에서 경찰관 동상의 다리 가운데 폭탄을 설치하여 폭파시켰고, 동상은 마침내 경찰학교로 옮겨졌다는 것이다. 나중에는 24시간 경찰을 배치해서 경비를 섰지만, 그 경비 비용도 만만치 않아 결국 경찰학교로 후퇴했다는 것이다. 아무렇지도 않게 그런 이야기들을 나누면서, 우리는 키득거리며 술잔을 기울였다.

신세계자원센터에서는 빌 펠츠 교수의 요청으로 또 다른 특별한 사람을 만났다. 지역의 풀뿌리 운동에 거의 유일하게 참가하는 한국계 미국인으로 시카고에서 꽃 가게를 하는 교포 여성이었다. 펠츠 교수에 따르면, 다른 이민자 그룹과는 달리 한국계 이민자들은 자기가 딛고 서 있는 지역의 일에는 별반 관심이 없고 너무 한국의 통일운동에만 집중하고 있으니 한번 만나서 넌지시 이야기라도 해보면 어떻겠냐는 것이었다. 나는 그 여성의 주선으로 일식집에서 한국계 활동가들을 만났다. 모임을 주선한 여성 이외에도 치과의사와 엔지니어 두 사람이 나와 같이 저녁을 먹으면서 이야기를 나누었다. 만나 보니 이들은 조국 통일운동에 너무 큰 의미를 두고 있어, 자신들이 발을 딛고 있는 지역사회의 문제는 뒷전이었다. 두어 시간 이야기를 나누고 보니, 한반도의 정세에 대한 인식도 이들이 한국을 떠난 1980년대 초 정도의 인식에 머물러 있는 게 눈에 보였다. 당신네들 삶의 기반은 시카고이지 서울은 아니지 않냐고 넌지시 말을 던져 봤지만, 그런 말이 먹힐 분위기는 아니었다. 펠츠에게는 실망스러운 결과였겠지만, 단시간 내에 그들을 설득하는 것은 내 역량을 넘어서는 일이었다.

시카고에서의 첫 일주일은 이처럼 정신없이 흘러갔다. 나는 펠츠 교수와 사회당 인사들, 그리고 그새 정든 고양이 엥겔스와 작별하고 뉴욕으로 떠났다. 당시 뉴저지에는 중국사를 공부하는 전용만 형이 있어서 염치를 무릅쓰고 그 집에 유하기로 했다. IMF 체제의 높은 환율 때문에 객을 받기가 쉽지 않았을 텐데, 아무 내색 없이 따듯하게 대해 준 전용만 형 내외분께는 이 자리를 빌려 다시 감사드린다. 뉴욕에서는 『사이언스 & 소사이어티』 편집진과의 미팅이 잡혀 있었다. 미국을 가는 김에 뉴욕을 보고 싶었던 나는 한국을 떠나기 전 레이브먼David Laibman 편집장에게 이메일을 보냈다. 마침 내가 뉴욕을 방문하는 동안에 편집회의가 예정되어 있으니 일일 명예편집위원으로 회의에 참석해 편집진들과 같이 이야기도 나누면 어떻겠냐고 그가 답장을 보내 뉴욕행이 성사됐다.

　오후로 예정된 편집회의에 앞서 같이 점심을 하기로 해서, 나는 먼저 뉴욕시립대학 구내에 있는 동 잡지 편집실로 레이브먼을 찾아갔다. 말총머리를 한 히피 스타일의 그와 반갑게 첫인사를 나누고 우리는 근처의 샌드위치 바로 향했다. 가는 도중에 대학 건물의 화장실 앞 파이프를 보수하던 일련의 궁색한 노동자들과 부딪쳤는데, 그들은 연신 폴란드어로 "X발" 하면서 일을 하고 있었다. 잠시 멈추어 서서 그들과 이야기를 나누어 보니 일종의 노동비자가 없는 상태에서 싼 임금으로 고용된 사람들이었다. 레이브먼이 안내한 샌드위치 바는 한국계 이민자가 경영하는 가게여서, 자연스레 그 주인과는 한국어로 대화를 나누게 됐다. 자신에게는 생소하기만 한 한국어와 폴란드어를 잠깐 사이에 연이어 유창하게 구사하는 내가 레이브먼에게는 신기하게만 느껴진 모양이다. 점심식사 이후 편집위원회 미팅에서 참석한 편집위원들에게 나를 소개하면서 레이브먼이 점심시간의 일화를 공개하고는 마르크시즘과 다중언어 능력에 대한 이야기를 꺼냈다. 한국어를 모국어로 갖고 있다는 것이 특권이 될 수도 있다는 생각이 얼핏 들었던 듯하다. 그 생각은 나중에 글로벌 히스토리나 트랜스내셔널 역사학에 영역에 발을 담그면서 확인될 터였다.

편집회의의 자세한 내용은 거의 잊어버렸지만, 아직도 생각나는 한 가지는 첫 번째 의제였다. 그것은 남아공의 마르크시스트 독자가 보낸 편지였는데, 봄-여름-가을-겨울로 구분하는 계간지의 번호 매기기를 3월/6월/9월/12월 등의 달로 나누어 달라는 것이었다. 『사이언스 & 소사이어티』는 북반구 중심의 계절을 사용하는데 남반구는 북반구와 계절이 정반대라서 늘 혼란스러우니, 프롤레타리아 국제주의의 이름으로 호수를 매기는 기준을 계절에서 달로 바꾸어 달라는 것이었다. 뜻밖의 의제에 대한 그의 요청은 지나치게 진지해서 자꾸 실소가 나왔다. 그러자 한 친구가 아예 프랑스 혁명력으로 바꾸어 브뤼메르, 방데미에르, 제르미날 하는 식으로 호수를 붙이면 어떠냐는 농담을 던져 모두 웃음이 터져 나왔다. 태양력도 어차피 음력이나 유대력, 이슬람력과는 다르지 않느냐는 취지의 조크였다. 그런데 지금 와서 생각해 보면, 당시 회의에 참석한 누구한테도 정작 '북반구 중심주의'에 대한 문제의식은 없지 않았나 싶다.

그러나 편집회의에서 가장 인상 깊은 인물은 마르크스주의 영문학자이자 미국 공산당과 노동당의 활동가로 두 보이스W. E. B. Du Bois, 루카치Georg Lukacs 등과 친교가 있던 아네트 루빈스타인Annette Rubinstein이었다. 당시 이미 87세를 넘긴 아네트 할머니는 『사이언스 & 소사이어티』에 게재한 로자 룩셈부르크에 대한 내 논문의 영어 교열을 직접 했다. 자신은 미국에서 태어났지만 부모가 폴란드 출신 유대인이라 폴란드에 대한 개인적 관심도 각별한 듯했다. 그날 편집회의에서 처음 만났는데, 특별한 선약이 없으면 맨해튼 시내에 있는 자기 집에

미국의 대표적인 마르크스주의 문학 비평가이자 이론가인 아네트
루빈스타인. 『사이언스 & 소사이어티』에 투고한 내 논문의 영어를
고쳐 주고 브레히트 포럼, 『먼슬리 리뷰』의 수요 미팅 등에 나를
소개해 주었다.

서 저녁을 먹자고 하고는 그 다음 날에는 『먼슬리 리뷰Monthly Review』
의 수요 모임이 있는 날이나 같이 가자고 권유했다. 우리는 수요 모임
의 시작 시간보다 조금 일찍 『먼슬리 리뷰』 사무실에서 만나 같은 건
물에 세 들어 있는 일종의 좌파적 시민교육 단체인 '브레히트 포럼
Brecht Forum'에 들러 잠깐 인사를 나누었다. 나는 이 글을 쓰는 지금
에서야 아네트 루빈스타인이 브레히트 포럼을 발의했다는 사실을 알
게 됐다.

다시 『먼슬리 리뷰』 사무실로 돌아오니 아주 우아하게 생긴 초로
의 여성이 커피를 타 준다. 아네트 루빈스타인이 소개해 주는데, 당
시 잡지의 주간이자 제국주의에 대한 연구로 유명한 해리 맥도프
Harry Magdoff의 부인으로 출판사 살림을 떠맡고 있다는 것이다. 『먼슬
리 리뷰』 사무실이 생각보다 작아서 놀라기도 했지만, 영세한 좌파
출판사가 움직이는 방식은 한국이나 미국이나 큰 차이가 없는 듯했
다. 수요 모임은 브라운백 미팅이었는데 출판사에서 커피를 제공하면
각자 자기 도시락을 싸 와서 점심을 먹으면서 하는 모임이었다. 나중
에 비교역사문화연구소를 만들고는 이들의 브라운백 미팅을 흉내 내
서 김밥 미팅을 매주 목요일 점심시간에 했는데, 김밥에 질린다고 불
평하는 친구들도 적지 않았다. 싫은 사람들은 연구소에서 제공하는
김밥 대신 자기가 먹고 싶은 점심을 싸 오면 된다고 했는데, 자기 점
심을 싸 온 친구는 본 기억이 없다.

미팅은 맥도프가 주관했는데, 자본주의 이행논쟁의 당사자였던 스
위지도 모임의 멤버로 참석했다. 스위지는 90세가 넘어 거의 조는 듯

앉아 있고, 이미 70이 넘은 맥도프도 천식이 있는 듯 1분 정도 이야기하면 말을 멈추고 산소호흡기를 입에 가져다 댔다. 나는 특히 스위지가 생존해 있는지도 몰랐고 더더구나 직접 만날 수 있으리라고는 상상도 못했는데, 막상 만나서 이야기를 나누고 나니 실감이 나지 않았다. 스위지는 이차대전 직후 미 점령군 장교로 일본에 주둔한 적이 있다고도 했다. 나중에 다른 자료를 읽다 보니 뉴딜의 노선에 따라 전후 일본의 재건을 기획했던 뉴딜러 장교 중의 한 사람이었던 것이다. 그 당시 스위지가 일본의 마르크스주의 경제사가들과 만나 이야기를 나누었는지는 모르겠다. 훗날 『사이언스 & 소사이어티』의 자본주의 논쟁에 참가했던 다카하시 고하치로를 만났다면 어땠을까 상상해 보기도 했지만, 그런 일은 벌어지지 않았다.

뉴욕의 마르크스주의 서클은 시카고와 많이 달랐다. 시카고의 사회당 인사들이 좀 더 토착적인 미국 사회주의자들이라면, 유대계가 많은 뉴욕의 마르크시스트들은 미국적이기보다는 뉴욕적이었다. 아네트 루빈스타인이 지난번 『사이언스 & 소사이어티』에 로자 룩셈부르크 논문을 쓴 바로 그 친구라고 나를 소개하면 자기 부모님이나 조부모님이 폴란드 출신이라고 반가워하는 사람들이 많았다. 이들은 로자 룩셈부르크의 고향이나 개인사 등에 대해서 맞거나 틀린 얘기를 한두 마디씩 하면서 모두 친근감을 나타냈다. 폴란드의 유대계 커넥션이 중심이 된 미국 공산당과 뉴욕 마르크시즘은 여러 면에서 시카고에서 만난 미국 사회당의 정서와는 많이 달랐다. 이 차이를 어떻게 설명해야 할지는 아직도 물음표로 남아 있다. 그렇게 나는 뉴욕에서 만 이틀간의 빡빡한 일정을 마치고 귀국길에 올랐다. 뉴욕에서도 마르크시스트들을 만나느라 바빠서 자본주의를 느낄 기회는 없었다. 나의 첫 미국 여행은 그렇게 사회주의의 주변만 맴돌다 끝났다. 미국 자본주의를 직접 보고 싶다는 목적을 달성하지 못했다는 점에서 실패한 여행이었지만, 어디까지나 유쾌한 실패였다. 원래의 여행 목적을 달성했다면, 그렇게까지 유쾌하지는 못했을 것이다.

두 번째 미국 여행의 기회는 생각보다 빨리 왔다. 다시 시카고였다. 아메리카 사회주의 답사 여행에서 돌아오고 얼마 안 있어 펠츠는 2000년 '미국역사학대회(American Historical Association)'가 시카고에서 열린다며 마르크스주의 역사 서술에 대한 패널을 같이 구성해서 프로포잘을 제출하자고 했다. 그 제안서가 덜컥 조직위를 통과하는 바람에 추위가 한창인 2000년 1월 다시 시카고를 가게 됐다. 나는 마르크스주의 역사학이 단단한 역사에서 부드러운 역사로 중심이 이동하고 있으며, 섭얼턴 연구와 신문화사의 문제의식과 방법론을 결합해서 마르크시즘의 시대적 한계인 계급본질주의로부터 벗어날 수 있는 가능성을 타진하는 글을 발표했다. 『역사교사(History Teacher)』의 편집장이 대회 프로그램에서 내 발표 제목을 보고는 동 잡지에 게재하지 않겠냐는 제안을 해왔지만, 바르샤바 대학 사학과 교수이자 탁월한 폴란드 노동사 및 여성사 연구자 자르노프스카의 정년 기념 논총에 보내겠다고 이미 약속한 터였다. 이 글은 다시 막 창간한 『역사와 문화』에 대한 책임감도 있어 그 창간호에 한글로 재구성해서 실었다.

2000년의 미국역사학대회에서는 암스테르담 국제사회사연구소의 마르셀 반 데어 린덴을 알게 된 것이 큰 소득이었다. 나는 노동사 관련 라운드테이블에서 그를 만났다. 마르크스주의의 계급본질주의적 시각이 오히려 노동사 서술을 단순화시킨다는 내 비판이 흥미로웠던 모양이다. 라운드테이블이 끝나자 그의 제안으로 몇몇이 일식집으로 저녁을 먹으러 갔다. 뉴욕의 마르크시스트들이 중심이 되어 만든 『국제노동과 노동계급의 역사(International Labor and Working-Class History)』 편집장이 동행했는데, 케임브리지 대학 출판부와 어떻게 협상을 해야 더 많은 인세를 받는지에 대해 마르셀이 조언해 주던 광경이 아직도 눈에 선하다. 당시 마르셀이 편집장으로 있는 네덜란드 국제사회사연구소의 저널 『국제사회사평론』은 케임브리지 출판부에서 일 년에 2만 불인가 나로서는 상상조차 못했던 큰 금액을 인세로 받는다는 것이었다. 마르셀과는 그 이후에도 여러 경로로 만나다가, 특히 2008년 이후에는 글로벌 히스토리의 장에서 자주 만나게 되었다. 마르셀의 제안으로 이때 라운드테이블에서 한 발언에 기초해서 노동운동사 연구가 어떻게 단단한 역사에서 부드러운 역사로 흘러가는가에 대해 간단히 정리해서 『국제노동과 노동계급의 역사』(2002)에 실었다. 한국의 노동사 연구가 초점이었는데, 솔직히 말해서 연구 현황에 대한 설명보다는 앞으로의 희망사항에 무게중심이 놓여 있었다.

　돌이켜 보니 두 번째 미국 방문에서도 미국 자본주의를 느낄 기회는 없었다. 아마도 일상을 살아보지 않고 여행객으로 그것도 조그만 서클에서만 맴돌다 오니 그럴 수밖에 없었을 것이다. 혹은 미국 자본주의란 내 머릿속의 환상일 뿐이었는지도 모르겠다. 그래도 소득은 있었다. 이즈음부터 나는 국경을 넘어서 '선수'들과 만나 떠들고 먹고 마시고 노는 것이 얼마나 즐겁고 생산적인 것인지 깨닫지 않았나 싶다. 형식적이고 건조한 논문 발표의 차원을 넘어서, 선수들끼리 만나 공부하고 노는 연구 놀이터를 만들고 싶다는 생각이 스쳐간 것도 이 때이다. 2004년 한양대에서 '비교역사문화연구소'를 만드는 데는 이런 생각이 은연중에 작동했는지도 모르겠다.

9

민족주의는 반역이다

Doing
History

내 상식은 한국 사회의 상식과 어긋날 때
가 많다. 민족주의에 대해서는 특히 그렇다. 단순히 해석이나 의견의
차이를 넘어설 때도 많다. 주위 사람들이 불편해 하거나 심지어는 위
험하다 느낄 정도이다. 많은 사람들이 공유하는 상식의 소중함이야
말할 나위도 없지만, 다수가 동의하는 기존의 상식을 의심하고 살펴
서 따지는 존재도 있어야 한다. 인문학의 존재 의미는 세상을 삐딱하
게 보고 의심하면서 사람들을 익숙한 것과 결별하게 만드는 데 있다.
적어도 내 생각은 그렇다. 한국 사회의 상식과 달리 민족주의를 삐딱
하게 볼 수 있었던 내 상식의 원천은 마르크스의 저작들과 폴란드의
역사 서술이었다. 민족문제는 흔히 '마르크스주의의 역사적 대실패'
혹은 '마르크스주의의 모든 오류가 집중되고 결정結晶되어 있는 문제'
라고 평가된다. 그러나 내게는 마르크스의 관점이 민족운동이나 민
족주의의 신화를 벗겨내서 역사 현실의 문제로 바라보는 데 큰 도움
이 됐다. 마르크스주의에 내장된 계급본질주의가 민족본질주의를 견
제함으로써 역설적으로 민족주의의 탈신화화에 기여했던 면도 있다.
스피박Gayatri Spivak이 말하는 '전술적 본질주의' 같은 거창한 의도가
있었던 것은 아니고, 마르크스를 공부하면서 그냥 그렇게 된 듯하다.

한편 유럽에서 민족주의가 가장 강한 나라라는 평가에 걸맞게 폴란드에서는 당의 공식적 마르크스주의 역사학조차 민족주의의 강력한 주술에서 자유롭지 못했다. 폴란드 역사학은 역지사지의 관점에서 한국의 역사학, 특히 남한의 마르크스주의 역사학뿐 아니라 북한의 당 역사학을 되돌아보는 중요한 계기가 되었다. 2000년 8월 오슬로에서 열린 세계역사학대회의 메이저 세션 "역사의 이용과 남용"에서 발표한 「사회주의 코드에 담긴 민족주의 메시지(The Nationalist Message in Socialist Code)」도 그 산물이었다. 이 글에서 나는 폴란드의 당 역사학과 북한의 당 역사학이 어떻게 마르크스주의 용어로 민족주의적 메시지를 전달해 왔는가를 밝히고자 했다. 특히 탈스탈린주의 물결을 타고 폴란드와 북한에서 당의 공식적 역사 서술이 교조적 마르크스주의에서 민족공산주의로 넘어가는 과정을 추적했다. 두 경우 모두 '민족허무주의'에 대한 투쟁, 유기체적 민족 개념과 혈통적 민족주의의 대두, 변경 지역의 '고토' 수복에 대한 역사적 정당화 경향 등을 공유했다. 폴란드와 북한에서 현실사회주의의 당 역사학은 극우 민족주의의 역사 서술과 크게 다르지 않았던 것이다. '인민폴란드'에서는 전전의 가톨릭 극우 집단이 당의 묵인과 비호 아래 실롱스크/슐레지엔에 대한 민족주의적 서사를 발전시켰다면, 고조선 등 만주를 둘러싼 북한의 고대사 해석은 남한의 극우적 역사 해석과 궤를 같이하는 것이었다.

민족주의 사학은 당 역사학을 넘어서 역사 서술 일반에서도 널리 발견되는 현상이었다. 나는 지지부진한 상태에서 1990년대 내내 대우학술총서의 하나로 『그대들의 자유, 우리들의 자유: 폴란드 민족해방운동사』를 준비하고 있었는데, 폴란드 역사의 프리즘을 통해 한국의 민족운동사를 바라보는 경험을 자주 했다. 많은 서양사 연구자들이 그렇듯이 서구적 보편에 기대어 한국의 특수성을 설명하는 방식과는 많이 달랐다. 폴란드와 한국이라는 서로 다른 역사적 '단일성'들을 동등한 비교의 지평 위에서 부딪치게 해서 파열이 생기면, 그 파열된 인식의 틈새를 통해 한국과 폴란드의 민족주의적 서사를 비판적으로 되돌아보는 것은 색다른 경험이었다. 폴란드 민족운동사의 비판적 이해가 한국의 민족주의 서사에 대한 비판적 성찰을 더해 주고 또 한국 근현대사에 대한 비교사적 고민을 통해 폴란드의 민족주의적 역사 서술을 뒤집어 볼 수 있었던 이 경험은, 나중에야 깨달았지만, 트랜스내셔널 역사학에서 강조하는 '상호작용(interaction)'의 한 예였다. 서구의 민족운동사를 보편적 기준으로 삼고 그것에 비추어 한국의 민족운동사를 이해하던 종래의 비교사적 방식과는 다른 길이었다.

돌이켜 보면, 한양대학에서 교직 생활을 시작하고, 베를린 장벽의 붕괴 덕분에 폴란드 현지에서 현대사 연구에 착수하고, 현실사회주의에 좌절하고 분노하면서, 포스트마르크스주의로 사상적 망명을 하고, 이에 더하여 한국 민족주의에 대한 문제제기까지도 다 같이 엉켜서 이루어졌으니, 1990년대는 정말 피투성이의 포복으로 숨 가쁘게 좌충우돌하던 시기였다. 생각이나 행동이 많이 거칠 수밖에 없었을 것이다. 한편 동유럽 폴란드를 먼 나라의 역사로 치부하지 않고 비교사적 관점에서 한국 민족주의를 되돌아보고 이해하기까지는 『역사비평』의 편집위원 경험이 크게 도움이 됐다. 편집회의는 한국사 연구자들의 연구 경향과 고민을 진지하게 접할 수 있는 소중한 자리였다. 『역사비평』편집위원회에 가담한 것은 1992년 역사문제연구소에서 주최한 "한국 민족은 언제 형성되었나?"라는 대토론회에 참가한 것이 계기였다. 당시 주간이던 서중석 선생이 제안한 편집위원직을 나는 흔쾌히 그리고 고맙게 수락했다.

1992년 내가 가담할 당시 『역사비평』 편집위원회는 한국사의 서중석 주간 외에도 사회학의 김동춘, 정치학의 이종석, 한국 문학의 김재용 등 쟁쟁한 멤버들로 구성되어 있었다. 한국사 영역에서는 서중석 주간 외에도 고중세사의 채웅석, 근대사의 주진오 등이 더 있어서 편집회의뿐 아니라 이어진 술자리에서도 지적 자극을 받을 때가 많았다. 다른 편집위원들은 모두 한국 연구가 중심이어서, 서양사/동유럽사를 전공하는 나는 이질적인 분자였다. 자연히 생각이 다른 경우가 많았지만, 그게 문제는 아니었다. 서중석 주간은 오히려 내 생각이 다르기 때문에 나를 부른 것 같았고 편집회의에서의 이런저런 논쟁은 날카로우면서도 화기애애했다. 10여 년 후 '일상적 파시즘'이나 '대중독재'의 테제를 놓고는 위험한 수준의 긴장이 느껴졌지만, 당시만 해도 아직 같이 갈 수 있는 차이가 아니었나 싶다. 혹은 그 근원적 차이를 짐짓 못 본 체하고 같이 갈 수 있다고 생각했는지도 모르겠다.

2차 술자리에서는 간혹 역사문제연구소의 주당들, 당시 역문연의 운영위원이거나 연구원이었던 방기중, 김백일, 윤해동, 배항섭, 이승렬

등과 어울리기도 했다. 그들과의 술자리를 기억하다 보니 문득 1990
년대 중반 폴란드에 떠돌던 농담 하나가 떠오른다. 폴란드가 나토에
가입한 후 브뤼셀의 파견 장교들끼리 술을 마신 적이 있단다. 미군 장
교가 폴란드군 장교와 처음 술을 마시고는 일기장에 썼다: "어젯밤,
그와 마셨다. 나는 거의 죽었다." 그런데 그 미군 장교는 운이 나쁜
지 그 다음 날 폴란드 장교와 다시 마시게 됐다. 그래서 나지막한 신
음과 함께 외쳤다: "그와 다시 마셨다. 차라리 어젯밤 죽는 게 나을
뻔했다." 역문연 주당들과 2차 자리에서 마주치면 나는 브뤼셀의 그
미군 장교 신세였다. 그래도 죽지 않고 살아남아 나중에 윤해동과는
'비판과 연대를 위한 동아시아 역사포럼'을 같이 꾸렸으니, 그때의 술
자리가 완전히 무익했던 것만은 아니었다고 말할 수 있지 않을까?

『역사비평』 편집위원회에 참가한 지 얼마 안 되어 1993년 5월 민
족주의와 민족운동을 주제로 한 전국역사학대회의 공동주제발표에
서 나는 「동유럽 민족운동의 구조와 논리」를 발표했다. 공동주제발
표를 맡기에는 아직 약관이었지만, 당시 대회장이었던 정창렬 선생께
서 고집하셨던 듯하다. 동유럽사 전공자가 없기도 했지만, 한양대학
에서 열리는 역사학대회인 만큼 한양대 사학과 교수도 한 사람 있었
으면 하는 마음이 컸을 것이다. 내 발표는 동유럽 민족운동에 대한
것이었지만, 발표문은 각별히 한국사 연구자들을 염두에 두고 작성했
다. 한국처럼 혈통의 순수성 혹은 인종적 동질성을 강조하는 동유럽
민족운동의 경우에도 실은 인종적 동질성은 신화화된 역사 이해일
뿐이라는 점을 강조했다. "귀족이 없으면 문화가 없고, 농민이 없으면

힘이 없다"는 폴란드 민족주의 인텔리겐치아를 인용해 정치적 자유와 사회적 평등을 지향하는 사회개혁 프로그램이 없는 민족운동은 허구라는 논지였다. 귀족 중심의 19세기 폴란드 민족봉기를 진압한 것은 폴란드를 분할 점령하고 있는 신성동맹의 군대가 아니라 폴란드 농민들이었음을 드러내서 단일민족의 논리가 신분적·계급적 차별을 지워 버릴 수 없다는 점을 강조했다.

당시만 해도 한국에서 민족주의는 여전히 성역이었으며, 단일민족의 신화에 도전한다는 것은 아직 쉬운 일이 아니었다. 단지 내 경우에는 동유럽을 쿠션으로 사용했기 때문에 못마땅하다는 느낌은 있어도 특별히 반박하거나 공격할 여지가 적었을 것이다. 1993년 역사학대회 준비 과정에서 공동주제발표의 비중 때문에 발표자와 토론자들이 미리 모여 예비 미팅을 가졌을 때의 일이다. 당시 토론자로는 고려대 정외과의 최장집 선생을 초청했는데, 이야기 끝에 최 선생께서 '박정희의 민족주의'를 꺼내셨다. 그러자 한국사 연구자들, 특히 현대사 연구자들이 크게 반발했는데 어떻게 '박정희의 민족주의' 운운할 수 있냐는 것이었다. 물론 박정희가 군 장교로 일본 제국에 복무했다는 점을 염두에 둔 것이겠지만, 그 밑바닥에 있는 논리는 민족주의처럼 좋은 이념을 박정희 같은 친일파, 독재자에게 적용해서는 곤란하다는 것이 아니었나 싶다. 나중에는 그들도 나쁜 민족주의가 있다는 점을 인정하게 되지만, 1993년의 시점에서는 아직 먼 미래의 일이었다.

폴란드 역사학계의 상황도 크게 다르지는 않았다. 1996년 크라쿠프에서 안식년을 보낼 때의 일이다. 1996년은 1846년 크라쿠프 봉기 150주년이 되는 해로 야기에워 대학의 고색창연한 대강당에서 기념 학술대회가 열린 적이 있다. 청중으로 참가한 나는 발표와 토론의 내용을 듣고 깜짝 놀랐다. 150주년을 기념하는 축제적 성격의 학술대회라는 점을 감안하면, 1846년 폴란드 봉기가 얼마나 민주주의적 지향을 내장하고 있었는가 하는 등의 평가는 해석 여하에 따라 얼마든지 가능한 것이었다. 그러나 패널리스트로 참가한 '폴란드 농민당' 대표의 주장은 도를 넘는 것이었다. 그는 폴란드 농민들이 19세기부터 민주주의의 담지자였으며, 이민족 정복자들에 맞서 싸운 민족적 저항의 주체였다고 강조했다. 그러나 1846년 봉기 당시 낫과 창, 화승총 등으로 무장한 갈리치아의 농민들은 그렇지 않았다. 이들은 봉기를 주도한 애국적 귀족들의 장원을 습격, 방화, 약탈하고, 귀족들을 붙잡아 매타작을 했다. 갈리치아의 농민들에게 1846년은 오스트리아 점령 당국의 지원 아래 폴란드 귀족들에 대한 계급적 복수의 해였던 것이다.

청중석에서 일어난 나는 농민당 지도자 비토스Wincenty Witos를 인용해 "애국적 귀족들이 주도하는 독립은 곧 봉건적 농노제로의 복귀라고 생각한 폴란드 농민들은 독립을 두려워했다"고 지적하고, 이들의 해석이 현재의 민족주의적 어젠다를 과거에 뒤집어씌우는 시대착오주의가 아닌가 물었다. 솔직히 말하면, '거짓말'이라고 외치고 싶었다. 당시 나는 폴란드 민족운동사에 대한 책을 쓰느라 1846년에 대한 자료들을 섭렵해서 머릿속에 막 정리해 둔 상태였다. 기념식 취재를 나온 크라쿠프 라디오 방송 기자가 정작 패널리스트들은 제쳐 두고 나와 인터뷰를 하는 바람에 기념식의 전선은 많이 헝클어졌다. 패널리스트로 그 자리에 참석했던 야기에워 대학 사학과의 한 노교수는 청중석에 앉아 있던 한국 역사가 한 친구만이 진실을 이야기했다고 동료 교수들에게 전했고, 그 얘기를 들은 내 친구가 그 이야기를 다시 전했다.

1846년 봉기의 150주년 기념 학술대회의 분위기는 강의실에서도 그대로 이어졌다. 나는 당시 크라쿠프 사범대학의 정경학부와 역사학부에서 동유럽과 동아시아의 민족주의 비교연구를 강의하고 있었는데, 민족주의 비판에 대한 폴란드 대학생들의 반응이 한양대 주사파 학생들 반응과 너무 똑같아서 놀랐던 기억이 있다. 민족주의에 관한 한, 폴란드와 한국에서의 내 경험은 이처럼 서로를 견인하면서 비판의 각을 더 세웠다. 『역사비평』의 편집회의나 술자리에서 나는 자연히 이런 폴란드 사정에 대해 이야기하면서 그에 빗대어 한국 학계의 민족주의적 역사 서술의 문제점을 넌지시 혹은 노골적으로 비판하기도 했다. 비판이 걸렸던지 아니면 중요하다고 생각했는지, 동료 편집위원들 사이에서 자꾸 말로만 하지 말고 글로 쓰라는 요청이 나왔고 차제에 나는 아예 한 꼭지를 쓰기로 했다. 속으로는 쓰라면 누가 못 쓸 줄 알고 하는 오기도 있었던 듯하다.

『역사비평』 1994년 가을호에 실린 「한국 사학계의 '민족' 이해에 대한 비판적 검토」가 바로 그 글이다. 지금 보면 논리도 엉성하고 허점이 많은 글이지만, 한국 역사학계에 대한 기여라는 측면에서는 가장 아끼는 글이기도 하다. 이 글을 쓰는 데는 한양대 사학과 대학원의 특수성도 큰 보탬이 됐다. 당시 한양대의 학교 분위기나 도서관 수준으로는 제대로 된 서양사 강의가 쉽지 않았다. 다행히 한국사 대학원은 어느 정도 활성화되어, 내 대학원 세미나에는 한국사 대학원생들이 적지 않게 들어왔다. 전공 특성상 이들의 외국어, 특히 영어가 약해서 무작정 양서 전문서적들만 읽힐 수는 없었다. 그래서 상식을 깨는 독창적 시각을 제시한 양서들과 함께 한국사 논문들을 같이 읽으면서 비교사적 관점에서 양쪽의 문제들을 검토하는 방식을 취했다. 이때 한국사 대학원생들과 같이 읽은 한국사 연구논문들은 인상적 차원을 넘어서 구체적으로 한국사 서술의 민족주의를 이해하는 데 큰 도움이 됐다.

당시 한양대 대학원 사학과는 한국에서 처음으로 '세계사 종합 세미나' 과목을 설강해 한국사나 동서양사 전공에 관계없이 모든 대학원생들에게 열어 놓았다. 박환무 형에게서 주워들은 도쿄시립대학의 프로그램에서 힌트를 얻은 것이었다. 세부 전공 취득 학점은 전체 학점의 60퍼센트로 하고 대학원 전공도 입학시험 때 정하는 게 아니라 3학기 때 정하기로 내규를 만들어, 대학원생들이 인위적인 전공의 경계를 넘어 폭넓은 비교사적 관점을 갖도록 유도했다. 한국사, 동양사, 서양사의 제도적 경계가 여전히 강고한 오늘날의 시점에서 보아도, 20여 년 전의 한양대 사학과 대학원 규정은 혁신적인 것이었다. 이제는 박사학위를 마치고 한국 현대사학계에서 나름대로 자기 목소리를 내고 있는 황병주, 홍양희, 이상록, 소현숙 등이 모두 내 세미나를 거처 간 데 대해 나는 지금도 자긍심을 갖고 있다. 이러한 일들이 가능했던 것은 한양대 사학과의 원로교수들, 그중에서도 특히 정창렬 선생의 적극적인 지원과 이해 덕분이었다. 당시 한국사 연구의 관점에서 보면 내 거친 주장들이 당연히 불편하게 느껴졌을 터인데, 선생은 아무 내색도 하지 않고 이와 같이 조그만 혁신들을 적극 지지해 주셨다. 어렵게 닻을 내린 경계를 넘는 문화는 훗날 소장교수들이 충원되면서 오히려 유야무야됐다. 자칫 밥그릇 싸움처럼 보일까 이들을 좀 더 적극적으로 설득하고 밀고 나가지 못한 내 책임이 크다.

「한국 사학계의 '민족' 이해에 대한 비판적 검토」는 출판되기 전에 역사논문 작성법을 듣는 사학과 학부 학생들에게 초고를 읽히고 반응을 보았다. 이상록 박사 등이 당시 학부생으로 초고를 읽은 첫 독자들이었는데, 토론이 시작되자마자 나는 강의실을 메운 많은 학생들의 얼굴에서 청천벽력을 맞은 경악과 진짜 그런가 하는 위구심 등으로 가득 찬 혼돈을 읽었다. 한 학생은 태어나서부터 이십 수년간 민족주의자로 살아온 지금까지의 인생과 확신이 흔들린다고까지 했다. 그의 토론에 대해 너희는 민족주의자로 태어난 게 아니라 만들어진 거라고 토를 달았던 기억이 난다. 외부에서 민족주의에 대한 강연을 하다 보면, 대개 역사를 전공하는 학생들이나 역사에 관심이 많은 청중들이 가장 민감하게 반발하는 경우가 많은데 이는 역사학과 민족주의의 관계를 잘 드러내 주는 예라고 생각한다. 초고를 읽은 정창렬 선생의 반응은 오히려 달랐다. 선생은 담담하게 90퍼센트 정도는 내 주장에 동의한다고 말씀해 주셔서 많이 고무됐다. 솔직히 일차 자료까지 꼼꼼하게 섭렵하고 쓴 글이 아니라, 민족주의 역사학에 대한 일종의 메타 비평이어서 세세한 부분에는 자신이 없는 부분도 많았다. 그럼에도 이 논문은 지금까지 쓴 글들 중에서 가장 애착이 가는 것 중의 하나이다.

정작 논문이 활자화되자 나는 그 깊은 침묵에 깜짝 놀랐다. 이 논문은 투명인간처럼 누구에게도 보이지 않았다. 나중에 술자리에 합석한 한국사 전공의 몇몇 친구는 왜 당신은 서양사면서 함부로 한국사에 대해서 쓰냐는 식으로 불쾌함을 표했고, 한국사 전공의 일부 선배 학자들은 전공을 바꾸었냐며 빈정대는 투로 이야기했다. 그러나 정작 논문의 내용에 대해서는 한국사 연구자들로부터 이렇다 할 반박도 논평도 없었다. 이들의 반응으로 보아서는 읽은 것은 분명한데, 그냥 말하지 않기로 한 것 같았다. 침묵의 공조였다. 내 논지를 지지하는 반응은 오히려 서양사 연구자들한테서 왔다. 잡지가 나오자마자 논문을 읽은 조승래 선생이 격려 전화를 해왔고 학회에서 만난 박지향 선생 등이 동감을 표했다. 그래도 한국사 연구자들의 철저한 침묵은 실망스러웠다. 나로서는 강고한 학문적 경계를 넘어 어렵게 말 걸기를 시도한 것인데 대답 없는 메아리라니 난감했다. 한국사와 서양사 사이의 높은 제도적 벽을 다시금 실감하는 계기였다. 유일한 위안은 김진균 선생께서 당신이 담당하던 서울대 사회학과의 민족주의 강의 자료집에 그 글을 수록해서 학생들에게 읽힌 것이었다. 사학과가 아니라 사회학과이긴 했지만, 한국 사회사 연구자인 선생의 관심 덕분에 그래도 한국사 연구자에 대한 말 걸기가 완전히 실패한 것은 아니라는 위안을 받았다.

나는 위 논문에서 신라의 삼국통일을 외세 의존적인 통일로 보고 통일신라-발해를 남북국시대라 칭하는 해석들을 시대착오적이라고 비판했다. 펠로폰네소스 전쟁 당시 아테네와 스파르타가 서로 페르시아의 지원을 구했다고 해서 반민족적이라고 해석하지 않듯이, 삼국은 반민족적인 것이 아니라 비민족적이라고 보았다. 삼국시대를 민족주의적으로 해석하는 것은 민족을 초역사적 실재로 전제한다는 점에서 비역사적이며 그릇된 가정이라고 비판했다. 한반도는 외세가 침략할 때마다 관민이 일치단결하여 민족항쟁을 전개했다는 한국사의 상식에 대해서도 딴지를 걸었다. 김윤후가 관노의 장적을 불사르고 귀천을 떠나 분전을 촉구해 몽고군에 승리를 거둔 1253년 충주성 전투는 고려 민중의 민족의식을 보여주기보다는 계급모순 혹은 신분제적 차별에 대한 예민한 감수성을 보여주는 것으로 읽었다. 조선시대의 강력한 중앙집권제는 국가적 통합의 기반이기도 하지만 중앙권력과 지방민의 직접적인 대립구도를 만들어 내서 민족 통합에 방해가 될 수도 있다는 점을 지적했다. '국민'이라는 말을 전근대 역사에 무차별적으로 사용해서는 곤란한 것이다. 결론에서는 체코가 낳은 걸출한 역사가 그로흐Miroslav Hroch의 개념 '민족의 구성 양식(Konstitutionsweise der Nationen)'을 빌려 다양한 사회적 관계의 총합으로서 민족에 대한 역사적 원근법을 강조했다.

내 비판의 요지는 민족을 초역사적인 자연적 실재로 부당 전제해서는 곤란하다는 것이었다. 「운동으로서의 민족주의」에서는 역사 서술의 차원을 넘어서 일반론의 관점에서 이러한 문제의식을 더 밀고 나아갔다. 민족주의를 고정된 이념 틀을 갖춘 이데올로기로서가 아니라 사회적 총관계의 변화에 따라 끊임없이 움직이는 역사적 운동으로서 고찰하는 운동사적 접근 방식을 시도하여, 원초론과 근대론, 객관주의와 주관주의, 보수성과 진보성, 통합과 해방의 대립항들이 역사적 조건에 따라 상호 침투하는 민족주의의 야누스적 성격을 드러내고자 했다. 이 글은 차하순 선생의 정년을 기리는 '책 프로젝트'의 일부로 기획되어 김영한 선생과 함께 엮은 『서양의 지적 운동』(지식산업사, 1994)에 수록되었다. 운동사로서의 민족주의에 좀 더 천착하여 방법론이나 인식론에서 더 밀고 나아갔으면 하는 아쉬움이 컸는데, 최근에 다시 민족주의에 대한 원론적 생각을 다듬을 기회가 있었다. 『글로벌 연구(Encyclopedia of Global Studies)』(Sage, 2012), 『인종, 민족과 민족주의(The Wiley-Blackwell Encyclopedia of Race, Ethnicity and Nationalism)』(Blackwell, 2015) 같은 백과사전에 '민족주의와 신민족주의', '민족과 역사' 등의 항목에 대한 청탁원고를 쓰게 되었는데, 가까운 장래에 민족주의 문제를 더 본격적으로 다루어야겠다는 욕구가 생겼다.

20세기의 마지막 해인 1999년에는 1990년대에 발표한 민족문제에 대한 글들을 묶어 『민족주의는 반역이다』(소나무)를 출간했다. 민족주의에서 저항 이데올로기의 신화를 걷어 내고, 정치권력과 민족주의가 같은 텍스트로 짜여 있다는 점을 부각시키고자 했다. 학술서로서는 아주 강한 제목이라 부담스러웠지만 소나무의 유재현 형이 고집

베를린 고등연구원 강연 당시 전시된 내 저서들.『민족주의는 반역이다』제목은 소나무의
유재현 형이 고집한 것인데, 결과적으로 지식사회 일반의 관심을 환기시키는 데 크게 기여
했다.

을 부려 『민족주의는 반역이다』로 갔다. 내가 생각한 제목은 『탈민족 민족주의』였는데, 유재현 형의 고집에 졌다. 그러나 내용보다도 그 제목 때문에 세간의 주목을 받았으니, 마케팅에 관한 한 그의 판단이 옳았다. 실제로 이 책에 실린 글들은 민족주의에 대한 비판을 끝까지 밀고 나가지 못하고, 시민적 민족주의의 관점에서 혈통적 민족주의를 비판하는 데 그치고 있다. 포스트콜로니얼리즘이나 섭얼턴 연구, 포스트마르크스주의에 대한 이론적 천착도 별로 없다. 다만 역사 현실과의 조우를 통해 그러한 이론들로 발돋움할 수 있는 고민의 흔적들은 여기저기 흩어져 있다. 민족주의나 마르크스주의, 폴란드사에 대한 학술논문들보다도 에필로그에 실린 역사 에세이 「사회주의 거대 담론의 틈새 읽기」와 「이념의 진보성과 삶의 보수성」에서 그 흔적들은 더 분명하게 드러난다.

그래도 이론적으로는 성글기 짝이 없다. 한 가지 위안이라면, 역사가로서 나는 이론에서 출발해서 현실로 내려가기보다는 현실에 대한 고민에서 출발해서 그것을 설득력 있게 해명해 주는 이론을 더듬어 찾아가는 경로를 거쳤다는 점이다. 선진적이고 세련된 각종 포스트 이론에서 출발한 연구자들이 원론적 차원에서 그 이론을 소개하고 이론적으로 민족주의를 비판할 때는 탁월한 역량을 보이면서도, 정작 자기가 살고 있는 사회 문제들을 해명할 때는 이론과 괴리되어 다시 민족주의의 시선 안에 갇혀 버리는 경우가 종종 있다. 이 문제는 글로벌 지식장에서 학문적 수월성을 추구한다고 해서 해결될 수 있는 것은 아니다. 이론과 현실은 결코 양자택일의 문제가 아니지만, 어느 하나가 다른 하나를 자동적으로 보장해 주는 것도 아니다. 이 지점에서 연구자의 실존적 문제가 개입한다. 이론과 현실을 잇는 연구자의 포지션에 대해 끈질기게 묻지 않는다면, 이론적 수월성은 공허해지고 현실의 진정성은 넋두리가 된다. 이론적 수월성을 견지하면서 실천적 진정성을 잃지 않는 이론과 실천의 긴장감이 없다면, 그 학문은 현학적 공허함이나 실천적 조급성으로 흐르기 십상이다.

10

비판과 연대를 위한 동아시아 역사포럼

Doing
History

1999년 늦가을의 을씨년스러운 어느 오후 『당대비평』의 문부식 주간에게서 급히 만나자는 전갈이 왔다. 『당대비평』의 편집위원으로 첫 작업이었던 '우리 안의 파시즘' 특집을 내보낸 지 얼마 안 된 시점이었다. '우리 안의 파시즘'을 놓고 벌어지는 첨예한 찬반 논쟁을 지켜보면서, 계간지의 풍토는 학술지와는 많이 다르다는 것을 뼈아프게 실감하던 중이었다. 연구실로 달려온 문 주간은 숨을 채 고르기도 전에, 어느 독지가가 나서 사회적으로 의미 있는 사업을 적극적으로 지원해 준다고 하니 『당대비평』이 중심이 되어 프로젝트를 하나 하자는 것이었다. 의심스러운 돈은 아니냐고 물었더니, 결코 문제가 있는 돈은 아니라고 했다. 다행스럽게도 내 걱정은 기우임이 드러났다. 약속했던 돈이 들어오지 않아 돈의 성격을 물어야 하는 수고를 덜은 것이다. 그 프로젝트는 결국 연구자들의 호주머니 돈과 『당대비평』에서 받은 번역료나 원고료 등으로 진행됐다.

내가 편집위원으로 가담한 이후 『당대비평』에서 새로이 설정한 의제 중의 하나는 저항민족주의의 신화를 드러내고 지배이데올로기로서의 민족주의를 비판하는 것이었다. 개인적으로는 『민족주의는 반역이다』의 문제의식을 더 밀고 나아가는 것이기도 했다. 이때 맨 먼저 부딪친 문제는 식민주의의 과거를 재해석하고 현재에 드리워진 식민주의의 유산을 어떻게 넘어설 것인가 하는 포스트콜로니얼리즘의 문제였다. 그것은 다시 트랜스내셔널한 의제를 제기했다. 남북을 관통하는 지배이데올로기로서의 민족주의에 대한 비판은 한반도의 차원을 넘어 '동아시아'의 역사적·정치적 맥락 속에서 그 의미를 물을 수밖에 없었던 것이다. 일국적 경계를 넘어 동아시아라는 지역적 차원에서 민족적 경계를 넘는 비판 담론을 구축하는 프로젝트에, 우리 둘은 손쉽게 합의했다. 민족주의적 규율이라는 '국사(national history)'의 정치적 기획을 드러냄으로써, 정치권력의 '국민 만들기' 전략에 자발적으로 포섭되어 온 시민사회의 역사의식에 균열을 내는 데서부터 시작하자는 데에도 둘의 견해는 일치했다.

당시 동아시아는 역사전쟁의 포문이 막 열린 상황이었다. 일본 열도에서는 『국민의 역사』가 베스트셀러로 만들어지는 등 역사수정주의와 민족주의의 열기가 뜨거워지고, 그에 대한 반동으로 한반도와 중국에서도 민족주의의 파고가 높아만 가는 상황이었다. 일본의 『겐다이시소現代思想』에서 「한반도 민족주의와 권력 담론」(2000)을 번역해서 싣고 싶다는 연락이 온 것도 이즈음의 일이었다. 일본 열도에서 민족주의의 파고가 점차 높아지는데, 한반도 민족주의의 권력 담론에 대한 비판을 일본에서 출판한다는 상황은 많이 부담스러웠다. 나는 일본 독자에게 보내는 글을 덧붙여 동아시아의 지역적 차원에서 작동하는 민족주의의 적대적 공범관계를 지적하고, 한반도 민족주의에 대한 비판이야말로 일본 열도의 민족주의에 대한 가장 매서운 비판이 될 수 있다는 점을 강조했다. 동아시아라는 트랜스내셔널한 공간에서 작동하고 있는 민족주의의 적대적 공범관계를 해체하기 위해서는 민족주의에 대한 비판 작업이 일국적 차원을 넘어 동시다발적으로 이루어져야 한다는 게 내 판단이었다. 그때까지 일면식도 없던 코넬 대학의 사카이 나오키가 공동 작업을 제의한 것도 이 글이 계기였다. 그와의 오랜 우정이 시작된 것만으로도 이 글은 자신의 사명을 다했다.

한국 민족주의와 일본 민족주의의 '적대적 공범관계'가 가시화되던 2000년 당시의 상황은 역설적으로 호기였다. 그러나 막막했다. 이웃 일본이나 중국의 신뢰할 만한 카운터파트에 대한 정보가 전혀 없었던 것이다. 폴란드와 독일, 오스트리아 등지에서 폴란드와 독일의 노동운동사 또는 사회주의 사상사를 전공하는 반도 히로시阪東宏, 니시카와 마사오西川正雄 선생 등을 만난 적은 있지만, 정작 동아시아 내부에서는 교류가 전혀 없었다는 사실을 아프게 깨달았다. '서양사' 전공이라는 핑계로 유럽의 연구자들과의 교류에만 치우쳤던 내면화된 서구중심주의도 그렇지만, 체제가 갈라놓은 분과학문에 안주함으로써 결과적으로 동아시아의 현실과 멀어지게 된 내 자신에게 화가 나기도 하고 또 부끄럽기도 했다. 오랜 지적 망명 상태에서 벗어나 동아시아로의 귀환이 시급하다는 생각을 진지하게 하기 시작한 것도 이때부터였다.

우선 급한 대로, 평소부터 잘 알고 지내 믿을 만한 일본사 연구자인 박환무 형에게 전화를 걸어 프로젝트의 취지를 설명하고, 도움을 요청했다. 그는 와세다 대학의 이성시 선생이 마침 서울에 와 있으니, 같이 만나 이야기를 나누어 보자고 했다. 이성시 선생과는 구면일 뿐만 아니라, 근대 국민국가의 욕망을 동아시아의 고대에 투영하는 주류 고대사학계에 대한 그의 비판 작업에도 깊이 동조하는 터라 쾌히 그러자고 했다. 우리는 바로 만났다. 이성시 선생은 대번에 프로젝트의 취지와 의미를 이해하고 우리의 제안을 크게 반겼으며, 우리 넷(문부식, 박환무, 이성시, 나)은 서울의 '만들어진 전통'을 대변하는 인사동의 밥집과 술집을 전전하며 많은 이야기를 나누었다. 이성시 선생은 특히 일본에서 먼저 발의되고 한국의 연구자들이 동의하는 기존의 협력 방식과 달리 한국에서 먼저 발의했다는 데 의미를 두었다. 이선생은 일본으로 돌아가는 즉시 이와나미 서점의 고지마 기요시小島潔 편집장과 이 프로젝트의 가능성을 검토하기로 하고, 나는 서울에서 가칭 '비판과 연대를 위한 동아시아 역사포럼' 프로젝트의 취지를 설명하는 간단한 문건을 만들어 이성시 선생에게 보냈다.

2000년 1월 나는 시카고에서 열린 미국역사학대회에서 발표를 마치고 귀국하는 길에 도쿄를 들렀다. 도쿄에서 밤을 지내고 처음 맞이하는 아침 서설처럼 펑펑 내리던 함박눈에 예감이 좋았던 기억이 난다. 그 전날 도쿄에서 처음으로 가졌던 밤도 따뜻했다. 히토쓰바시 대학 영빈관에 숙소를 정했는데, 대학 근처의 전형적인 일본식 포장마차와 2차, 3차로 들른 작고 흥겨운 재즈 바들은 정겹기 짝이 없었다. 성계대학 이정화, 『겐다이시소』의 이케가미 요시히코池上善彦 편집장, 문부식 등과 어울렸는데, 특히 이케가미는 만난 첫 순간부터 묘하게 결이 통하는 친구라는 느낌이 들었다. 다음 날 작취미성의 상태에서 이성시 선생의 안내로 문부식 주간과 함께 이와나미 서점을 찾았다. 그곳에서 만난 고지마 기요시의 첫 인상은 대단히 정확한 사람이라는 것이었다. 통역을 통해서 듣는 말 하나하나가 다 신중하게 선택된 단어였고, 그만큼 신뢰감도 생겼다. 프로젝트의 취지, 상호호혜와 균등부담 등의 원칙에 대해 기본적인 합의가 이루어지자, 그것을 현실화해 나가는 구체적인 과정에 대해서는 중국과 일본 간에 비슷한 프로젝트를 시도해 본 고지마 기요시의 경험들이 크게 다가왔다. 그가 들려준 경험들로 미루어 추측건대 미처 생각하지 못한 많은 난관들이 기다리고 있다는 것은 분명했다.

논의 결과 동아시아 역사 공동교과서를 만들겠다는 원래의 목표는 장차 희망사항으로 묻어 둘 수밖에 없었다. 동아시아 민중의 역사적 경험을 토대로 미래에 대한 그들의 간절한 희망과 과거에 대한 철저한 자기반성이 담긴 성찰적 동아시아 역사상을 구축한다는 목표가 수정된 것은 아니다. 그러나 공동교과서에 앞서 우선은 한·일 양국에서 구축된 역사상의 차이를 확인하고 국가권력과 같은 결로 짜인 텍스트로서의 '국사(national history)' 패러다임에 대한 비판적 작업이 전제되어야만 한다는 데 의견이 모아졌다. 과거의 진실을 밝힌다는 차원을 넘어, '지식의 고고학'이라는 관점에서 국민국가의 정치적 담론인 각국의 '국사'에 대한 비판적 분석이 필요하다는 게 우리의 판단이었다. 자국중심적 역사 해석과 개별 국민국가의 이해를 대변하는 '국사'의 패러다임이 역사적 사고의 인식론적 틀로 건재하는 한, 공동 역사교과서는 서로 조금씩 양보하는 주고받기 식의 외교적 타협 문서에 그치고 말 것이라는 고지마 기요시의 지적은 참으로 날카로운 것이었다.

훗날 독일-폴란드 교과서회의의 문건 자료들을 검토하면서 나는 그의 날카로운 통찰력을 새삼 깨달을 수 있었다. 흔히 모범적인 선례로 간주되는 독일-폴란드 교과서회의의 문건 자료들은 역사가 어떻게 주고받기 식의 외교적 타협의 대상이 되는지를 보여주는 생생한 예였다. 자국에서 각각 회의 결과를 보고할 때마다, 왜 이렇게 중요한 문제를 상대방에게 양보했느냐는 식의 국내 여론의 반발과 비판을 감수해야 했던 독일-폴란드 교과서회의의 전철을 밟아서는 곤란한 것이었다. 더 중요하게는 '비판과 연대를 위한 동아시아 역사포럼'의 문제제기가 역사학의 인식론적 논쟁의 차원을 넘어서, 시민사회를 규율하는 권력의 헤게모니적 장치로서의 '국사'에 대한 비판적 실천을 지향해야 한다는 것이었다. '국사'라는 이름으로 시민사회에 깊이 뿌리내리고 있는 권력 담론이 동아시아 민중의 역사상을 지배하는 한, '밑으로부터의 연대'는 근원적으로 불가능한 것이다. '연대'에 앞서 '비판'이 필요하다고 생각한 것도 이 때문이다.

일국적 차원에서 '국사'는 시민사회를 규율하기 위한 근대 국가의 권력 담론이지만, 세계사적 차원에서 보면 그것은 주변부의 역사 담론에 유럽중심주의를 내면화시키는 계기이기도 하다. '기원적 현재 (originary present)'에서 출발하는 전도된 인과적 질서에 입각한 '국사'의 패러다임은 유럽이 지배해 온 근대를 보편적 준거로 설정함으로

써, '서양'의 헤게모니를 재생산하는 기제였다. '국사' 패러다임에 내재된 역사주의는 역사적으로 가장 앞서가고 있는 장소로서의 자격을 '서양'에 투사하고 실정성(positivity)을 부여하고 서양 따라잡기를 목표로 설정함으로써, '서양'을 보편적 지표로 설정했다. 또 그것은 서양의 우월성을 인정하는 동시에 서양으로부터 인정받고자 하는 인정투쟁이었다. 서양인들이 우리 과거의 고도화된 문명을 인정한다면, 우리 민족도 세계사의 시민권을 획득할 수 있다는 희망이 그 밑에는 깔려 있었다. 일본 최초의 '국사' 책인 『일본사략日本史略』이 파리박람회의 의뢰로 서양의 독자들을 겨냥해 불어로 쓰인 것도 같은 맥락에서 이해된다.

서양의 지배에 반발하면서도 서양의 논리를 모방하는 그래서 결국 서양의 헤게모니에 종속되는 주변부 민족주의 역사학의 아이러니에서 동아시아 최초의 '국사'도 예외는 아니었던 것이다. 또 일본의 '국사' 체계와 한국의 민족주의 역사 서술이 '적대적 문화 변용'의 관계를 구성하는 것도 같은 맥락에서이다. 서양 대 일본의 대립항이 일본 대 한국의 대립항으로 전화되었을 뿐, 양국의 '국사'는 동일한 문법 체계 위에 구축된 것이다. 요컨대 팽팽하게 대립하는 일본의 '국사'와 한국의 '국사'는 유럽 중심의 세계사에 편입되고자 하는 동아시아의 욕망을 공유하고 있었던 것이다. 그렇다면 '비판과 연대를 위한 동아시아 역사포럼'이 시도하는 '국사'의 비판적 해체 작업은 일국적 차원에서 그치는 것이 아니라, 개별 국민국가-동아시아-유럽 세계로 이어지는 '국사'의 대연쇄를 드러내서 해체하는 작업일 수밖에 없는 것

連続インタビュー

歴史認識

韓国編①

漢陽大教授　林 志弦さん

「国民の歴史」

政治に振り回されず　検証の枠組み変換を

イム・ジヒョン。59年生まれ。東欧史、なかでもポーランド史が専門。西江大大学院修了。韓国語の著作に『ワルシャワから送る手紙』『民族主義は反逆だ』『理念の中身』など。

© 朝日新聞社　無断複製転載を禁じます。
すべての内容は日本の著作権法並びに国際条約により保護されています。

동아시아의 맥락에서 '국사' 패러다임에 대한 비판의 의미를 묻는 『아사히신문』 인터뷰 기사, 2006년 5월 10일자.

이다.

'비판과 연대를 위한 동아시아 역사포럼'이 개별 국민국가는 물론 동아시아의 지평을 넘어 세계사의 차원으로까지 비판의 전망을 확대해야 한다는 것은 자명했다. 그럴 때 '역사포럼'의 비판 작업은 개별 국민국가에서 '유럽연합'이라는 더 큰 정치/지리적 단위로 '국사'의 패러다임을 확장한 데 불과한 통합 유럽사의 한계를 극복할 수 있을 것이었다. '역사포럼'이 지향하는 성찰적 동아시아 역사상은 통합 유럽사를 모방하려는 욕망이 아니라 그것의 한계를 넘어서야 한다는 것은 우리 모두에게 분명한 것이었다. 유럽연합 프로젝트 '국사를 넘어서'의 공동대표였던 스테판 버거의 초청으로 2004년 5월 카디프에서 열린 동 프로젝트 출범 학술대회에서 나는 동아시아 역사포럼의 경험에 비추어 이러한 취지의 발표를 했다. 국사 패러다임의 전 지구적 연쇄고리 속에서 '동양'과 '서양'이 어떻게 같이 만들어지고 서로를 규정했는지를 밝히고, 결국 비유럽 지역의 '국사'는 서구중심주의의 사생아라는 점을 지적했다. 이 글은 스테판 버거 등이 편집한 『민족을 서술하다(Narrating the Nation)』(Berghahn, 2008)에 실렸는데, 프로젝트 핵심 멤버로 당시 대회에 참석했던 포르치아니Ilaria Porciani의 제안으로 『과거와 현재(Passato e Presente)』(2005)에 먼저 이탈리아어 버전이 게재되었다. '역사포럼'의 성과가 반영된 글이었다.

현실은 글보다 훨씬 냉정했다. 통합 유럽사를 넘어서는 것은 고사하고, 우선은 한국의 '국사'를 넘어서는 것도 힘에 벅찬 과제임이 분명해졌다. 일본에서 귀국 직후 '역사포럼'의 한국위원회를 구성하는 일에 착수했지만, 처음부터 난항이었다. 유럽사 전공자들 중에는 민족주의 역사학에 대해서 비판적이고 '국사'의 패러다임에 대해 문제를 제기하는 연구자들이 몇 있었지만, 한국사 전공자들 중에서 뜻을 같이하는 연구자들을 찾는 것이 문제였다. 한국 문학만 해도 김철, 황종연 선생 등이 이미 같은 트랙에서 움직이고 있었지만, 한국사는 달랐다. 다행히 『역사비평』의 편집위원 시절부터 알고 지내던 윤해동 형이 '역사포럼'의 취지에 적극적으로 찬성하고 도면회, 배성준, 윤선태 등 하나둘씩 주변의 한국사 전공자들의 이해를 구함으로써, 부족한 대로 한국위원회가 출범하게 되었다.

한국사 영역에서 젊은 '민중사' 연구자들은 '국사' 패러다임에 대해 비판적 시각을 갖고 있지 않겠는가 하고 막연히 짐작했지만, 생각만큼 간단한 문제는 아니었다. 여전히 많은 연구자들이 민족주의의 자장에 끌려갔고, '민족모순과 계급모순의 변증법적 접합'이라는 1980년대의 공식에 매몰되어 있었다. 한반도의 역사적 조건 속에서 그 공식은 곧 마르크스주의 역사학과 민족주의 역사학의 모순된 조합을 의미하는 것이었다. 마르크스주의 역사학이 유물론적 철학을 공유하는 실증주의와 결합하고 오히려 관념적인 민족주의 역사학과는 대척점에 놓였던 폴란드의 역사 서술 전통과는 많이 달라서 조금 의아하기도 했다. 실제로 1930년대 식민지 조선의 마르크스주의 역사학 선구자들이 민족주의의 관념론적 역사관에 대해 던진 날선 비판을 보면, 마르크스주의와 민족주의 역사학이 일종의 지적 동맹을 맺어 왔다는 한국 사학사의 상식은 재고할 필요가 있다.

한편 근대를 넘어서는 인식론의 관점에서 보면, 그것은 곧 계급본질주의와 민족본질주의의 결합을 의미했다. 곁가지를 치고 보면, 1980년대 한국의 진보 역사학은 곧 계급본질주의와 민족본질주의의 이론적 동맹 속에서 '국사'의 틀을 '진보적으로' 재구축하는 이론적 무기였다. '민중사(people's history)'가 민족주의적 서사를 고급 정치의 영역에서 일상생활의 영역으로 끌어내림으로써 결국 체제에 포섭되고 말았다는 영국의 '역사작업장(history workshop)' 역사가들의 냉철한 자기비판은 아직 먼 나라의 일이었다. 나는 「'근대'의 담 밖에서 역사 읽기: 20세기 한국 역사학과 '근대'의 신화」(2000)에서 19세기 말 이래 한국의 근대 역사학을 이끌어 온 힘은 '사실'·'민족'·'민중'이라는 세 개의 신화였으며, 상황에 따라 서로 충돌하고 결합했던 이 세 개의 신화가 계몽적 이성의 근대적 기획을 정당화하는 주요 기제라고 주장했다. "역사란 무엇인가"라는 질문 대신 "누구의 역사인가"라는 질문으로 대체하고 탈근대적 관점에 서서 실증사학, 민족주의 사학, 마르크스주의 사학을 비판한 것이었다.

어쨌든 박환무, 윤해동 등의 도움으로 간신히 한국위원회를 구성하기는 했지만, 구성원들 간에 이론적 편차가 심했고 그러다 보니 프로젝트에 대한 생각들도 제각각이었다. 1980년대 진보적 학술운동을 통해 민중사학의 세례를 받은 한국사 전공자들은 포스트콜로니얼리즘이나 섭얼턴 연구의 문제의식 앞에서 아직 주저했으며, 마르크스의 서구 중심적 발전단계론에 기대어 있는 한국의 자주적 근대론 혹은 내재적 발전론은 자명한 기본명제였다. 여기에서 파생된 식민지 수탈론에 내재된 민족주의적 명분은 여전히 거부하기 힘든 전제였다. 식민지의 역사적 무게가 그만큼 큰 탓이었다. 제국과 식민지라는 역사적 경험 및 인식의 차이는, '역사포럼'이 아직 공식적으로 출범을 선언하기 이전에 첫 번째 큰 위기를 불러왔다.

일본 측에서 미야지마 히로시宮嶋博史 선생을 위원으로 위촉하자, 한국사 전공의 한국위원들이 '식민지 근대화론자'라는 세간의 평가를 이유로 난색을 표명한 것이다. 한국 측의 반발에 대해 일본 측에서는 '식민지 수탈론'과 '식민지 근대화론'의 이분법 정도를 극복하지 못하면서 어떻게 '역사포럼'을 끌고 나갈 수 있냐며 다시 강력하게 반발했다. '역사포럼'은 시작하기도 전에 좌초될 위기에 빠졌던 것이다. 몇몇이 머리를 맞대고 고민 끝에 한국위원회의 3차 공개세미나에서 '식민지 근대화론'과 '수탈론'의 이항대립을 뒤집어 읽는 발표를 기획하고 한국사 전공자들을 설득함으로써 겨우 위기를 넘길 수 있었다. 일본의 사학사 동향을 잘 꿰고 있고, 일본의 근대 역사학과 한국의 근대 역사학이 얽혀 있는 복잡한 관계를 설득력 있게 제시한 박환무 형의 역할이 컸다. 훗날 미야지마 선생에 대한 한국사 연구자들의 오해는 풀렸지만, 지금 생각해도 진땀이 나는 광경이다.

그전에 이미 『역사비평』 편집회의에서도 비슷한 사례가 있었다. 당시 성균관대학의 이영훈 선생이 일본총독부의 '토지조사사업'에 대한 논문을 기고해서 논란이 된 적이 있다. '토지조사사업'이 식민지 조선에서 근대적 토지 소유관계가 확립되는 계기였다는 것이 주요 논지였는데, 식민지 근대화론이라는 다른 편집위원들의 반발이 컸다.

그러나 나는 인도의 목가적 공동체를 해체하고 자본주의의 물적 토대를 이식한 영국 식민주의의 역사적 역할에 대한 마르크스의 주장을 인용하면서 게재를 관철시켰다. 마르크스도 어느 선까지는 식민지 근대화론자였던 것이다. 이는 인도의 마르크스주의자들이 아직까지도 가장 당혹해 하는 부분인데, 마르크스의 인도론에 대한 비판적 시각이야말로 오늘날의 섭얼턴 연구를 낳은 자양분이 아니었나 싶다. 지금까지도 식민지 수탈론과 근대화론은 역사적 진술의 영역에서 팽팽하게 맞서고 있지만, '근대'를 지고의 가치로 삼는 역사관을 문제화한다면 생각보다 쉽게 풀릴 수 있는 대립이 아닌가 한다.

역사포럼의 일본위원회 구성을 둘러싼 이 작은 갈등은 단순한 에피소드 이상의 의미를 지닌다. 우리의 카운터파트는 더 이상 '식민주의의 죄의식(colonial guilt)' 때문에 일본의 민족주의는 신랄하게 비판하면서 구식민지 조선 반도의 민족주의에 대해서는 한없이 관대한 일본 구좌파 지식인이 아니었다. 일본의 민족주의뿐 아니라 조선의 민족주의에 대해서도 조심스럽게 비판의 각을 세우는 일본과 재일 지식인이 참여함으로써, '역사포럼'이 지향하는 동아시아 연대는 기존의 한·일 연대와는 결이 달랐다. 물론 일본의 양심적 지식인들이 느끼는 식민주의적 죄의식에 담긴 소박한 선의를 무시하는 것은 아니다. 문제는 식민주의적 죄의식에 담긴 선의 그 자체가 아니라 그것이 굴절되어 관철되고 작동하는 메커니즘인 것이다. 프랑스의 68세대들이 간파했듯이, "지옥으로 가는 길은 선의로 포장되어 있는 것이다."

그 선의에도 불구하고, 식민주의적 죄의식은 은연중에 제국주의의 후예인 일본인 전체를 '집합적 유죄'로 간주하고, 식민지의 후예인 조선인 전체를 '집합적 무죄'로 간주한다. 결과적으로 자신을 일본 국민 혹은 민족공동체와 일체화하는 정체성의 정치에서 벗어나지 못하는 것이다. 따라서 일본의 민족주의에 대한 이들의 비판은 그 자체로 이미 내셔널리즘의 논리에 포박되었다는 점에서 한계가 있을 수밖에 없다. 또 전후 동아시아 민족주의의 '적대적 공범관계'를 놓고 보면, 일본의 민족주의를 비판하는 데 공동전선을 결성해 온 일본의 좌파 지식인과 한국의 민족주의 지식인들 간의 양심적 신성동맹도 문제이다. 이 신성동맹은 남과 북을 막론한 한반도의 민족주의를 도덕적으로 정당화하고, 이 도덕적 정당성은 다시 민족주의의 적대적 공범관계를 통해 일본 열도의 민족주의를 정치적으로 정당화하는 것이다.

기존의 한·일 지식인 연대가 그 정치적 선의에도 불구하고, 오히려 민족주의의 '적대적 공범관계'를 강화하는 데 기여했다면 그 신성동맹은 해체되어야 했다. 제국과 식민지라는 역사적 경험의 비대칭성으로 한국 민족주의만 일방적으로 정당화해서는 곤란한 것이었다. 이 갈등을 겪으면서, '역사포럼'의 우산 아래 모인 연구자들은 동아시아 민족주의의 '적대적 공범관계'를 드러내고 해체한다는 문제의식을 재확인하기에 이르렀다. 시민사회의 역사의식을 민족주의적으로 규율하는 숨은 이데올로기적 지배 장치들을 드러내서 해체하자는 데에도 다시 합의가 이루어졌다. 지배 담론으로서의 민족주의를 생산-유통-소비하는 사이클의 핵심에는 '국사'의 패러다임이 있다는, 따라서 '국사'의 해체는 시민사회에 '내면화된 강제'로서의 헤게모니를 해체하는 것이라는 판단에도 이견은 없었다.

비단 성찰적 동아시아 역사상의 구축이라는 차원을 넘어 동아시아 민족주의의 '적대적 공범관계'의 고리를 끊어 버린다는 점에서, '역사포럼'은 기존의 신성동맹과는 다른 한·일 지식인 연대를 추구하고자 했다. 그러나 막상 공동 작업이 시작되자 예기치 않게 크고 작은 어려움에 많은 진통을 겪어야 했다. 한국 측은 한국 측대로 민족주의를 정면으로 비판한다는 작업이 주는 부담감이 컸고, 일본 측은 일본 측대로 제국주의의 원죄의식 때문에 부담스러워 했다. 동아시아 역사포럼에서 느끼곤 했던 긴장은 폴란드나 유럽의 역사가들과 만날 때는 전혀 느끼지 못한 새로운 형태의 것이었다. 과거가 얽혀 있는 상대와 공동 작업을 한다는 게 얼마나 어려운 것인지 새삼 깨달았다. 그러다 어느 순간 서로에 대한 신뢰를 확인할 수 있었다. 상대를 배려하지만 눈치를 보지 않고, 상호비판이 예리할수록 서로에 대한 신뢰도 더 단단해지는 걸 느끼기 시작했다.

2001년 9월 2일부터 4일까지 서울의 아카데미하우스에서 열린 '비판과 연대를 위한 동아시아 역사포럼 제1차 워크숍'은 바로 이러한 노력의 결과였다. 1차 워크숍은 원래 기획했던 주제인 '동아시아의 근대' 대신 한·중·일의 역사교과서 분석을 주제로 개최되었다. 2001년 5월 방한한 고지마 기요시와 이성시 선생이 한국 측 위원들과 만나 의견을 조율하는 과정에서 후쇼사판 『새 역사교과서』가 동아시아에 몰고 온 파장에 대해 '역사포럼'이 어떤 형식으로든 대처하고 자신의 목소리를 내는 것이 절실하다는 결론에 도달했기 때문이다. 이

2001년 9월 비판과 연대를 위한 동아시아 역사포럼 제1차 워크숍 장면. 포럼 취지문을 읽는 내 왼편에 미야지마 히로시 교수(당시 도쿄 대학), 오른편에 이성시 교수(와세다 대학)와 문부식 주간(『당대비평』)의 모습이 보인다.

워크숍에서는 지수걸이 한국의 국정 '국사' 교과서를, 김한규가 중국의 '국정' 역사교과서를 그리고 이성시가 한국과 일본 역사교과서의 고대사 서술 부분을 비판적으로 분석하고, 이와사키 미노루岩崎稔가 후쇼사판『새 공민교과서』를 날카롭게 파헤쳤다.

1차 워크숍은 일본의『새 역사교과서』를 일방적으로 성토하는 차원을 넘어, 한국의 국정 '국사' 교과서와 중국의 역사교과서 역시 국가·민족 중심의 서술 코드를 공유한다는 점에서 크게 다를 바 없다는 자기반성을 제출했다는 점에서 한국에서의 기존 비판과는 성격을 달리하는 것이었다. 한국의 국정 '국사' 교과서의 역사 서술은 역사적 진리이고『새 역사교과서』의 서술은 사실의 왜곡이라 주장하는 기존의 비판은 역사의 구성주의를 배제하는 나이브한 실증주의적 인식론도 문제지만, 더 중요하게는 서로 다른 두 개의 역사 해석이 공유하고 있는 민족주의의 인식론적 코드를 은연중에 정당화하고 있었다.『새 역사교과서』를 만든 수정주의 역사가들에게 한국의 국정 '국사' 교과서를 본받으라고 촉구한『산케이신문』의 도발적 사설 앞에서 일본 교과서에 대한 한국사 연구자들의 실증적 비판은 무력할 수밖에 없다.

조국과 민족에 대한 사랑을 아무 거리낌 없이 강조하고 수미일관 '민족'을 집단적 역사 주체로 설정한 한국의 교과서는 옳고 그보다 훨씬 온건하게 민족사관을 피력한『새 역사교과서』는 틀렸다는 비판은 설득력이 약했다. 나는 두 적대적 교과서가 공유하는 서사적 특징으로 국민/민족이라는 집합적 주체의 소환, 인위적 국경을 자연지

고토 니치분켄에서 열린 한일 트랜스내셔널 인문학 워크숍 뒤풀이에서. 윤상인(비교문학),
이나가 시게미(비교문화학), 이성시(동아시아사), 박환무(일본사), 쓰보이 히데토(일본문학) 등
의 면면이 보인다.

리로 만드는 '지리적 신체', 민족본질주의, 기원주의, 시대착오주의 등을 열거하고 그것을 '민족주의적 현상학(nationalist phenomenology)'이라고 이름 붙였다. 일본의 『새 역사교과서』 집필진들에게 한국의 국정교과서를 본받으라고 촉구한 『산케이신문』의 사설은 두 적대적인 국사교과서들이 공유하는 인식론적 코드를 무심코 드러낸 것이었다. 이 이야기에 대해 『산케이신문』이 악의적으로 야유를 보낸 것이라거나 심지어는 농담을 한 것이라는 일부 한국사 연구자들의 반응에는 경악하지 않을 수 없었다. 다른 무엇보다 이들은 지적으로 너무 게으르다는 생각이 들었고, 그것은 지금도 지울 길이 없다.

'역사포럼'의 워크숍이 의도한 것은 『새 역사교과서』의 구체적인 역사 서술 부분에 대한 비판을 넘어 그것이 기대고 있는 인식론적 논리에 대한 근원적인 비판이었다. 중국의 '국정' 역사교과서에 대한 김한규 교수의 분석이 보여주듯이, 현재 중화인민공화국의 영토를 중국사의 공간적 범주로 규정하는 중국의 교과서와 한민족의 역사적 활동 공간을 한국사의 공간적 범주로 간주하는 한국 교과서의 대비는 고구려사의 국가적 귀속을 둘러싼 한국과 중국의 역사논쟁을 사실상 예견하는 것이었다. 근대 국민국가의 '국경' 개념을 고구려라는 먼 과거에 적용하여 서로 자신의 것으로 만들고 과거에 대한 근대 국민국가의 전유를 정당화하는 논리는 결국 민족주의적 역사 서술과 '국사'의 패러다임에 대한 비판이 전제될 때, 설 자리를 잃어버리는 것이다. 그러므로 '역사포럼'의 1차 워크숍은 사실상 국사의 인식론을 공유하는 동아시아 역사논쟁에 대한 '비판의 무기'를 마련한 것이기도 했다.

천신만고 끝에 1차 워크숍이 성공적으로 마무리되자, 동아시아의 근대를 다양한 각도에서 조명하는 2차, 3차, 4차 워크숍은 스스로의 동력을 창출하면서 무난히 굴러갔다. 여전히 크고 작은 우여곡절들이 있었지만, 서로에 대한 신뢰가 축적되는 것을 가슴으로 확인할 수 있었다. 워크숍의 비공개 방식을 벗어나 2003년 8월 21일 서울에서 개최한 공개토론회 "국사의 해체를 향하여"는 바로 그러한 신뢰가 축적되었기에 가능한 것이었다. 공개토론회는 '역사포럼'에서 발표된 연구 성과들을 모아 막 휴머니스트에서 출판된 『국사의 신화를 넘어서』 (2004)의 서평회를 겸한 것이었는데, 그것이 한국 사회에 준 지적·문화적 충격은 이 토론회를 준비한 한국위원회의 기대를 훨씬 넘어서는 것이었다. 몇몇 주요 일간지가 이 토론회의 취지에 동의하는 사설을 실었을 뿐만 아니라, 그 후에도 '국사'에 대한 우리의 문제의식에 공명하는 저널리스트들의 기명 칼럼들이 나왔다. 2004년 이와나미 서점에서 이 책의 일본어판 『식민지 근대의 관점: 조선과 일본(植民地近代の視座: 朝鮮と日本)』을 간행함으로써 '역사포럼'은 일단 그동안의 작업을 마무리했다.

그러나 역사포럼이 채 막을 내리기도 전 한국위원회 내부에서 균열이 일어났다. 이영훈 선생이 식민지 근대화론을 중심으로 정치 세력화된 뉴라이트 진영에 가입하면서, 봉합되기 어려운 차이가 드러난 것이다. 이 균열은 흔히 말하는 대로 좌파와 우파, 진보와 보수의 차이에서 비롯된 측면도 없지는 않지만, 그런 정치적 진영론을 넘어 더 근원적인 인식론의 차이가 낳은 것이었다. '근대'를 넘어서야 할 문제로 보는 입장과 '근대'는 지향해야 하는 목표라고 보는 입장 사이의 차이는 조율한다고 해서 좁혀질 수 있는 것은 아니었다. "여기 와서 임 선생만 만나면 왜 이렇게 근대가 복잡하지"라는 이영훈 선생의 반문이 잘 상징해 주는바 그대로였다. 역사가로서 자기 사회에 대한 고민이나 자료에 대한 성실성, 학문에 대한 열정 등에서 이영훈 선생을 존경하고 그래서 역사포럼에 모셔 왔지만, '근대'에 대한 입장 차이 때문에 각자 서로의 길을 갈 수밖에 없지 않았나 싶다.

청년 이영훈이 마르크시즘으로 경도된 것도 '근대'라는 목표 때문이었고, 초로의 이영훈이 뉴라이트로 선회한 것도 사회주의보다는 자본주의가 '근대'라는 목표를 달성하는 데 효과적이라는 생각 때문이었을 것이다. 남한의 새마을 운동이 북한의 천리마 운동에 이긴 것이다. 1980년대를 풍미한 가장 급진적인 마르크스주의 노동운동가에서 보수정당의 정치인으로 변신한 김문수 전 경기도지사의 '전향'도 같은 맥락에서 이해할 수 있을 것이다. 이 과정에서 김문수 지사와 이영훈 교수의 서울대 경제학과 스승인 안병직 교수의 중진자본주의론이 이론적 선도 역할을 했으리라는 것은 능히 짐작할 수 있다. 마르크스주의가 '노동해방'의 이데올로기에서 선진국을 따라잡기 위해 노동을 동원하는 후진국 근대화론의 이데올로기로 변질된 20세기 마르크스주의의 역사를 보면, 이들의 전향은 별반 새삼스러울 것도 없다. 후진국 근대화론을 여전히 밑바닥에 깔고 있다는 점에서, 전향이라고 하기도 어렵다는 게 내 생각이다. 미완성의 근대 운운하며 근대의 완성을 목표로 하는 후진국 근대화론을 공유하면서도 마르크스주의를 고수하는 그룹에 비하면, 이들은 오히려 논리적으로 더 정직하다는 게 내 생각이다. 이들에 대해서는 '근대'에 대한 생각이 너무 나이브했다는 비판이 더 적절하지 않은가 싶다.

'역사포럼'과는 별도로 2001년 10월부터는 휴머니스트 출판사의 대담 시리즈 중의 하나로 코넬 대학의 사카이 나오키 선생과의 대담이 진행됐다. 대담집은 '제국의 오만과 식민지의 편견'이라는 뜻에서 제인 오스틴을 패러디해 『오만과 편견』(2003)이라는 제목을 붙였다. 2003년까지 2년이 넘게 한국과 일본, 미국을 오가며 진행된 이 대담은 민족, 인종, 국가, 성, 계급의 경계 위에 축조된 '근대'의 다섯 가지 장벽을 어떻게 해체할 것인가 하는 문제의식을 나름대로 담고 있었다. 이 대담을 통해 나는 참으로 많은 것을 배웠다. 대담에 임한 우리의 자세는 한국 대 일본 지식인이 아니라, 동유럽을 전공하는 역사가 대 동아시아를 문제화하는 문화이론가의 구도였다. 2년 이상 진행된 대담을 통해 나는 현상학적 후기구조주의와 포스트콜로니얼리즘을 잇는 이론적 경지에 도달한 사카이 나오키 선생으로부터 고도로 추상화된 이론적 세례를 받았고, 그 덕분에 역사 현실에 대한 역사가로서의 내 문제의식은 훨씬 더 첨예하고 정교해졌다.

아직 잔설이 능선 곳곳에 남아 있는 2003년 4월 이타카에 있는 사카이 나오키의 집 부엌에서 에필로그를 같이 쓸 때의 일이다. 이제는 다 끝났다는 안도감에 위스키를 마시다가 그가 문득 말했다. 만약 일본에 계속 있었다면 자기는 미쳤거나 자살했거나 둘 중의 하나였을 거라면서……. 나도 어찌됐든 '서양사'라는 학문으로 분류되어 있기 때문에 상대적으로 자유로웠던 게 아니냐고 되물었다. 아마도 그랬는지 모르겠다. 일본 위스키는 목 넘김이 너무 부드러워 싫다는 이 못 말리는 급진적 해체론자는 항상 든든한 우정의 버팀목이 되어 주었다. 가장 최근인 2016년 여름에는, 내가 서강으로 이직하면서 고아 신세가 된 '트랜스내셔널 인문대학 비행대학'을 코넬 대학에 초치하여 크게 한 짐을 덜어 주기도 했다. 아직까지 한 번도 제대로 고맙다는 말을 할 기회가 없었던 듯하다. 사카이 나오키 선생께도 이 자리를 빌려 깊이 감사드린다. 태평양을 건너야 하는 먼 거리 때문에 그가 '역사포럼'에 참가하지 못한 것은 두고두고 아쉽다.

11

일상적 파시즘

Doing
History

1999년 늦봄이 아니었나 싶다. 연구실로 한 통의 전화가 걸려 왔다. 원고 청탁 전화였다. 상대방은 수화기 저편에서 『당대비평』의 문부식 주간이라고 자신을 소개했다. 지금은 폐간됐지만 당시 민음사에서 간행하던 『현대사상』의 1998년 특별 증간호에서 내 글을 읽고 전화하는 것이라 했다. 「이념의 진보성과 삶의 보수성」이라는 글이었다. 이 글에서 나는 한국 진보주의의 역사적 성격을 급진적 이론과 전근대적 에토스의 모순에서 구하고, 이 모순을 해소하지 않는 한 한국 진보주의의 비전은 없다고 진단했다. 볼셰비키 혁명부터 베를린 장벽의 붕괴에 이르기까지 현실사회주의에 대한 나름대로의 진단을 한국 현실에 던져 본 것인데, 오랜 관성으로 구조화된 일상을 어떻게 바꿀 것인가라는 물음이 나름대로는 절실했다. 볼셰비즘의 최대주의에 빗대 '민중민주파(PD)'의 관념적 급진주의를 언급하기도 했지만, 주된 표적은 '우리식 사회주의'라는 슬로건 아래 주체사상의 수령론과 억압적 동원 체제를 정당화하는 '주사파(NL)'였다.

　문부식 주간의 청탁 전화는 그래서 의외였다. 광주학살을 묵인한 데 대한 항의 표시로 부산 미문화원을 방화하고 사형선고까지 받았던 문부식은 1980년대 남한에서 반미반제 투쟁의 상징이었고, 주사파의 정신적 지주였다. 적어도 나는 그렇게 생각했다. 그런데 통화가 길어졌다. 일면식도 없었지만 나는 그에게 한국 사회는 업그레이드된 68혁명이 필요한 게 아닌가 하는 문제의식에 대해 이야기했고, 우리 두 사람을 포함해서 누구라도 일상의 보수성에 대한 반성에서 자유로운 사람은 없지 않겠냐고 했다. 이야기 끝에 나는 그의 원고 청탁을 거절했다. 그에게 '주사파'의 혐의를 거는 진영론의 논리도 작동했지만, 학기 중이라 너무 바쁘기도 했기 때문이다. 그래도 전직 사형수로 죽을 뻔했던 그에게 죽음의 위협 없이 잘 살아남은 자로서의 미안함 같은 것이 마음 한 곁에 있었다. 원고 청탁은 거절하지만, 바쁜 일 지나고 술 한잔 하자고 했던 모양이다. 어쨌든 역사에 실존을 건 사람에 대한 예의는 차려야 하지 않겠는가.

달포쯤 지나서 술자리가 만들어졌다. 평소 우리 둘 다를 잘 알고 지낸 한양대 국제대학원의 문흥호 교수가 자리를 같이해서 첫 대면의 어색함이 조금 덜했다. 문부식 주간과 나는 같은 나이였는데, 같은 시간대의 경험을 공유한다는 점도 거리를 좁히는 데 크게 기여했다. 그날 첫 만남에서 문부식에 대한 편견이 많이 깨졌다. 나도 모르게 '주사파'의 스테레오타입 안에 그를 가두어 놓았던 것이다. 그는 주사파 운동가라기보다는 여리고 감수성 예민한 문학청년 같았다. 우리는 많은 이야기를 나누었는데, 1970년대 이후 한국의 민족문학과 민중문학에 대한 생각이 비슷해서 놀랐던 기억이 난다. 아마도 그에 대한 편견이 깨지는 단초가 아니었나 싶다. 나중에 인간적으로 가까워진 후에야 들은 바지만, 그가 주인공으로 나오는 북한의 TV 드라마 이야기는 더 흥미롭다. 자기는 인간적인 약점도 많고 여리고 주저하는 문학청년 스타일인데, 북한의 TV 드라마에 나오는 문부식은 『강철은 어떻게 단련되었는가』의 주인공처럼 강철 같은 의지의 단호하고 흔들림 없는 반미반제 운동의 남한 청년혁명가로 그려지고 있다며 그는 쓸쓸하게 말했다. 그날 우리는 꽤 늦게까지 술잔을 기울였고, 문 주간에 대한 편견이 미안했던 나는 덜컥 『당대비평』의 편집위원 제의를 수락했던 모양이다.

『당대비평』 시대는 그렇게 시작됐다. 술자리의 여운이 가시기도 전에 득달같이 문부식 주간과 문학평론가 손경목 형이 왕십리의 연구실로 와서 간이 편집회의가 열렸다. 1999년 6월의 일인데 나는 여름방학을 이용해 자료 조사차 폴란드로 떠나기 직전이었다. 앞서 언급했던, 2000년 8월 오슬로 세계역사학대회에서의 발표 준비를 위해 폴란드의 당 역사학의 역사에 대한 자료 조사가 시급했던 것이다. 여느 계간지처럼 편집회의에서 가장 중요한 것은 역시 특집의 주제를 잡는 것이었는데, 문 주간과 만나는 계기가 된 내 에세이 「이념의 진보성과 삶의 보수성」의 문제의식을 확대 발전시켜서 특집을 만들어 보면 어떻겠는가 하는 데 이야기의 초점이 맞추어졌다. 이야기 끝에 '우리 안의 파시즘'이라는 특집의 제목과 의제를 설정했다. 가을호 마감이 시급해 나는 폴란드에 가서 권두 에세이를 작성해 보내기로 하고, 여성이나 종교, 군사주의, 예술 등 다른 여러 분야에 걸쳐서 문제의식을 공유하는 논문이나 에세이는 서울에 남아 있는 문 주간과 손경목 형이 필자를 섭외해서 부랴부랴 특집을 꾸미기로 했다.

바르샤바에서는 낮엔 옛날 당 중앙위 역사위원회 소속 자료실에서 폴란드 당 역사학에 대한 자료를 읽고, 밤엔『당대비평』의 권두에세이를 어떻게 쓸 것인지 고민하며 빡빡한 시간을 보냈다. 바르샤바에 가면 주로 구시가의 광장 한 모퉁이에 있는 과학아카데미 소속 역사연구소의 게스트 룸을 애용하는 편인데, 분위기가 각별하기 때문이다. 특히 여름에는 아침부터 폴란드는 물론 러시아나 우크라이나 등에서 온 온갖 예술가들이 길모퉁이에서 노상연주회를 열고, 노천카페들이 구시가 광장에 우후죽순처럼 생겨나 연구소의 출입문만 열고 나가면 한두 걸음 만에 바로 구시가의 축제 인파 속에 섞일 수 있었다. 때때로 축제는 연구소 맨 꼭대기 층 게스트 룸 블록에서도 이어졌다. 총 다섯 개의 게스트 룸 숙박객들은 샤워실과 부엌/식당을 공유하는 구조였는데, 손님이라야 전부 체코나 우크라이나, 혹은 폴란드 지방도시에서 온 역사가들이어서 우리는 쉽게 어울렸다. 아침부터 보드카를 권했던 우크라이나 르부프의 고고학연구소 소장은 조금 예외적이었고, 대개는 저녁때 같이 한잔씩 하며 아카이브 정보도 교환하고 폴란드 역사학계의 가십도 이야기하면서 시간을 보내기도 했다. 그러나 이번에는 역사연구소 꼭대기 층의 사교 생활과는 약간 거리를 두어야만 했다.

그동안 서울에서는 문 주간 등의 결사적 노력에 힘입어 권혁범, 김은실, 김기중, 박노자 등이 '우리 안의 파시즘' 특집의 필자로 참가하게 되었다. 권혁범이 "내 몸 속의 반공주의 회로와 권력"이라는 글

속에서 일반적인 한국인들에게 반공주의가 얼마나 깊이 각인되었는가를 드러냈다면, 김기중 변호사는 정부가 주민등록증 경신을 고지한 지 불과 2개월 사이에 2,500만 명의 성인들이 자발적으로 동사무소에 들러 지문날인을 한 사실에 '절망'하고 주민등록제를 전체주의적 법질서의 토대라고 일갈했다. 훗날 그가 주도해서 만든 다큐멘터리 〈주민등록증을 찢어라!〉(2001)는 병영국가의 동원 체제에 스스럼없이 동화된 일상을 더 생생하게 보여주기도 했다. 김은실은 여성의 몸이 근대화 프로젝트 속에 어떻게 배치되고 가부장제에 종속되는가를 설득력 있게 제시했고, 권인숙은 자신의 경험과 인터뷰를 통해 1980년대 민주화운동 내부에 자리 잡은 남성 중심적 섹시즘과 가부장주의를 적나라하게 드러냈다. 나중에는 사회적 위계를 끊임없이 재생산하는 일상 언어에 대한 김근의 분석, 개발주의 근대화와 맥을 같이하는 한국 교회의 승리주의에 대한 김진호의 비판, 한국 현대 건축 양식과 군사주의, 외국인 노동자 차별 등에 대한 전진삼, 박노자, 유명기 등의 글이 더해져 '우리 안의 파시즘'은 두 차례에 걸쳐 특집으로 나갔다.

서울에서의 편집 작업에 대한 소식을 들으면서 나는 내 에세이를 진행시켰다. 별반 주저하지 않고 "일상적 파시즘의 코드 읽기"라는 제목을 잡았다. 1990년대 내내 폴란드에서 현실사회주의의 부조리한 잔재와 날마다 부딪치면서 나는 '왜'라는 물음을 몸에 달고 다녔다. 사회구조 전반에 근원적인 변화를 가져온 볼셰비키 혁명에도 불구하고, 결국 혁명을 왜곡시키고 스탈린주의로 귀결시킨 구체제의 관성들이

나는 늘 궁금했다. 린 헌트Lynn Hunt의 『프랑스 혁명의 가족 로망스』를 비롯한 새로운 문화사 연구들이 날카롭게 지적했듯이, 프랑스 혁명의 정치적 급진주의 안에 내장된 문화적 보수주의는 볼셰비키 혁명에도 그대로 적용될 수 있다는 게 내 생각이었다. 정치권력을 장악한 자코뱅은 인권선언의 '남자(l'homme)'를 '여자(la femme)'로 대체하자는 올랭프 드 구주Olympe de Gouges 부인과 '국민(la nation)'을 '인류(le genre humain)'로 바꾸어 쓰고자 했던 아나카르시스 클로츠Anacharsis Cloots를 처형했다. 두 사람에 대한 처형은 여성과 외국인을 '비국민'으로 배제하겠다는 의지의 표현이었다.

항상 프랑스 혁명을 기준으로 자신을 판단했던 볼셰비키들은 자코뱅의 한계까지 재현했다. 에이젠슈타인Sergei Eisenstein은 혁명 10주년을 기념하여 만든 영화 〈10월〉에서 여성 대대의 여자 병사들을 도덕적으로 타락한 집단으로 희화화함으로써, 여성과 타락을 동일시하는 제정 러시아의 성 담론을 재현했다. 또 혁명문학에서 자주 등장하는 부르주아 외국 문화의 영향으로 타락한 여성에 대한 묘사에서는 남성 국수주의와 외국인 혐오증이 교묘하게 결합되어 배치되었다. 사회주의를 40년 이상 겪은 프라하의 결혼상담소에 "페미니즘에 오염되지 않은 신붓감이 많다"는 광고 플래카드가 버젓이 나붙고, 프롤레타리아 연대가 남성 노동자와 여성 노동자의 위계적 성적 분업을 슬금슬금 감추고, 노동자가 주인인 사회주의 국가에서 반공주의 지식인들이 프롤레타리아 당의 억압으로부터 노동자들을 보호하고, 인민의 군대가 노동자들의 파업을 분쇄하고, 동원된 노동자들은 다시 학생들의 반란을 진압하는 이 전도된 사회주의를 낳은 혁명을 도대체 어떻게 설명할 것인가는 1990년대 나를 사로잡은 의제 중의 하나였다.

스탈린에게 모든 책임을 돌리는 환원주의적 해석은 도덕적으로 위안이야 되겠지만 역사가로서 받아들일 수 있는 설명 방식은 아니었다. 많은 질문들이 맴돌았고, 질문은 다시 질문을 낳았다. 혁명의 변화조차 그렇게 제한되어 있다면, 세상은 도대체 변하기는 하는 것인가? 세상은 어떨 때 변하는가? 혁명보다 더 큰 변화가 있는가? 혁명보다 더 혁명적인 것은 무엇인가? 어느 변화가 더 중요하고 어느 변화가 더 사소한가? 그러한 변화의 징후들은 어떻게 읽을 수 있는가? 1990년대부터 품고 있었던 이 질문들에 대해서는 아직도 명쾌한 답을 갖고 있지는 못하지만, 그 이래로 역사가로서의 내 연구와 고민은 여러 각도에서 이 질문들을 되새겨 보고 그에 대한 답을 찾는 과정이었다.

『당대비평』의 특집 '우리 안의 파시즘'의 권두 에세이인 「일상적 파시즘의 코드 읽기」는 역사가로서 품고 있던 이러한 질문들을 한국 사회에 던지고, 그에 대한 답을 같이 찾아보자는 제안이었다. 나는 아직도 이에 대한 명확한 답을 갖고 있지는 못하다. 답은 없이 질문만 계속 늘어나는 중인데, 그래도 답을 찾는다면 "모든 죽은 세대들의 전통이 악몽과도 같이 살아 있는 사람들의 머리를 짓누른다"는 마르크스의 통찰에서 그 실마리를 구할 수 있다고 생각한다. 프랑스혁명과 나폴레옹의 이상이 나폴레옹의 조카이자 허영심뿐인 정치적 야심가 루이 보나파르트의 반동으로 귀결되는 과정을 분석하면서 보여준 마르크스의 통찰은 여전히 오싹하다. 나는 「일상적 파시즘의 코드 읽기」에서 사회구조와 경제체제, 법과 제도, 정당과 사회적 조직 원리 등의 민주적 변화가 반드시 민주주의를 보장하지는 않는다고 썼다.

우리의 일상과 의식을 옭아매고 있는 한국 사회의 파시즘적 결이 바뀌지 않는 한, 1990년대의 민주화는 제한적일 수밖에 없다는 게 내 생각이었다. 체제나 제도 혹은 이념의 픽션에 현혹되지 않고, 우리의 의식과 일상적 삶의 심층에 깊이 들어와 내면화되고 구조화된 권력의 코드를 읽고 해체하자는 제안이었다. 그것은 권력과의 싸움에서 정치 영역에만 머물렀던 전선의 외연을 일상적 삶의 영역으로까지 확대하겠다는 의지의 표현이었다. 그 글의 결론을 그대로 인용하면 이렇다: "혹은 전통의 이름으로 혹은 민족의 이름으로 아니면 민중의 이름으로 우리의 일상생활 속에 깊이 뿌리내린 일상적 파시즘을 고사시키지 않는 한, 진정한 변혁은 불가능하다. 독재 권력을 타도하는 싸움에 그친다면, 그것은 혁명이 아니다. 수직적인 '지배'의 아비투스를 '우애'의 아비투스로 대체하는 것, 그것이 혁명이다."

이 글은 많은 논란을 불러일으켰다. 나로서는 지극히 상식적인 문제라고 생각했는데, 의외였다. 정치적 파시즘의 문제를 덮어 버리는 근본주의 또는 진보허무주의라는 비판도 있었고, 심지어는 일상적 파시즘론이 모든 것을 에티켓의 문제로 환원시켜 결과적으로 극우와 '내통'하는 논리라는 지적까지 나왔다. 일상적 파시즘론의 실천적 함의가 빗자루로 자기 집 앞 쓸기 운동 같은 것으로 귀결된다는 지적까지 나왔던 것으로 기억된다. 『민족주의는 반역이다』에 대해서 불편을 느꼈던 사람들까지 차제에 들고 일어섰다. 특히 이른바 민족 좌파 진영의 목소리가 컸던 것 같다. 엉뚱하게는 파시즘을 전공한 서양사 전공자가 혀 꼬부라진 소리로 무슨 말도 안 되는 소리냐고 시비를 건 경우도 있다. 나중에 그 친구는 '대중독재' 연구팀에 합류해서 중요한 역할을 하게 되지만, 당시만 해도 못 알아들을 소리였던 모양이다. 그 친구에게 내가 거는 혐의는 읽지 않고 떠들었을 가능성이다.

실제로 많은 비판들이 에세이의 내용 중에서 구체적인 논점이나 맥락을 지적해서 논리적으로 잘잘못을 따지기보다는 다분히 인상적인 비판이 많았다. 글의 내용보다는 사람들의 전언이나 신문기사 등등에서 받은 인상으로 비판들이 제기되는 경우도 많았다. 그렇다고 이들에게 "당신, 읽어 봤냐"고 따질 수도 없는 노릇이니 인상 비판만큼 반박하기 어려운 비판도 없다. 그런데 이 와중에서 흥미로운 사실을 하나 발견했다. '우리 안의 파시즘' 특집이 가장 부담을 느낀 집단은 1980년대 민주화운동의 주도 세력이고, '일상적 파시즘'에 대해 가장 크게 공감하는 그룹은 운동의 핵심은 아니지만 운동의 동조 세력이라는 점이다. 운동 현장에 안테나가 예민한 문부식 주간이 파악한 특징인데, 구체적인 통계가 있는 것은 아니다.

그럼에도 주변의 반응을 일별해 보면, 문 주간의 판단은 상당히 설득력이 있었다. 아무래도 회의주의자들은 운동의 동력이 떨어지기 마련이고, 순간순간 긴박한 상황에서 운동을 이끌어 가는 활동가들에게는 회의주의보다는 다소간의 나이브함이 더 큰 덕목인 것이다.

자신의 일상 속에 들어와 있는 파시즘적 코드를 읽기 위해서는 우선은 자신을 되돌아보는 시간과 여유가 필요했을 것이다. 전후 폴란드의 대표적 반체제 인사로 민주사회주의의 경향을 대변하고 연대노조 이래 폴란드 민주화의 상징이었던 야체크 쿠론을 다시 인용하면, 운동의 현장에서는 나이브한 자들이 회의주의자들을 이기기 마련인 것이다. 그러나 나이브한 실천의 힘은 정치권력의 교체와 제도적 민주화 이후에는 회의주의의 세례를 거쳐 자기 성찰의 계기를 마련할 때, 정치권력과 사회제도뿐만 아니라 삶을 생산하고 소비하는 일상적 실천의 차원에서 민주주의를 밀고 나아갈 수 있는 것이다. 무엇보다 그것은 프랑스 혁명과 2월 혁명 등 19세기의 사회혁명, 볼셰비키 혁명과 반식민주의 민족혁명, 그리고 68혁명이 우리에게 제시해 주는 어젠다가 아닌가 한다.

'일상적 파시즘'에 대한 성찰이 1980년대에는 불가능한 요구일 수 있지만, 정치적 민주화 이후의 1990년대에도 지나친 요구였다고는 생각지 않는다. '일상적 파시즘'이 의도한 바는 나쁜 권력, 나쁜 구조, 나쁜 제도와의 싸움을 부정하는 것이 아니라 거기에서 싸움이 멈춰서는 안 된다는 것이었다. 이는 일상을 지배하는 아비투스를 어떻게 변화시킬 것인가 하는 일상에 대한 전복적 상상력을 촉구하는 것이기도 했다. 현실사회주의의 파산은 좋은 헤게모니를 가진 우리가 나쁜 헤게모니를 몰아내고 권력을 쟁취하여 구조와 제도를 바꾸면 사회가 변화된다는 볼셰비키적 혁명 전략의 한계를 분명히 드러낸 것이기도 했다. 1990년대 한국의 경우에도 정치적 민주화가 진전되면

2012년 5월 알프 뤼트케와 괴팅겐의 일요시장을 걸으며. 뤼트케는 '일상사'의 개척자로 일상
적 파시즘의 문제의식과 가장 잘 닿는 연구자이다.

서, 나이브한 자가 회의주의자에게 이길 수밖에 없는 운동의 특성은 문제를 드러내기 시작했다. 학생운동권의 군사주의와 서열주의, 잇단 운동 명망가들의 성추행과 가정폭력, 기성 사회의 남성 중심적 접대 문화와 별반 다르지 않은 운동권의 음주 문화 등이 신문의 사회면을 장식하기 시작한 것이다.

그러나 '일상적 파시즘'이 실존과 사상의 엄격한 일치를 요구했다고 생각한다면 그것은 도덕주의와 일상적 파시즘을 혼돈한 것이 아닌가 한다. 예컨대 '강남 좌파'에 대한 도덕주의적 비판은 일상적 파시즘과 별로 상관이 없다. 그렇게 본다면 로자 룩셈부르크만 한 '강남 좌파'도 없을 것이다. 일상의 의식주를 해결하는 데 로자의 취향은 '강남 좌파'는 물론 그 어떤 '강남 우파'와 비교해도 떨어지지 않았다. 옷은 단순하면서도 고급을 선호했고, 가구와 그림, 그릇 등 일상의 소품들도 로자의 엄격한 취향에 시달렸다. 귀한 손님을 초대하면, 무리를 해서라고 캐비어와 샴페인을 대접했다. 그렇다고 경제적 여유가 있었던 것도 아니다. 사랑하는 연인 요기헤스에게 보낸 편지에서 자주 돈 이야기가 나오듯이, 경제적으로는 항상 궁핍했다. 로자 룩셈부르크의 이처럼 섬세한 내면은 외길의 사회주의 혁명투사라는 고정관념에 갇혀 있는 도덕주의자들에게는 다소 당혹스러운 모습일 수도 있겠다. 그런데 역설적이지만, 존재론적 고민과 사회적 고민을 한데 껴안은 혁명가의 진솔한 초상을 엿볼 수 있는 것도 이 모순에서이다.

일상적 파시즘의 관점에서 로자 룩셈부르크를 읽는다면 오히려 카우츠키나 베른슈타인Eudard Bernstein 등 독일 사민당 지도부의 가부장주의에 대한 비판이 주목된다. 절친한 친구인 루이제 카우츠키에게 자주 카를 카우츠키에 대한 모반을 선동했듯이, 룩셈부르크는 사민당 지도부는 물론 일반 당원들이 독일 여성을 가두어 놓았던 전통적인 3K 의식 — Kinder(아이들), Kirche(교회), Küche(부엌) — 에서 별반 멀리 떨어져 있지 않다는 점을 예리하게 간파했다. 그러면서도 로자 룩셈부르크는 정작 자신의 연인인 요기헤스에게는 1905년 러시아 혁명 이후 헤어질 때까지 이해하기 힘들 정도로 종속적인 태도를 취했다. 노동자들의 자발성과 창의성을 질식시키는 레닌의 '중앙집중제'에 대한 거침없는 비판도 같은 맥락에서 주목된다. 혁명을 지도한다는 태도는 혁명을 질식시키는 것이나 진배없다는 룩셈부르크의 혜안에는 동의하지 않을 수 없다. 그러나 정작 '폴란드왕국 및 리투아니아 사회민주당' 내부의 반대파에 대한 로자 룩셈부르크의 태도는 '중앙집중제'를 강변했던 레닌과 크게 다를 바 없기도 했다.

굳이 말하자면, 거의 모든 역사적 인물에게서 발견되는 이러한 모순을 개인의 도덕문제로 환원시키기보다는 일상을 지배하는 권력의 헤게모니적 효과 혹은 규율권력의 문제로 대상화하자는 것이 일상적 파시즘의 입장이다. 한국에서의 설왕설래와는 대조적으로 도쿄 외국어대학에서는 2002년 2월 '아래로부터의 파시즘'이라는 제목 아래 '일상적 파시즘'에 대한 쟁점토론회를 개최했다. 그것은 아마도 글로벌리제이션의 폭력을 가시화시키는 워크숍 시리즈의 일환이었던 것으로 기억하는데, 일본의 경우에는 '총력전 체제'에 대한 반성과 맞물린 측면이 있었다. 코넬 대학의 일본사 연구자로 동 대학 출판부에서 간행된 『총력전과 근대화(Total War and 'Modernization')』(1998)의 공동편집자 빅터 코쉬만J. Victor Koschmann이 워크숍에 참석해 일상적 파시즘의 문제제기가 어떻게 총력전 체제에 대한 자신들의 문제의식과 맞닿아 있는지를 설명했다. 일본의 전후 민주주의나 복지국가 체제는 총력전 체제 당시의 사회통합 시스템의 연장선 위에 있다는 그의 해석은 충분히 흥미롭고 고무적이었다. 이때쯤이면 나는 이미 '대중독재'를 향해 나아가고 있었던 것이다.

12

대중독재

Doing
History

18대 대통령 선거가 끝난 지 얼마 안 된 2013년 1월 초였다. 몸도 마음도 추운 겨울의 한복판이었는데, 느닷없이 인터뷰를 요청하는 전화가 한 통 걸려 왔다. 수화기 저편에서는 민주노동당의 기관지격인『민중의소리』정치부장이라고 자신을 소개하는 목소리가 흘러나왔다. 전혀 뜻밖이었다. 민주노동당의 주류인 민족주의적 좌파 그룹은 나와는 정치적 입장도 많이 다르거니와 사유나 인식의 준거 틀은 그야말로 대척점에 있는 집단이었다. 20세기 말부터 불과 2~3년 사이에 '민족주의는 반역이다'부터 '일상적 파시즘'을 거쳐 '대중독재'에 이르기까지 우리는 첨예하게 대립했다. 그러니 왜 갑자기 나와 인터뷰를 하자고 하는지 궁금하지 않을 수 없었다. 당연히 '왜'냐고 물었던 것 같은데, 그의 답변은 분명했다. '대중독재'론이 아니면 17대 이명박 대통령에 이어 18대 박근혜 대통령의 당선을 설명할 길이 없다는 것이었다. 그러면서 이미 많은 기자들한테 인터뷰 요청을 받지 않았냐며 되물었다. 이명박 씨는 박정희 대통령 덕에 현대건설 정주영 회장의 총애를 받아 초고속 승진을 한 인물이고, 박근혜 당선인은 박정희 대통령의 '영애'로 둘 다 박정희의 사람이었으니 그럴 만도 했다.

이명박 대통령이 이데올로기적으로 박정희를 대변하는 인물이었다면, 박근혜 대통령은 혈통으로 박정희를 계승했다. 두 사람이 정치적 음모나 쿠데타, 정변을 통해서 권좌에 올랐다면, 독재에 대한 일반적인 이미지와 잘 맞아떨어졌을 것이다. 그러나 이들은 선거라는 민주적 절차를 통해서 당선됐다. 국민 다수가 그들을 대통령으로 선택한 것이다. 과정에서 공정하지 않은 부분도 있었겠지만, '재야' 일부에서 관성적으로 주장한 것처럼 선거를 무효화시킬 정도의 부정이 있었는지는 모르겠다. 선거 과정의 시시비비를 떠나서, 유권자의 다수가 도대체 왜 유신독재의 이데올로기적·생물학적 계승자들에게 한 번도 아니고 연이어서 표를 던졌는지 그리고 그 표의 의미는 무엇인지를 물어야 하는 시점이었다. 한 가지는 확실했다. 1987년 6월 항쟁 이후 '기억의 정치'가 집요하게 '독재 청산'을 물고 늘어졌지만, 독재의 유산은 청산되기는커녕 두 번의 대선을 통해 화려하게 부활한 것이다.

박근혜 대통령의 당선이 '대중독재'에 대한 관심을 환기시키는 것을 보고는 여러 생각이 떠올랐다. '대중독재'의 아이디어가 나오게 된 계기도 김대중 정권의 '박정희 기념관' 프로젝트를 비판하는 과정에서였는데 다시 박근혜 대통령의 당선이 그에 대한 관심을 되살렸다고 생각하니, 착잡했다. 10여 년 전 '대중독재'를 둘러싼 첨예한 논쟁 당시 나는 내 이야기가 틀렸다는 걸 역사가 입증하면 차라리 더 행복하겠다고 쓴 적이 있는데, 불행히도 '대중독재'는 한국 현대사의 엄연한 현실이 아니었나 싶다. 20세기도 아닌 21세기에, 억압적 선거가 아닌 민주적 선거에서, 더구나 한 번도 아니고 두 번씩이나 박정희의 사상적 자식과 생물학적 자식이 대통령으로 당선된 이 현실은 당혹감을 넘어 무력감을 안겨 주었다. 헤겔이 이야기한 '이성의 간계' 같기도 하고, '비극'의 역사가 되풀이될 때는 '소극笑劇'으로 끝난다는 마르크스의 카산드라적 예언이 생각나기도 했다.

시작은 1999년이었다. 그해에 김대중 정부는 돌연 '박정희 기념관' 건립 프로젝트를 발표해서 사람들을 아연케 했다. 다 알다시피 김대중 대통령은 유신독재 시절 한국 민주주의의 대중적 아이콘으로 유신시대부터 1980년대 전두환 정권에 이르기까지 정치적 박해를 온몸으로 견디어 낸 정치인이었다. 그러기에 개인적으로 박정희를 용서하고 화해하겠다는 그의 의사는 존중되어야 마땅하고 또 그것은 도덕적 용기의 발로라고 평가될 수도 있다. 그러나 박정희 기념관 프로젝트는 개인적 용서와는 다른 사안이었다. 그것은 박정희에 대한 역사적 평가 그리고 무엇보다도 박정희와 그의 시대에 대한 사회적 기억의 문제와 직결되는 문제를 개인적 용서와 화해의 차원에서 풀 수 있다고 생각했다면, 그것은 김대중 대통령의 판단 미스거나 오만이었다.

1999년 10월 역사문제연구소를 중심으로 박정희 기념관 프로젝트를 비판하는 소장 역사가들의 세미나가 급히 꾸려졌다. 많은 한국현대사 연구자들이 도덕적 측면에서 박정희의 전기적 문제들을 제기했고, 나도 토론자로 참가하여 박정희의 근대화 프로젝트를 '시장스탈린주의'라고 비판했다. 문제는 그 다음이었다. 우리는, 혹은 적어도 나는, 이 세미나가 끝나면 한국의 시민사회가 일제히 들고일어나 박정희 기념관 프로젝트에 반대하는 우리에게 동조하고 그것을 비판할 거라 기대했다. 그러나 현실은 정반대였다. 보수 언론은 물론 이른바 진보적인 언론조차 세미나에 대한 관심은 없었고, 각종 여론조사는 시간이 갈수록 박정희 시대에 대한 한국 사회의 향수가 더 커진다는 것을 뚜렷하게 보여주었다. 심지어 서울의 한 유수한 사립대학 학보가 재학생들을 대상으로 한 여론조사는 박정희 대통령을 복제하고픈 역사적 인물 1위로 올려놓았다. 도대체 무엇이 문제인가?

문제는 그들이 아니라 내가 아닐까 하는 생각이 들기 시작했다. 대학생으로 내가 경험한 유신 체제는 끔찍한 억압 체제였다. 캠퍼스 내에는 정보과 형사들이 상주했고, 신촌 지역을 관할하는 중앙정보부 직원이 할당되기도 했다. 긴급조치 하에서 집회와 결사의 자유는 철저하게 억압되었고, 사상의 자유는 발 뻗고 누울 자리가 없었다. 일반 언론은 물론 대학 언론조차 촘촘하게 짜인 검열망을 벗어나지 못했다. 대학 내 어용 학생조직인 '학도호국단'에 대한 비판조차 체제에 대한 비판과 동일시되어 침묵을 강요당했다. 내 친구 하나는 막걸리 집에서 박정희 작사·작곡인 〈나의 조국〉을 패러디한 노래를 불렀다는 이유로 긴급조치 위반으로 구속된 적도 있다. 대학이라는 제한된 공간에서의 내 경험에 비추어 보면 국가 폭력이 구조화되고 일상화되었던 유신 체제를 억압적이라고 느끼지 못했다면 이상한 일이었다.

그러나 1999년 박정희 기념관 프로젝트를 둘러싼 기억의 정치가 작동되는 과정을 지켜보면서 나는 새로운 질문들에 휩싸였다. 대학이라는 특권적 환경에 제한된 내 경험을 내가 너무 특권화하고 일반화한 것은 아닌가? 내 경험이 유신 체제를 살아낸 동시대 한국인들의 경험과 공유하는 부분은 얼마나 될까? 공산주의를 악마화하는 이데올로기에 공감하고 '조국 근대화'가 가져온 물질적 혜택을 누릴 수 있었던 보통사람들에게도 박정희 체제는 끔찍하게 억압적인 체제였을까? 막걸리 보안법 같은 예외적인 경우를 제외한다면, 그들이 정보과 형사나 중앙정보부 요원 같은 억압 기구의 톱니바퀴들과 조우하는 빈도는 얼마나 자주였을까? 국가권력의 테러와 억압이 소수자에게 집중되고, 그 소수자들이 다수로부터 금 밖의 사람들로 규정되어 소외되었다면 그 소수자에 대한 테러를 받아들이는 다수의 태도는 어땠을까? 등등의 의문들이 꼬리를 물었다. 옆의 친구들은 정권의 선전 효과라거나 사람들이 여론조사에서 농담처럼 답한 게 아니겠냐며 가볍게 넘겼지만, 내 감은 그렇지 않았다. 그러나 생각은 여전히 막연한 질문 수준에 머무르고 별 진전이 없었다.

그러다가 앞서 언급한 '마르크스주의 역사 서술' 패널 참가차 2000년 1월 시카고에서 열린 미국역사학대회에 갔다. 대회가 끝나 갈 무렵 출판사들의 책 부스를 둘러보다, 우연히 한 책에 눈길이 갔다. 포츠담의 현대사연구센터(Zentrum für die Zeitgeschichtefroschung) 소장이자 노스캐롤라이나 대학 사학과 교수인 야라우쉬Konrad H. Jarausch가 편집한 『경험으로서의 독재(Dictatorship as Experience)』(Berghahn Books, 1999)라는 책이었다. 동독의 공산주의 독재에 대한 사회-문화사 연구논문들을 모은 이 책은 동독의 독재 체제를 전형적인 근대적 현상으로 보고, 통상적인 억압 차원을 넘어서 사회주의적 통치성이나 권력의 정통성 문제 등 독재에 대한 새로운 시각을 제시하고 있었

2016년 6월 포츠담 현대사연구소의 서평 포럼 장면.

다. 특히 야라우쉬가 제시한 '복지독재(welfare dictatorship)'나 자브로 Martin Sabrow의 '합의독재(consensus dictatorship)' 개념 등은 단연 눈길을 끌었다. 박정희 기념관과 기억의 정치가 내게 새로운 화두를 던져 준 1999년에 막 발간된 이 책은 여러모로 시사적이었다. 마치 큰 원군을 얻은 기분이었다.

현장에서 바로 책을 사서 귀국길의 비행기 안에서 읽기 시작했다. 전혀 다른 역사적 경험을 다루고 있지만, 박정희 시대에 대한 내 막연한 질문들에 대한 답을 얻은 기분이었다. 그러고 보니 폴란드에서 수년 전에 사 놓기만 하고 읽지 않은 책이 한 권 떠올랐다. 『희생자인가, 공범자인가?(Ofiary czy Współwinni)』(1997)라는 아주 도발적인 제목의 책이었다. 폴란드 시민사회의 역사의식에 대한 분석을 통해 현실사회주의 당시 권력과 인민의 관계를 다룬 역사학과 사회학 논문을 모은 책이었는데, 베를린 장벽의 붕괴 이후 희생자의식을 바탕으로 구성된 폴란드 민족주의의 순교자적 역사 서술을 비판하는 관점이 눈에 띄었다. 내게는 독재에 대한 새로운 연구 경향이 대두하고 있음을 알리는 신호처럼 읽혀졌다. 냉전 시기 독재에 대한 연구는 기본적으로 '악마론'의 시각에서 자유롭지 못했다. 보수 우파에게 북한의 김일성 체제나 동유럽의 현실사회주의가 악마였다면, 전통 좌파에게는 남한의 유신독재나 나치즘, 파시즘 등이 악마였다. 이들은 상반되는 정치적 입장에도 불구하고, 상대방의 사악한 권력이 선량한 민중을 억압한다는 인식론을 공유했다.

귀국하자 곧 나는 「파시즘의 진지전과 '합의독재'」라는 에세이를 써서 『당대비평』 12호(2000년 가을)에 게재했다. 20세기 독재가 민중의 동의 아래 구성된 '밑으로부터의 파시즘'이었다는 이 글은 많은 논란을 낳았다. 조국 근대화의 기치 아래 마구잡이로 인권을 유린했던 개발독재의 주역들은 물론이고 광주민주항쟁의 학살 주역들에 대한 사법적 처리가 유야무야된 상황에서, 독재 체제에 대한 대중의 동의라는 발상 자체가 이미 개발독재를 정당화하는 논리로 곡해되기도 했다. 독재 권력 대신 왜 민중을 욕하느냐는 반발에서부터 독재의 책임을 민중에게 뒤집어씌워 독재자들에게 면죄부를 발부하는 극우적 논리라는 비판까지 다양한 비판들이 난무했다. 보수 신문에도 기고하는 반동적 지식인이기 때문에 그럴 줄 알았다는 식의 일차원적 환원론도 큰 목소리를 냈다. 민중은 선량한 희생자이거나 올곧은 투사여야 한다는 '숭고한 민중주의'의 관점에서 보면, 독재 권력에 동의를 보낸 민중이란 신성모독죄에 해당하는 것이었다. '즉자적 계급'에서 '대자적 계급'으로 발전해 가는 마르크스주의적 민중론의 관점에서도 독재를 지지하는 민중이란 결코 상상할 수도 없는 것이었다.

개발독재의 긴 터널을 벗어나 이제 막 민주주의를 향해 첫발을 내딛은 한국의 지식사회에서 대중독재의 문제제기는 정서적으로 받아들이기 힘든 면도 있었을 것이다. 현대 중국을 전공한 한 좌파 지식인은 모택동이나 김일성에게 '대중독재'를 적용하는 것은 괜찮지만, 히틀러나 무솔리니, 박정희를 '대중독재'라 평가하는 것은 아무래도 받아들이기 힘들다고 토로한 바 있다. 취중진담이었는데, 그와 같은 냉전적 진영론은 이해할 만했다. 냉전의 담장 위에 서서 안과 밖을 같이 볼 때, 냉전적 진영론의 모습은 더 잘 드러난다. 현실사회주의에 대한 폴란드 민중의 동의와 공범자적 역할을 논할 때 폴란드의 반공 우파 진영이 격렬하게 반발하는 모습과 박정희 체제를 '대중독재'라 고 했을 때 한국 좌파 진영이 격한 감정으로 반응하는 모습은 놀랄 만큼 유사했다. 냉전의 진영론에서 벗어나 탈냉전적 사유의 하나로 '대중독재'론을 제시할 수 있었던 것은, 현실사회주의 폴란드와 반공 개발독재 한국이라는 트랜스내셔널한 역사 공간에서 내 문제의식이 움직였기 때문이 아닌가 한다.

그러나 2000년 당시에는 논쟁을 확산시킬 수 없었다. 그 에세이는 문제제기 수준이었을 뿐 내 스스로 독재에 대한 연구가 많이 부족했 던 것이다. 다른 연구 스케줄이 빡빡하게 잡혀 있기도 했지만, 설혹 여력이 있다고 해도 다양한 20세기 독재 체제를 혼자 힘으로 섭렵하 고 비교한다는 것은 거의 불가능한 일이었다. 언어의 장벽도 컸지만, 나치즘이나 스탈린주의 어느 한 주제를 잡아 평생 과제로 삼아도 벅 찰 정도로 많은 연구가 축적되어 있었던 것이다. 전문가들로 구성된 공동연구만이 유일한 가능성이었다. 때마침 파시즘, 나치즘, 프랑코 체제, 비시프랑스, 스탈린주의 등에 대한 연구로 박사학위를 받은 소 장 서양사 연구자들이 속속 귀국하여 학계로 진출하기 시작했고, 나 는 이들을 규합해 2001년 가을 구 학술진흥재단에 공동연구를 신청 했다. 내가 연구계획서의 총론 집필을 맡아서 '대중독재'라는 타이틀 을 내놓았고, 김용우, 고 김승렬, 황보영조, 이종훈 등이 각각 파시즘, 나치즘, 프랑코 체제, 스탈린주의 등의 개별 항목에 대해서 썼다. 그러나 첫해 이 연구계획서로는 연구비를 받는 데 실패했다. '대중독재'라는 연구 주제는 학술진흥재단에서 구획한 심사 분야의 어디에도 해당되지 않아 기타 분야로 분류되어 뒷방 신세가 되었다는 후문이다.

다음 해에는 이를 거울삼아 나치즘, 파시즘, 스탈린주의 등등의 독재 체제들을 열거하고 그에 대한 비교연구라는 장황한 타이틀의 연구계획서를 제출해서 겨우 통과됐다. '대중독재'라는 용어는 연구계획서의 본문에서만 사용하고 제목에서는 아예 빼 버렸다. 기본적인 논지는 탈냉전의 관점에서 우파의 전체주의론이든 좌파의 독점금융자본주의론이든 기존의 독재 연구가 가진 악마론적 코드를 비판하고, 새로운 대안으로 '대중독재'를 제시하는 것이었다. '대중독재'의 모순어법은 기존의 대조어법이 의거했던 권력과 민중, 억압과 순응, 동의와 저항, 독재와 민주주의 등의 이항 대립적 회로 판을 넘어 근대 권력의 헤게모니적 복합성을 이해하기 위한 방편이었다. 그러나 무엇보다도 먼저 프로젝트에 참여한 소장 연구자들을 설득시키는 것이 급선무였다. 이런저런 이유로 참가하기는 했지만, 아직까지 이들에게서 어떤 학문적 이니셔티브를 기대하기는 힘들었다.

첨예한 논쟁의 흐름을 어느 정도 알고 있으니, 막 커리어를 시작하는 소장 연구자들로서는 부담이 컸을 것이다. 옳고 그름을 떠나 '대중독재'는 안전한 테제가 아니었다. 개인적 성향이라 차치할 수도 있지만, 나로서는 조금 답답했다. 연구자라면 논리의 극단까지 밀고 나아가고 그 극단의 끝에서 부딪칠 때 의견의 조율을 시도하는 게 마땅하다는 게 평소의 내 생각이다. 정책을 펼치는 관료라면 '안전한'

길을 택하는 것이 타당하겠지만, 인문학 연구자에게 '안전 빵'이란 창의성을 죽이는 지름길인 것이다. '주류'를 따르는 것이 항상 안정적인 인간관계를 가져오는 것도 아니다. 사람이란 묘해서 자신을 따르는 사람은 편한 대신 오히려 무시하기 십상이고, 자신에게 반대하는 사람들은 불편해 하는 대신 존중하는 경우가 많다. 지도교수와 박사과정생의 관계도 그렇고 기성학자와 소장학자의 관계에서는 더욱 그러하다. 소장 연구자들에게 늘 눈치 보지 말고 자기 목소리를 내라고 강조하는 것도 그런 이유에서이다. 반가운 소식도 있었다. '일상적 파시즘' 논쟁 때만 해도 회의적 방관자였던 김용우 박사가 파시즘에 대한 최근의 연구 동향을 보니 '동의 학파(school of consent)'가 새로운 흐름으로 부각되고 있다며, 힘을 보탰다. 비슷한 생각들이 멀리 떨어진 곳에서 나온다는 것만으로도 힘이 됐다.

막상 공동연구가 시작되니 보통 일이 아니었다. 연구책임자인 나부터 참여한 연구원들 모두가 본격적인 공동연구의 경험이 전무했다. 주변의 공동연구팀들이 참여자들에게 1년에 논문 한 편씩 쓰게 하고 그것을 묶어서 제출하면 공동연구라는 식으로 운영했고, 그런 방침이 기준이 된 듯했다. 나는 참여자들에게 공동연구에 대한 더 많은 책임을 요구했고, 당연히 갈등도 있었다. 공공 연구기금에 대한 막중한 책임감을 느끼지 못한다면, 연구자의 도덕적 해이라고 생각했다. 도덕적 해이는 은행이나 공공기관에만 있는 것이 아니었다. '대중독재' 연구팀의 경우는 아니지만, 소극적 차원의 도덕적 해이는 대학의 일상에서 비일비재했다. 학교에서 행정적인 도움도 기대하기 힘들었다. 그야말로 맨땅에 헤딩하는 식으로 팀이 굴러갔다. 통상적으로는 일주일에 한 번 연구진 세미나를 통해 문제의식을 가다듬고 연구원들 각자 자신이 맡은 분야의 전문 지식을 발표하고 모두가 공유하는 기회를 가졌다. 마지못해 참석은 하지만 아주 좁은 자기의 전공 이외 분야에 대해서는 관심 없는 사람들도 간혹 있었는데 거기까지는 어쩔 수 없었다. 지적 호기심이 없는 인문학 연구자는 자신의 존재 의의를 부정하는 부류인데, 별 도리가 없었다.

'대중독재' 공동연구가 시작되자 통상적인 연구진 세미나와는 별도로 국제학술대회를 기획했다. 학술대회 시놉시스를 직접 작성해서 친구인 스테판 버거에게 보내 스타일 교정을 부탁했다. 그렇게 해서 완성된 시놉시스를 독재 연구의 전문가들에게 보냈다. 위에서 언급한 포츠담 현대사연구센터의 콘라드 야라우쉬, 마틴 자브로, 지금은 훔볼트 대학의 나치즘 강좌교수지만 당시에는 함부르크 사회사연구소의 연구원으로 있던 미하엘 빌트Michael Wildt, 우크라이나의 크라프첸코Volodymyr Kravchenko, 폴란드의 소볼레프스카Katarzyna Sobolewska, 러시아의 골루비예프Aleksandr Golubev 등이 참가했다. 예산이 넉넉지 않아 이른바 '서구'의 역사가들에게는 자국에서 여행 경비를 신청해 달라고 정중히 부탁하고, 그럴 형편이 안 되는 동유럽 연구자들에게는 전액 여행 경비를 부담한다는 원칙을 세웠다. 참으로 무모할뿐더러 해외의 동료 선배 연구자들에게 예의를 갖추지 못한 일이었지만, 친구인 스테판 버거는 물론 야라우쉬 같은 사계의 권위자들도 따뜻하게 사정을 이해해 주었다. 이들의 따뜻한 이해가 없었다면, 국제학술대회는 성사되지 못했거나 아니면 반쪽짜리로 그쳐 버렸을 것이다.

또 중간에서 재독교포 이유재의 도움도 컸다. 초등학교 이래 독일에서 교육받은 그는 당시 역사 전공 박사과정 학생으로 위르겐 코카Jürgen Kocka, 알프 뤼트케, 제바스티안 콘라트Sebastian Conrad 등 국제적으로 쟁쟁한 연구자들의 연구조교를 지낸 바 있다. 독일어가 모국어나 다름없는 그가 현지에서 독일 측 연구자들을 직접 접촉하고 참가를 설득하기도 했다. 국제학술대회에 관한 한, 그는 일등공신이었다. 수년 전 튀빙겐 대학교 한국학과의 주임교수로 부임한 이래 동 대학의 한국학을 비약적으로 발전시킨 그의 탁월한 역량은 이미 그때부터 입증된 바였다. 우여곡절 끝에 2003년 10월 23일부터 26일까지 한양대학교에서 제1차 대중독재 국제학술대회를 개최했다. 지금이야 편하게 이야기할 수 있지만, 당시에는 교통편과 숙박, 음식 등에 이르기까지 모든 세세한 사항들에 대한 판단이 어려워 힘들었던 기억이 난다. 인문학 특히 역사학 분야에서 국제학술대회는 거의 전무했기 때문에 노하우를 가르쳐 줄 사람도 없었고 물을 사람도 없었다. 내가 가진 그 알량한 경험만으로는 어림도 없었다.

그러나 무엇보다 가장 큰 문제는 영어였다. 참여연구원들이 서양사 연구자들이라 영어책을 읽는 데는 익숙했지만, 독일, 이탈리아, 러시아, 스페인, 프랑스 등에서 공부한 친구들이라 영어 발표의 경험이 전무했다. 내 영어가 특별히 뛰어나지도 않았지만, 토론 과정에서 한국 측 참가자들의 끝을 알 수 없는 침묵은 참으로 난감했다. 아이디어도 여기에서 나오고 판도 여기에서 벌였는데, 주인 없는 잔치가 되어 버린 게 아닌가 하는 아쉬움이 컸다. 지금도 그 생각에는 변함이 없지만, 반드시 영어만의 문제는 아니었다. 학술토론에서는 말이 말을 하는 게 아니라, 생각이 말을 하는 것이다. 말은 생각을 따라오기 마련이며, 말이 어눌해도 자신만의 생각이 분명하다면 국내든 국제든 어디서도 충분히 통할 수 있는 것이다. 문제는 자신만의 독창적 생각과 그것을 자신 있게 이야기하는 태도가 아닌가 한다. 영어도 유창하면 좋겠지만, 우선은 자기 자신의 문제의식과 그것을 추상화하고 형상화할 수 있는 능력이 가장 중요한 것이다.

더 어이없는 일도 있었다. '대중독재' 연구팀에 속한 한 연구자가 야라우쉬한테 어떻게 멀리 한국까지 어려운 발걸음을 했냐고 물은 것이다. 야라우쉬는 학술대회 취지문과 개요를 읽고 흥미로워서 자신의 연구비를 일부 쓰면서까지 왔다고 답했던 모양이다. 아마도 고무되어서였겠지만, 그 이야기를 내게 전하면서 그 친구는 우리 연구의 의미가 정말 큰 것 같다고 부언했던 기억이 생생하다. 그 친구는 기뻐서 한 얘기지만, 나는 그 얘기를 듣고 기쁘기보다는 맥이 빠졌다. 물론 세계적인 대가의 큰 이름에 기대고 싶은 것은 인지상정이겠지만, 자기 사회의 문제와 대결하면서 만들어진 이론이나 가설의 의미보다는 서양의 대가의 평가에 더 큰 의미를 부여하는 의식의 식민성 같은 것을 강하게 느꼈기 때문이다. 그 친구만의 문제는 아니라고 생각한다. 실제로 그 친구는 서구의 유수 대학에서 훌륭한 박사논문을 마치고 귀국한 상태였으며 그 후에도 수준 높은 연구 업적들을 쌓아 학계의 중진교수가 되었다.

그러니 문제는 영민하고 능력 있는 인문학 연구자들의 의식을 식민화하는 한국 학계의 왜곡된 생태계와 재생산 구조일 것이다. 수년 전 내한하여 비판이론을 강연한 하버마스에게 한국 통일의 가능성을 묻는 천박한 지적 식민주의가 조롱거리가 되기도 했지만, 한국 인문·사회과학계의 식민성은 생각보다 뿌리가 넓고 깊게 뻗쳐 있다. 몇 년 전 우연히 귀국한 지 얼마 안 된 정치학 전공의 젊은 조교수와 학교 식당에서 합석했을 때의 일이다. 화제가 독재에 대한 이야기로 흘렀는데, 그가 불현듯 외국의 저명한 학자가 만들어 냈다는 '대중독재'라는 개념에 대해 이야기했다. 그 사람 이름을 아냐고 물었더니 기억이 나지 않는다고 했다. 이야기가 더 오고가자 나중에 그는 얼굴을 붉히며 인사도 하는 둥 마는 둥 황급히 떠났다.

민족주의 논쟁 과정에서 단일민족으로서의 한국 민족의 고유성을 강조하는 논자들이 홉스봄을 자주 인용하는 사례도 흥미롭기 짝이 없다. 홉스봄 같은 대가까지도 한민족의 특수성은 인정하는데, 네가 뭐라고 감히 시비를 거냐는 뉘앙스이다. 홉스봄이 『1780년 이후의 민족과 민족주의』에서 한민족의 인종적 동질성과 영속적 성격을 극히 예외적인 예라고 주장한 것은 분명하다. 내가 묻고 싶은 것은 그 근거이다. 동아시아에 대해 문외한이고 한국어 자료도 읽을 수 없는 홉스봄이 어떻게 세계사에 유례가 없는 한민족의 인종적 동질성과 영속성을 알게 되었을까? 그 주된 소스는 홉스봄의 세미나에 참가하는 한국 유학생들이거나 영어로 번역된 주류 한국 학계의 전형적인 민족주의적 서사였을 것이다. 그러니 자기 이야기도 홉스봄을 통해서 나오면 더 정당성을 부여하는 꼴이다. 의식의 식민성에 갇혀 있는 이 한국 민족주의자들을 계속 민족주의자라고 불러야 할지 모르겠다.

여하튼 많은 문제점들을 드러냈지만 오히려 그 때문에라도 '대중독재' 제1차 학술대회는 여러모로 소중한 계기였다. "강제와 동의 사이에서"라는 제목으로 열린 이 학술대회는 연구사적 검토에 초점을 맞추었기 때문에 아주 새로운 내용의 발표는 없었다. 오히려 종합토론이 흥미로웠다. 특히 지배와 저항을 단선적으로 보지 말고 복수화시켜서 저항이 지배에 종속되고 거꾸로 지배가 저항을 내재하는 복잡한 대중독재의 현실을 보자는 야라우쉬의 제안은 눈을 번쩍 뜨게 만들었다. 정치적 실천의 경험적 범주로서의 동의와 체제 작동 원리로서의 합의, 일상생활에서의 비순응적 저항(Resistenz)과 체제 전복적 정치 저항(Widerstand), 실존적 저항과 이데올로기적 저항 등 권력과 역사적 행위자들이 맺고 있는 이 복수적 관계들은 기존의 이항 대립적 '악마론'으로 풀 수 있는 것이 결코 아니었다. 역사 현실의 복잡계에서 보면, '대중독재'의 문제제기는 도발적이기보다는 극히 상식적인 것이었다.

이 학술대회에서 내가 얻은 교훈 중의 하나는 진짜 선수들을 만나 토론하면서 보고 듣고 배우는 게 다른 어느 방법보다 훨씬 빠르고, 싸고, 쉽다는 것이었다. 이는 나중에 많은 어려움과 반대를 무릅쓰고 국제학술대회를 계속 추진한 중요한 이유가 된다. 1차 국제학술대회의 성과는 국내 연구진들의 논문들과 함께 엮어 2004년 4월 『대중독재 1: 강제와 동의 사이에서』라는 책으로 책세상에서 출간되었다. 또 대회 참가자들의 국제적 관계망을 통해 영국의 『유럽현대사(Contemporary European History)』, 독일의 『현대사 연구를 위한 포츠담 회보(Potsdamer Bulletin für Zeithistorische Studien)』, 일본의 『사분의(Quadrante)』, 우크라이나의 『동양과 서양 사이에서』 등의 잡지에 학술대회 보고서를 게재하여 연구 성과를 국제적으로 널리 알리고자 했다. 다른 한편으로 영국의 독재 연구 전문잡지인 『전체주의 운동과 정치 종교(Totalitarian Movements and Political Religions)』에 '대중독재' 테제를 소개하는 글을 게재하여 새로운 패러다임의 등장을 조심스럽게 알렸다. 첫걸음은 무거웠지만 두 번째부터는 발이 빨라졌다.

2004년 2년차의 소주제는 '정치 종교와 헤게모니'였다. 이 연구들은 정치의 신성화와 미학화라는 두 키워드를 중심으로 파시스트 미학이 대중에게 갖는 호소력과 조국과 민족 같은 세속적 실재에 종교적 신성을 부여함으로써 작동되는 헤게모니에 초점을 맞추었다. 이 연구 성과들은 다시 책세상에서 2005년 가을 『대중독재 2: 정치 종교와 헤게모니』라는 제목 아래 단행본으로 출간되었다. 해외에서는 다시 영국의 전문잡지 『전체주의 운동과 정치 종교』에서 나와 피터 램버트Peter Lambert를 특별 편집인으로 초대하여 "정치 종교와 정치의 신성화(Political Eeligions and Sacralization of Politics)"라는 제목의 특집호를 발간했다. 이 두 해의 연구는 독재자와 소수의 악당들이 폭력으로 그로테스크한 독재 체제를 밀고 나아갔다는 기존의 악마론적 해석에 제동을 걸고 대중의 동의에 초점을 맞추어 '위로부터의 독재'로부터 '아래로부터의 독재'로 시각의 전환을 촉구한 것이었다.

그러나 한편으로는 대중독재 연구가 '위로부터의 시선'에 함몰된 것은 아닌가 하는 위구심을 지우기 힘들었다. '아래로부터의 독재'라는 성격을 이해하기 위해서는 독재 권력이 어떻게 헤게모니를 생산 유지했으며 그것은 대중들에게 얼마나 깊이 침투했는가 하는 문제 설정이 불가피했는데, 그것은 결국 권력의 관점에서 위로부터 다시 대중독재를 보는 것은 아닌가 하는 비판을 불러일으켰다. '아래로부터의 독재'를 이해하기 위해 '위로부터의 시각'에 의존하는 이 역설을 어떻게 풀 것인가 하는 것은 당시로서는 정말 심각한 문제였다. 더 중요하게는 출구가 잘 보이지 않는다는 것이었다. 조희연 선생의 비판이 함축하듯이, 대중독재는 진보와 보수 사이에서 아슬아슬한 줄타기를 하는 개념인데 자칫 잘못하면 헤게모니적 효과에 대한 과잉 해석이 독재 체제 정당화론으로 흐를 위험성은 도처에 산재했다. 대중독재 프로젝트가 '대중의 욕망과 미망'을 3차 연도(2005) 소주제로 잡은 것도 이러한 역설의 돌파구를 찾으려는 시도였다.

'일상사' 연구의 개척자인 알프 뤼트케가 구원투수로 등장한 것은 이즈음의 일이었다. 역사적 행위자로서의 대중이 독재 권력에 보낸 동의와 저항, 순응과 투쟁, 열정과 냉담은 서로 모순되거나 적대적인 행동 양식이라기보다는 그때그때 맥락에 따라 대중이 주어진 조건 속에서 자신의 방식대로 세상을 전유하는 다양한 방식이라는 '일상사'의 시각과 방법론은 소중한 돌파구였다. 열광적 지지와 전투적 저항을 양극으로 하는 역사적 행위자들의 폭넓은 실천의 스펙트럼 속에서 '고집', '결탁', '담합', '저촉', '당착' 등 실천의 미세한 차이들을 끄집어내어 독재 권력과 역사적 행위자들의 복합적 관계를 읽는 일상사 연구에서 실로 사소한 것처럼 보이지만 만만치 않게 중요한 숨은 의미를 어떻게 찾고 해석하는가를 배웠다.

2005년 대중독재 3차 국제학술대회가 계기가 되어 프로젝트로서의 대중독재가 막을 내린 후에도 알프 뤼트케와는 'World Class University'라는 계면쩍은 이름의 프로젝트의 일환으로 '트랜스내셔널 일상사(Transnational Alltagsgeschichte)' 대학원 교육 프로그램을 2008년부터 5년간 같이 꾸려 갔다. 학문뿐만 아니라 인간적으로도 본받을 게 많은 뤼트케와 같이한 시간들은 내게는 큰 행운이었다. 제프 일리Geoff Eley의 『삐뚤빼뚤한 길(A Crooked Line)』(University of Michigan Press, 2005)을 내게 소개하면서 지금 쓰고 있는 이런 종류의 책을 쓰라고 강력히 권고한 것도 그였으니 큰 인연인 셈이다. 2016년 6월 포츠담의 현대사연구소에서 열린 대중독재 서평 포럼에서 이런저런 이야기를 나누다가 귀국하면 방학 기간 내에 집필을 마칠까 한다고 하니 그는 함박웃음으로 이제야 자기 말을 듣는다며 좋아했다. 한 가지 아쉬운 점은 뤼트케의 가치를 한국 학계가 충분히 활용하지 못했다는 점이다. 뤼트케는 인류학회 전국학술대회 등에 기조강연 등을 하기도 했지만, 대학원 수업을 개방식으로 운영했는데도 극히 소수의 학생들만이 그의 수업을 들을 수 있었던 것은 두고두고 아쉽다. 가장 어려운 점이 대학원 수강생을 외부에서 찾아서 수혈하는 일이었으니 지금 생각해도 답답하기 짝이 없다.

한편 대중독재 프로젝트가 진행되면서 국내에서도 본격적으로 논

쟁이 붙었다. 2004년 『역사비평』 여름호에 조희연 선생이 발표한 「박
정희 시대의 강압과 동의: 지배, 전통, 강압, 동의의 관계를 다시 생각
한다」라는 글에 대해 이상록과 함께 내가 「'대중독재'와 '포스트파시
즘': 조희연 교수의 비판에 부쳐」라는 반론을 실어 뜨거워진 논쟁은
이후 『교수신문』에 이병천, 박태균 등이 개입해서 더 커졌다. 비단 지
면뿐만 아니라 비판사회학회의 학술대회나 역사학대회 등의 학술세
미나에서도 공개 토론을 주고받으면서 내 생각도 많이 다듬어졌다.
조희연 선생의 비판은 대중독재론을 독재를 정당화하는 보수 진영
의 논리라는 식의 진영론에서 벗어나 진보개혁 담론의 성찰과 확장
의 가능성이라는 전제 위에 서 있었다. 이로써 구 진보가 대중독재에
대해 걸고 있는 혐의 정치학, 즉 독재를 정당화하는 극우의 논리라는
혐의에서 겨우 벗어날 수 있었다.

대중독재가 갖는 담론적 양가성에 대한 의심의 끈을 놓지 않으면
서도 대중독재론과 진보 담론의 접합 가능성에 대해 열려 있는 선생
의 비판은 생산적 논쟁을 향한 물꼬를 튼 셈이었다. 이 점은 아직 선
생에게 고맙게 생각하는 바이다. 이 논쟁은 일단락되었다기보다는 휴
지기에 있는 상태인데, 『민중의소리』 인터뷰어가 시사했듯이 이명박·
박근혜 정부에 대한 역사적 평가 과정에서 재연될 가능성도 있다. 이
논쟁 과정 속에서 대중독재의 중요한 포인트 중 하나가 별반 논의가
되지 않은 것은 두고두고 아쉽다. 대중독재의 모순어법이 그것인데,
독재와 민주주의의 적대적 이분법이라는 대조어법에 대한 비판을 담
고 있었다. 물론 대조어법에 대한 비판이 곧 독재와 민주주의를 동일

시하거나, 민주주의의 의의를 부정하는 것은 아니다. 독재와의 이분법 속에서 본질주의적으로 이상화되거나 이념의 독단에 빠질 때, 민주주의가 가질 수 있는 위험성을 지적한 것뿐이다.

독재와 민주주의의 대조어법에 대한 내 비판은 독재나 민주주의나 모두 마찬가지라는 의미가 아니라 민주주의를 더 진전시키기 위해서는 어떤 성찰이 필요한가를 제기한 것이었다. 20세기 세계의 대부분이 이룩한 혹은 지향한 민주주의는 소수의 압제에 맞서 다수의 지배를 원하는 다수결 민주주의였다. 인구의 다수를 차지하는 선주민 노동자들이 이민 노동자들보다 더 복지의 혜택을 받을 권리가 있다는 '복지국수주의'나 르완다에서 후투가 투치를 학살할 때 내건 구호가 '다수결 민주주의'였다는 점을 상기한다면, '민주주의의 민주화'라는 과제를 생각하지 않을 수 없었다. 9·11 테러 이후 미국의 민주주의가 추진하는 여러 가지 비상입법들이 대중독재와 맞닿아 있다는 점을 지적했을 때, 어떻게 미국 민주주의를 대중독재라고 할 수 있냐는 한국의 미국사 연구자들의 분노는 아직도 착잡한 기억으로 남아 있다. 정작 미국의 지식인이나 역사가들이 지금 미국이야말로 '대중독재' 체제라며 이메일을 보냈던 것과는 많이 비교가 됐다.

연구 성과라는 관점에서 보면, 대중독재 공동연구 프로젝트는 앞서 소개한 두 권 외에『대중독재 3: 일상의 욕망과 미망』(2007),『대중독재와 여성』(2010),『대중독재의 영웅 만들기』(2005),『근대의 경계에서 독재를 읽다』(2006) 등 총 6권의 단행본과 여타 학술잡지 특집호 등으로 많은 논문을 생산했다. 또 영국의 팰그레이브 맥밀런Palgrave/Macmillan

팰그레이브 출판사에서 제작한 대중독재 시리즈 선전 플라이어.

palgrave macmillan

Mass Dictatorship in the Twentieth Century

Edited by Jie-Hyun Lim

EVERYDAY LIFE IN MASS DICTATORSHIP COLLUSION AND EVASION	MASS DICTATORSHIP AND MEMORY AS EVER PRESENT PAST	MASS DICTATORSHIP AND MODERNITY	IMAGINING MASS DICTATORSHIPS THE INDIVIDUAL AND THE MASSES IN LITERATURE AND CINEMA	GENDER POLITICS AND MASS DICTATORSHIP GLOBAL PERSPECTIVES
9781137442765 Nov-15 | £60 | $90 | HB	9781137289827 Jan-14 | £55 | $95 | HB	9781137304322 Nov-13 | £60 | $100 | HB	9781137330680 Aug-13 | £63 | $95 | HB	9780230242043 Dec-12 | £70 | $110 | HB

The concept 'mass dictatorship' addresses the (self-)mobilisation of 'the masses' in and for twentieth century dictatorship. In contrast to tyrannies which imposed power from above, mass dictatorships have encouraged multiple forms of active participation of the people. In this highly modern process, distinctions between subjects and citizens are blurred. Through deliberate strategies of political, social, cultural and moral manipulation and persuasion, mass dictatorships tend to represent themselves as, ostensibly, 'dictatorships from below', and are indeed deeply entrenched at a grassroots level. Free of the Manichean dualism which had characterised both the totalitarian and Marxist models of the Cold War era, the series stresses the dialectical interplay between power and people.

Gender politics, modernity, everyday life, memory and the imagination are the themes explored in the individual volumes of the series. What they have in common, and what makes the series unique, is the global scale of the comparativist approach taken throughout. Readers are thus invited to explore and interrelate the pre-World War II dictatorships of Fascism, Nazism, Stalinism and Japanese colonialism with the postwar communist regimes and post-colonial developmental dictatorships in Asia, Africa and Europe.

For more information on *Mass Dictorship in the Twentieth Century*, or to submit a proposal, please contact Peter Cary, Commissioning Editor, peter.cary@palgrave.com.

www.palgrave.com

에서 『성 정치와 대중독재(Gender Politics and Mass Dictatorship)』(2011), 『대중독재와 근대성(Mass Dictatorship and Modernity)』(2013), 『대중독재를 상상하다(Imagining Mass Dictatorships)』(2013), 『대중독재와 기억의 정치(Mass Dictatorship and Memory as Ever Present Past)』(2014), 『대중독재 속의 일상(Everyday Life in Mass Dictatorship)』(2015) 등 총 5권으로 구성된 '20세기 대중독재(Mass Dictatorship in the Twentieth Century)' 시리즈를 완간했다. 또 시에나 대학의 폴 코너Paul Corner와 내가 공동편집한 총 35개의 엔트리와 약 21만 단어를 담고 있는『팰그레이브 대중독재 편람(The Palgrave Handbook of Mass Dictatorship)』이 2016년 9월 말에 출간되어 시판 중이다.

지난 2016년 6월 16~17일 포츠담의 현대사연구소에서 대중독재 시리즈 완간을 기념하는 서평 포럼이 단행본 편집자들과 핸드북의 섹션 편집자들 그리고 동 연구소와 베를린 지역 독재 연구 전문가들이 모인 가운데 조촐하게 열렸다. 포츠담을 포럼 장소로 제안한 야라 우쉬와 이제는 동 연구소의 소장이 된 자브로의 후의 덕분이었다. 대중독재 관련 마지막 미팅이라고 생각한 우리는 이틀간 다시 열심히 싸우고 먹고 마시고 즐긴 후에 '대중독재'에 이별을 고하고 헤어졌다. 누군가 "대중독재가 영원하면 정말 큰일"이라고 못을 박아 모두 파안 대소하며 석별의 정을 나누었다. 물론 대중독재가 영원하면 큰일이겠지만, 대중독재의 관에 대못을 박기 위해서라도 대중독재 연구는 당분간 지속되어야 할 것이다. 비단 동유럽과 동아시아뿐 아니라 서유럽 전체가 마치 1930년대 대중적 파시즘의 시대로 회귀하는 듯한 시대적 징후를 제대로 읽는 데 대중독재가 나름 유효한 가설 체계라는 생각에는 변함이 없다.

　사족: 때마침 대중독재 강연을 하러 가는 길 위에서 트럼프의 승리 소식을 들었다. 2016년 미국의 대선 과정은 과거 대중독재가 어떻게 작동했는가를 이해하는 데 실마리를 제공한다. 대중독재는 아직도 진행형인지 모르겠다.

13

글로벌 히스토리

Doing
History

'지구화(globalization)'와 관련하여 내가 가장 좋아하는 슬로건은 "전 지구적으로 생각하고, 지역적으로 마셔라(think globally, drink locally)"이다. 풀뿌리 환경운동가들의 슬로건 "전 지구적으로 생각하고, 지역적으로 행동하라(think globally, act locally)"를 폴란드 친구들이 패러디해서 만들었다. 이 유머의 원산지에 대해서는 밝힐 수 있는 근거 자료가 있기보다는 짐작할 뿐이다. 폴란드 친구한테 처음 들었는데, 폴란드적인 유머 감각이 느껴져 '메이드 인 폴란드'라고 짐작하고 있다. 흥겨운 유머지만, 지구화에 대한 시니컬한 시선도 느껴진다. 지구화네 뭐네 웃기지 말고 술이나 마시라는 메시지 같기도 하다. '글로벌 히스토리'에 대해 주변 사람들이 보내는 반응에서도 이런 양가성을 느낄 때가 많다. 글로벌 히스토리에 대한 가장 흔한 오해는 그것이 지구 전체의 역사를 연구 대상으로 삼는 또 다른 거대 담론과 거대사가 아니냐는 오해이다.

그러나 글로벌 히스토리는 역사 연구의 대상이 지구 전체라는 의미는 아니다. 우주의 빅뱅부터 오늘에 이르기까지 우주의 역사를 쓰고 그 가운데 지구와 인류의 역사를 배치하는 '빅 히스토리'가 글로벌 히스토리를 대변한다는 오해는 곤란하다. 글로벌 히스토리가 지향하는 역사는 우주적 규모든 지구적 규모든 스케일의 문제가 아니라 차라리 관점의 문제이다. 예컨대 마포의 역사를 쓴다고 할 때, 어느 관점에 서는가에 따라 지역사, 국사, 글로벌 히스토리가 다 가능한 것이다. 달이나 화성 등 우주개발의 역사나 빅뱅이론 등 물리학과 천체물리학의 학설사가 자동적으로 글로벌 히스토리가 된다고 생각한다면 너무 순진한 발상이다. 모든 나라의 국사가 그렇기는 어렵겠지만, 강대국의 관점에서 보면 우주의 역사도 얼마든지 국사의 일부가 될 수 있는 것이다. 폴란드 유머를 다시 패러디한다면, '글로벌 히스토리'는 "전 지구적으로 생각하고, 지역적으로 써라(think globally, write locally)"는 슬로건으로 요약되지 않을까 한다.

'비판과 연대를 위한 동아시아 역사포럼'에서 국사의 신화를 해체하는 작업이 진전되고 또 사람들에게 어느 정도 설득력을 갖기 시작하자, 가장 많이 듣는 질문은 대안에 관한 것이었다. '국사' 패러다임에 대한 당신네 비판은 무슨 이야기인지 충분히 알아들었는데, 그렇다면 대안이 무엇이냐는 것이었다. 특히 2003년 8월 "국사의 해체를 향하여" 공개 심포지엄 이후에는 대안에 관한 질문이 부쩍 많아졌다. 그때마다 "대안이 없다는 게 지금 갖고 있는 유일한 대안"이라는 궁색한 답변을 할 수밖에 없었다. 그 대답은 물론 잘 짜 놓은 청사진에 따라 대안적 미래를 구축한다는 모더니즘적 대안의 위험성을 염두에 둔 것이었지만, 그래도 궁색하다는 느낌을 지울 수 없었다. '비판과 연대를 위한 동아시아 역사포럼'이 해체된 이래 '국사' 패러다임에 대한 대안을 찾아야 한다는 생각은 늘 못 다한 숙제처럼 가슴 한

구석을 짓눌렀다. 대안을 찾아 나선 그 길은 출구가 없는 미로처럼 막막했지만, 이미 길을 떠난 후였다.

기회는 생각보다 빨리 왔다. 나는 학술진흥재단에서 '대중독재' 공동연구를 지원받은 것을 계기로 2004년 '비교역사문화연구소(RICH, Research Institute of Comparative History and Culture)'를 설립했다. 프로젝트 연구소라는 당시로서는 새로운 개념의 연구소였는데, 외부로부터 지원받는 프로젝트 연구비로 움직이는 연구소였다. 당시 한양대학에서는 조그만 공간 외에 일체의 지원을 기대하기 어려웠다. 학교의 지원을 전혀 기대할 수 없는 상황에서 프로젝트 연구소는 한양에서 연구 인프라를 구축할 수 있는 유일한 방안이었다. 그러나 '리치'는 처음부터 난관에 부딪쳤다. 당시 학술진흥재단의 연구비로 연구소 기자재를 사는 것은 허용되지 않았기 때문에, 당장 컴퓨터부터 설치할 방법이 막막했다. 한양대 사학과 동문인 송영권 총무처장에게 전화를 걸어 방법이 없겠냐고 했더니, 공대에서 버리는 컴퓨터 중 아프리카 대학에 보내려고 쓸 만한 것들을 추려 놓은 게 있다며 말끝을 흐렸다.

나는 아프리카는 멀리 있는 게 아니라 여기 인문대가 아프리카라고 주장하면서, 아프리카행 중고 컴퓨터 두어 대를 경제적 아프리카인 비교역사문화연구소로 납치해 왔다. 박사과정 강정석 군이 손수레를 빌려 조교들과 함께 공대 창고에 가서 그나마 쓸 만한 컴퓨터를 주워 와서 프로그램을 리부팅해서 설치했다. 책상이나 책장 등의 집기도 구할 방법이 없어, 성동구 재활용센터에서 주민들이 버린 책상과 의자, 책장 등을 호주머니 돈으로 오천 원, 만 원씩에 사서 겨우 구색을 갖추었다. 김용우 박사가 강정석 군 등 조교들과 함께 성동구 재활용센터에 가서 용달차를 빌려 싣고 온 것들인데, 무슨 1960년대 흑백영화의 한 장면 같았다. 그때 만 원 주고 산 '탱크주의' 대우냉장고는 그 후로는 연구소에서 무려 10여 년을 봉사하다 장렬히 산화했다. 소리뿐만 아니라 성능에서도 '탱크주의'의 위력을 실감하지 않을 수 없었다. 비교역사문화연구소의 약어가 'RICH'여서 나는 늘 "my poor RICH"라 불렀으니, 반어법도 그런 반어법이 없었다.

그래도 전 세계의 많은 좌파 역사가들은 '리치'라는 약어를 좋아했다. 나는 당시만 해도 내가 받은 연구비의 20퍼센트가량을 '간접비' 명목으로 연구재단에서 대학본부로 준다는 걸 몰랐다. 그중 일부만이라도 연구소의 행정용 컴퓨터나 집기를 사는 데 돌릴 수 있었다면, 지지궁상은 면했을 거라는 아쉬움은 있다. 그래도 지지궁상을 대가로 비교역사문화연구소는 100퍼센트의 자유를 얻었다. 연구 어젠다의 설정부터 연구원의 선발, 외부에서 수주한 연구비의 사용 등 모든 사항에 대해 재단의 기준만 준수하면, 거리낄 것이 없었다. 외우윤해동은 본부의 조그만 지원 대신에 완전한 학문적 자유를 얻은 덕분에 비교역사문화연구소가 발전했다고 자주 이야기했는데, 그의 평가에 동의하는 편이다. 한양대학교에 두고두고 감사해야 할 대목이다. 한양대학교가 비교역사문화연구소의 경쟁력을 키워 준 또 다른 비밀병기는 교내 연구소의 연구 프로젝트 경쟁이었다. 비교역사문화연구소는 한양대학교 내부의 연구소 지원 공모 경쟁에서는 한 번도 선정된 바 없었다. 모든 것을 이해하기에 학문의 세계는 워낙 오묘한 것이다. 덕분에 비교역사문화연구소는 왕십리 밖에서 경쟁력을 키워 갈 수 있었다.

그러나 자유의 대가라고 자위하기에는 불편함이 큰 적도 많았다. 비교역사문화연구소의 창립기념 국제학술대회를 추진할 때부터 이미 뼈저리게 느낀 바였다. 짧지 않은 고심 끝에 비교역사문화연구소의 학문적 정체성을 잘 드러내 주는 주제라는 판단 아래 '변경사(border history)' 학술대회를 추진하기로 했다. 그 직접적인 계기는 한·중 간의 고구려사 논쟁이었다. '비판과 연대를 위한 역사포럼'을 통해 한·일 국사 패러다임 간의 적대적 역사 인식을 겨우 넘어섰나 했는데, 한국과 중국 사이에 비슷한 논쟁이 가열되기 시작한 것이다. "고구려사가 중국사냐 한국사냐"라는 비역사적 물음 앞에서 중국의 역사학과 한국의 역사학은 국가의 경계에 따라 어김없이 편이 갈렸다. 근대의 산물인 국민국가를 먼 과거에 투사하는 시대착오적 인식론은 꿈쩍도 하지 않은 것이다. 현재 중화인민공화국의 영토를 중국사의 공간적 범주로 간주하는 원칙에 서서 고구려사가 중국사라고 강변하는 '동북공정'의 시각도 문제지만, 이에 맞서 고구려사는 한국사라며 한국의 역사 주권을 지키겠다는 한국사 주류 학계의 대응도 정당화될 수는 없다는 게 내 생각이었다.

리투아니아 출신의 역사학자 리나스 에릭소나스Linas Eriksonas에게 학술대회의 취지를 설명하고 동유럽의 국경과 변경에 대한 발표를 부탁했을 때, 그가 보낸 답장이 아직도 기억에 생생하다. 동유럽에서도 이제는 그런 유치한 논쟁은 없는데, 동아시아는 아직도 그런 문제로 싸우는 게 놀랍다는 그의 답장에 부끄러웠던 기억이 난다. 그러나 따지고 보면 유럽에서도 고구려사 논쟁과 유사한 논쟁은 무수히 많다. 그단스크/단치히, 슐레지엔/실롱스크를 둘러싼 독일-폴란드 논쟁이나 빌뉴스, 르부프를 둘러싼 폴란드-리투아니아, 폴란드-우크라이나 간의 논쟁도 그러하지만, 아무래도 가장 압권은 국경이 맞닿기는커녕 수천 킬로 떨어져 있는 노르웨이와 스페인 역사가들 사이에 벌어진 '서고트' 역사논쟁이다. 스칸디나비아 남부에서 출발해 도나우강 유역과 이탈리아 반도를 거쳐 이베리아반도에 정착한 서고트족은 스페인의 국사에 포함되는가 아니면 노르웨이의 국사에 포함되는가 하는 문제로 양측 역사가들 사이에 시비가 붙었던 것이다. 유럽의 후발국가들에서 '국사' 체제가 정비되던 20세기 초엽의 일로 기억된다.

아직도 코페르니쿠스가 독일 사람이냐 폴란드 사람이냐 하는 문제를 놓고 독일과 폴란드의 언론 및 시민사회가 신경전을 벌이고 있는 것을 보면, 고구려사 논쟁은 동아시아의 특수성을 반영한다기보다는 '국사'의 사유 방식에 프로그램화된 논쟁인 것이다. 고구려사 논쟁이나, 서고트족 논쟁이나, 코페르니쿠스 논쟁이나 비루하긴 마찬가지다. 그러나 더 무서운 것은 상상된 국경을 역사적 행위자들이 일상 속에서 끊임없이 재현하고 문화재는 물론 동식물까지도 미학적 차원에서 그 '경계'를 고착하고 있다는 점이다. 고구려사 논쟁 당시 나는 한국의 진보적 문인 단체 회원들이 방송국에서 고구려 무사의 갑옷을 빌려 입고 고구려사는 한국사라고 외치며 가두시위를 하는 보도에 접하고는 아연했다. '동아시아 역사포럼'의 노력은 동시대인들의 신체에 각인된 국사의 힘 앞에서 '불 앞의 얼음'이었던 것이다.

이런 상황에서는 "고구려사가 중국사냐 한국사냐"는 비역사적 물음에 대한 정답을 놓고 싸울 것이 아니라, 질문의 구도 자체를 정치적으로나 인식론적으로 의심하고 해체하는 '변경사'의 새로운 상상력이 절실하게 필요하다는 판단이 들었다. 중국이나 한국이 전유한 "고구려의 역사를 고구려인에게 돌려주자"는 것이 우리가 내건 슬로건이었다. 예상했던 대로, 강대국인 중국의 민족주의 앞에서 약소국인 한국의 저항민족주의를 무장해제하면 어쩌라는 말이냐는 반발이 터져 나왔다. 결국 중국의 패권주의와 헤게모니를 도울 뿐이라는 것이다. 내가 볼 때, 중국의 국가권력이 무서워하는 것은 "고구려사는 한국사다"라는 한국 민족주의의 아우성이 아니다. 정작 무서운 것은 만주, 간도, 신장, 티베트, 타이완 등 역사적 변경을 중국의 '지리적 신체(geo-body)'에서 떼어 내는 '변경사'의 시각인 것이다.

변경사 관점에서 중국사를 재구축하면, 사실상 오늘날의 중국은 역사적으로 해체되는 것이다. 중국의 '동북공정'을 무력화시키는 가장 효율적인 무기는 "고구려사는 한국사다"라는 '국사'의 주장이 아니라, 만주부터 시작해서 신장과 운남, 티베트, 타이완에 이르기까지 중국의 고유한 영토처럼 여겨지는 변경 지역들을 중국의 역사적 내러티브에서 분리시키는 '변경사'의 시각이라는 생각에는 지금도 변함이 없다. 그럼에도 중국의 동북공정에 분노하는 한국의 민족주의자들이 변경사의 문제의식에 선뜻 동의하지 못하는 것은 그들 역시 한국의 '지리적 신체'에서 고구려를 떼어 내야 하는 아픔을 감내하기

싫었기 때문일 것이다.

태국의 역사가 통차이 위니차쿨Thongchai Winichakul이 창안한 '지리적 신체(geo-body)' 개념은 현재의 국민국가 영토 중에서 변경의 일부가 다른 역사공간이었다는 주장에 접하면 마치 자기 신체의 일부가 떨어져 나가는 고통을 받는 듯한 집단심성을 가리킨다. 고구려가 자기 국사가 아니라는 주장 앞에서 중국인이나 한국인들이 마치 자기 손발이 잘려 나가는 듯한 정서적 아픔을 겪는 그런 현상 말이다. 낙랑군을 비롯한 한사군의 영역을 압록강 밖으로 밀어내야 안심하는 한국의 민족주의적 선동 역사학이 그러하고 이차대전 이후 독일로부터 되찾은 영토인 실롱스크/슐레지엔이 원래는 슬라브족의 거주지였음을 입증해야만 직성이 풀렸던 폴란드의 고고학이 그러했다. 민족적 혹은 국가적 영토 분쟁의 대상이 되는 경계지역의 역사를 자국사에 편입시켜야만 안심하는 '지리적 신체'의 강박관념에서 벗어나, 학설의 적대적 차이를 비적대적 차이로 전환시켜 합리적 논쟁거리로 만드는 데는 트랜스내셔널 역사의 지류인 '변경사', '중첩된 역사(overlapping history)', 동아시아사나 유럽사와 같은 '지역사(regional history)'의 시각이 필요한 것이다. 변경사의 시각은 고구려를 떼어 내는 그 아픔이 실은 민족주의가 만들어 낸 역사의 가상현실에 지나지 않으며, 그 가상현실 밑에 은폐되어 있는 역사의 비민족적 실재를 드러낼 것이었다.

그러나 역시 쉽지 않았다. 많은 언론 매체들이 변경사의 시각에 대해 앞다투어 보도했지만, 고구려사가 중국사도 아니지만 한국사도 아니라는 이 '국적불명'의 문제의식을 이해하는 후원자를 구하기가 쉽지 않았다. 속으로는 찬동할지 몰라도 아무도 학술대회의 후원자로 선뜻 나서려고 하지 않았다. '국사'를 해체하자는 데 국가 기관의 지원을 기대하기도 어려웠다. 여전히 국가가 공공성을 독점하고 있는 상황에서 공공재단도 여의치 않았다. 당시 유력 일간지의 편집장으로 있던 가까운 선배는 "고구려사가 한국사가 아니라는 얘기냐"며 약속한 후원을 취소하기도 했다. 부랴부랴 수소문해서 파리에서 '여행포럼 LHM'을 운영하는 외우 권유철 대표와 박환무 형의 주선 덕에 남양알로에 이병훈 대표이사가 개인 돈을 지원해 주어 천만 원도 안 되는 돈으로 겨우 대회를 마칠 수 있었다. 호주의 테사 모리스-스즈키 Tessa Morris-Suzuki, 일본의 이성시, 대만의 왕밍커王明珂, 웨일스의 크리스 윌리엄스Chris Williams, 리투아니아의 리나스 에릭소나스 등 대회 발표자들은 우리의 어려움을 곧바로 알아차리고 오히려 우리에게 점심과 술을 사기도 했다. 정두희, 김한규, 김병준, 신성곤, 이종훈 등 국내 연구자들의 도움도 컸다. 대회 결과는 곧『근대의 국경, 역사의 변경: 변경에 서서 역사를 바라보다』(2004)라는 책으로 휴머니스트에서 출간되었다.

당시에는 특별히 의식하지 못했지만, '변경사' 학술대회는 '국사' 패러다임에 대한 나름대로의 대안을 찾는 과정이지 않았나 싶다. 이 학술대회에서 나는 두아라Prasenjit Duara의 책『민족으로부터 역사를 구출하기(Rescuing History from the Nation)』를 패러디한「민족으로부터 고구려 구하기(Rescuing Gogurye from the Nation)」를 발표했다. 이 글은 보완해서 몇 달 후 한국학중앙연구원의 아시아·유럽 교과서 세미나(2004년 10월 7~8일)에서 발표했는데, 참가자의 다수였던 '국사' 연구자들이 강하게 반발하면서 토론이 격해졌다. 사면초가의 토론장에서 고군분투하고 있는 내 원군은 뜻밖에도 독일의 역사교과서 연구기관인 게오르크 에커트 연구소(Georg Eckert Institute)의 소장이자 라이프치히 대학에서 유고슬라비아 현대사를 가르치는 볼프강 휩켄 Wolfgang Höpken 교수였다. 그는 동아시아의 구체적인 역사에 대해서는 전혀 모른다고 전제하면서도, 논쟁을 들어보면 임지현 교수의 이야기가 극히 상식적인 역사 이해인 것 같은데 왜 이렇게 심하게 반발하는지 이해할 수 없다고 했다. 휩켄 교수는 19세기 후반 이래 동유럽에서 '국사'의 내러티브가 전개되어 온 과정을 잘 아는 발칸 역사가 그의 전공이기 때문에 아마도 더 쉽게 이해할 수 있었을 것이다. 논란이 되는 영토에 대해 서로 자기네 국사의 일부임을 입증하기 위해 '중세 고고학'이 발달한 동유럽의 경험에 비추어 보면 논쟁의 구도는 너무 자명했다.

이 토론이 인연이 되어 나는 2006년 라이프치히 대학 동아시아학부에서 개최한 동아시아의 역사수정주의 학술대회에 가게 되었다. 휩켄 교수와 같이 한국학중앙연구원의 세미나에 참가한 리히터 Steffi Richter 교수가 초청한 것이다. 알고 보니 리히터는 '동아시아 역사포럼'의 멤버인 이와사키 미노루 등과 가까운 사이였고 사카이 나오키와도 친분이 있었다. 역사수정주의 학술대회에는 테사 모리스-스즈키, 두아라 등도 참석해 반갑게 해후했다. 두아라와는 첫 만남이었지만, 우리는 옛날식 사회주의 정치 농담을 나누면서 가까워졌다. 조금씩 사적인 대화를 이어 가다가 그에게 왜 중국사를 전공했냐고 물었더니 그의 대답은 간단했다: "벵갈에서 모택동주의자로 출발했으니까……." 그러나 하버드에서 포스트구조주의와 접한 후 그는 모택동주의로부터 섭얼턴 연구로 방향을 틀었다. 섭얼턴 연구의 문제의식을 인도사와의 비교사적 관점에서 중국 현대사에 적용시키려는 그의 시도는 국제 학계에서 그만이 갖는 독자적 위상을 부여했다.

2006년 6월 라이프치히는 월드컵의 열기로 뜨거웠다. 우리 호텔에는 세르비아 대표팀이 같이 묵었고, 네덜란드 팀의 경기가 있던 날 저녁에는 오렌지들의 소란 때문에 식당에서 대화가 불가능할 정도였다. 축제의 옷을 입은 스포츠 민족주의에 포위된 이 학술대회에서 동아시아와 동유럽의 '국사' 교과서가 공유하는 서사적 특징으로 국민/민족이라는 집합적 주체의 소환, 인위적 국경을 자연지리로 만드는 '지리적 신체', 민족본질주의, 기원주의, 시대착오주의 등을 열거하고 그것을 '민족주의적 현상학(nationalist phenomenology)'이라고 이름 붙였다. 고구려에 대한 '변경사'적 접근을 아울러 촉구한 내 발표가 끝나자 중국사회과학원의 근대사연구소 교수인 이 레이Yi Lei가 와서 전적으로 동감한다며 발표문을 줄 수 없냐고 물었다. 이런 글을 실을 수 있냐고 물었더니 씩 웃으면서 자기 발표가 아니니 위험할 것도 없고 또 학술대회에 대한 보고서 형식으로 고구려에 대한 변경사의 관점을 소개하면 된다는 것이었다. 그 이후 소식은 듣지 못했다.

중국 근대 사상사를 전공하면서 미국과 독일, 중국의 글로벌 히스토리 연구 동향을 분석한 작센마이어Dominic Sachsenmaier를 처음 만난 곳도 이곳 라이프치히의 학술대회에서였다. 당시 안식년을 얻어 마티아스 미델Matthias Middell 등이 이끄는 '글로벌 히스토리' 연구팀에서 지내고 있던 작센마이어는 청중석에 앉아 있었다. 190센티미터에 가까운 큰 키에 영화배우처럼 잘생긴 프라이부르크 출신의 이 유쾌한 소장 역사가는 스스럼없이 우리와 잘 어울렸다. 그는 두아라와 구면이기도 하거니와 내게도 보자마자 친근감을 표시했다. 자기 여자 친구가 일본인인데, 얼마 전에 『아사히신문』을 읽다가 여기 비슷한 생각을 하는 역사가가 한국에도 있다며 내 인터뷰 기사를 보여주고 해석해주었다는 것이다. 그런데 불과 한 달도 안 돼 라이프치히에서 나를 만나게 될 줄은 몰랐다는 것이다. 학술대회가 있기 불과 한 달 전 『아사히신문』과 가진 인터뷰(2006년 5월 10일)에서 나는 '국사' 패러다임, 대중독재, 기억의 문제 등에 대해 소상히 내 입장을 밝힌 바 있다.

우리는 죽이 맞는 친구처럼 잘 어울렸고, 작센마이어는 두 가지 중요한 제안을 했다. 하나는 자신이 지금 재직하고 있는 산타바바라 캘리포니아 주립대학이 중심이 되어 만드는 글로벌 스터디즈 컨소시엄의 창립멤버로 참여하라는 것과 다른 하나는 하버드 대학 사학과의 스벤 베커트Sven Beckert 교수와 자신이 'global history, globally' 제목 아래 공동기획하고 있는 글로벌 히스토리 컨퍼런스에서 논문을 발표해 달라는 것이었다. '국사' 패러다임에 대한 대안적 서사를 암중모색하고 있던 나로서는 더 이상 반가울 수 없는 초청이었다. 2007년 2월 산타바바라에서 열린 글로벌 스터디즈 창립준비 워크숍에서 나는

듀크 대학의 도미닉 작센마이어 연구실에서. 2009년 1월 뉴욕에서 열린 미국역사학대회를 마치고 듀크 대학의 세미나에 가서.

'트랜스내셔널 인문학 비행대학 안'에 대해서 설명했다. 이 제안은 훗날 '트랜스내셔널 인문학' 프로젝트가 연구재단의 '인문한국' 프로그램 지원을 받으면서 현실화되어, 2016년인 올해 코넬 대학에서 열린 비행대학까지 합쳐 총 6회의 비행대학이 열렸다.

'global history, globally' 학술대회는 2008년 2월 하버드 대학, 그리고 2010년 5월 프라이부르크 대학에서 두 차례 개최되어 모두 발표자로 참여했다. 이 학술대회를 통해 나는 '국사'에 대한 대안으로 비교사(comparative history), 세계사(world history), 트랜스내셔널 히스토리(transnational history), 글로벌 히스토리(global history), '얽혀 있는 역사(histoire croisée)'가 갖는 장단점과 그들 사이의 뉘앙스 있는 차이에 대해서 고민하고 배우게 되었다. 자본 주도의 지구화를 역사적으로 정당화하는 흐름도 있지만, 이 그룹이 지향하는 '지구사'는 '밑으로부터의 지구화'라는 지향을 확인할 수 있었다. 이 모임에서는 '지구사'가 북반구에 대한 남반구의, 중심에 대한 주변부의 문제제기임을 분명히 했다. 종속이론이나 섭얼턴 연구, 마르크스주의 세계체제론이나 페미니즘의 이론과 문제의식을 자양분으로 삼아, 국민국가를 주역으로 삼는 서구중심주의적 역사상에 대한 비서구의 대안적 역사상으로서의 '지구사'의 의미를 강조했다. 지구적 관점에서 19세기 이후 근대 역사 서술의 역사를 보면, '국사'는 유럽의 근대 국민국가에서 시작되어 식민주의의 이동 경로를 따라 주변부에도 전파되었음을 알수 있다. 주변부의 저항민족주의가 실은 식민주의의 거울효과라는 탈식민주의의 관점에서 볼 때, 주변부의 '국사'는 서구 중심적 역사상에 대한 대안이기보다는 그 안에 포섭된 하위적 구성물이었을 뿐이다.

기라성 같은 많은 참가자들 중에 가장 기억에 남는 인물은 하버드 대학에서 열린 첫 학술대회에 사회자로 참가했던 MIT의 지성사가 매즐리시Bruce Mazlish였다. 그는 80대 중반의 나이라고는 믿기지 않을 만큼 명료한 언어와 명쾌한 논리, 세련된 매너 등으로 패널 토론을 지휘하며 큰 홀을 가득 메운 청중을 사로잡았다. 그의 저서 『서양의 지적 전통(The Western Intellectual Tradition)』은 차하순 선생의 한국어 번역판(1980)도 있지만, 그의 명징한 영어와 부딪쳐 보라는 주위의 충고로 학부생 시절 읽은 몇 안 되는 원서 중의 하나였다. 식사 자리에서 그 이야기를 했더니, 매즐리시는 자기가 아직 '유럽중심주의자'일 때 쓴 책이라며 계면쩍어 했다. 젊었을 때 스포츠 기자를 했던 경험이 간명하게 글을 쓰는 데 도움이 되었을 거라고 덧붙였다. 오랜 경험을 통해 역사의 대상은 민족이나 국가나 인종이 아닌 오직 '인류'일 뿐이라고 확신하는 그는 이제 글로벌 히스토리의 이론적 구루이기도 하다. 대회가 끝난 후 발표한 최근의 한 논문에서 매즐리시는 하버드 학술대회에서 세계사 혹은 글로벌 히스토리가 '국사'를 정당화하는 기제로 작동할 수 있다는 내 발표 내용을 호의적으로 인용해서 뿌듯했던 기억이 난다. 그 나이가 되어 그만큼 명징한 사고와 명료한 언어를 구사할 수 있다면 더 이상 바람이 없겠다.

한편 2009년 1월 뉴욕에서 개최된 제123회 미국역사학대회는 주류 학계에서 글로벌 히스토리가 새로운 트렌드로 부상했음을 인정하는 계기였다. 글로벌 히스토리가 대 주제였던 것이다. 조직위에 들어 있는 작센마이어가 나보고도 패널을 하나 구성해 보면 어떻겠냐고 해서, 뤼트케, 클라우디아 쿤츠Claudia Koonz, 폴 코너, 카렌 페트로네Karen Petrone, 마이클 김Michael Kim 등 대중독재 베테랑들을 접촉해서 의향을 물었다. 그들의 동의 아래 '자발적 동원 체제로서의 대중독재 글로벌 히스토리(A Global History of Mass Dictatorship as the Self-Mobilization Regime)'라는 패널을 구성했고 프로그램 위원회를 통과하여 대중독재 팀이 다시 뉴욕에서 만났다. 마침 뉴욕에 체류하고 있던 휴머니스트의 김학원 대표가 자기 출판사에서 나온 대중독재 책의 필자들이라고 패널리스트들 모두를 맨해튼의 근사한 식당에 초대해서 한턱냈다. 사소한 일인지 모르겠지만, 내게는 한국 지식사회의 달라진 위상을 보여주는 것 같아 뿌듯했던 기억이 새롭다.

'미국역사학대회'라고는 하지만 2009년 1월 뉴욕의 이 모임은 사실상 글로벌 히스토리언들의 잔치였다. 대회 기간 동안 마르셀 반 데어 린덴, 마티아스 미델, 제바스티안 콘라트, 작센마이어 등과 자주 어울려 다녔으며, 마이클 가이어Michael Geyer, 제프 일리 등과도 여기서 처음으로 인사를 나누었다. 글로벌 히스토리를 하는 친구들이라 그런지 식당을 고르는 데도 비서구 식당을 거론하는 등 유럽중심주의에 대한 비판적 자각이 몸에 배어 있는 게 느껴졌다. 나는 메뉴가 중요한 게 아니라 음식을 맛있게 하느냐 여부가 더 중요하다고 이들의 탈서구중심적 구르메 문화에 화답했다. 스토니브룩에서 독일사 교수로 있는 홍영선과도 처음 만나 반갑게 인사를 나누었는데, 그의 신간 『냉전기 독일의 제3세계 원조와 글로벌 인도주의 체제(Cold-War Germany, the Third World, and the Global Humanitarian Regime)』(Cambridge University Press, 2015)는 대표적인 글로벌 히스토리 업적 중의 하나이다. 2009년 미국역사학대회는 글로벌 히스토리 혹은 트랜스내셔널 히스토리가 국제 역사학계의 주요 트렌드가 되었음을 알리는 계기였다.

그보다 앞서 2008년 10월에는 맨체스터 대학에서 개최된 유럽학술재단 프로젝트인 "국사를 넘어서" 팀 성과발표회에 프로젝트의 제3팀 '트랜스내셔널 역사의 도전'에 대한 토론자로 초청받아 트랜스내셔널 역사학이 국사에 대한 대안으로 이미 활발하게 논의되고 있는 현실을 확인할 수 있었다. 2003년부터 '유럽학술재단(European Science Foundation)'의 대규모 프로젝트인 "과거의 재현: 유럽의 국사 쓰기(Representation of Past: Writing National Histories in Europe)"에 외부 전문가 자격으로 참여해 '국사'의 패러다임을 넘기 위한 유럽 역사가들의 고투를 바로 옆에서 지켜볼 수 있었던 경험이 대안을 고민하는 데 큰 도움이 되었다. 스테판 버거에게 감사하는 대목이다. 전통적인 '국제관계사'부터 '변경사', '얽혀 있는 역사', '겹쳐진 역사', '트랜스내셔널 역사', '전 지구사' 등 '국사'의 경계를 넘기 위한 유럽 역사가들의 노력은 비단 방법론 등의 연구 내용에서뿐만 아니라 조직과 재정의 규모 면에서도 인상적이었다. '유럽연합'이라는 정치적 버팀목도 중요했지만 초국가적 연구재단인 유럽학술재단의 존재는 '트랜스내셔널 역사학'의 발전에 결정적이라는 판단이 들었다.

또 그해 12월에는 피지의 수도 수바의 남태평양 대학교(University

of the South Pacific)에서 열린 제18회 남태평양역사학대회에서 트랜스내셔널리즘과 내셔널리즘이 경합하는 양상에 대해 강연했다. 생면부지의 남태평양역사학대회에 초청받은 데는 당시 피지 주재 프랑스 부대사로 있던 파스칼 다예즈 뷔르종Pascal Dayez-Burgeon의 역할이 컸다. 그가 재정 부담을 약속하면서까지 비교사의 필요성을 강조한 덕분에 선주민 부족의 역사나 식민주의의 역사가 지배적인 남태평양역사학대회에서 나를 초청하게 된 것이다. 피서지 가는 기분으로 기대에 부풀어 갔지만, 내가 겪은 피지는 영화에서 본 피지와는 전혀 달랐다. 영화 〈남태평양〉에 나온 피지는 서구나 일본, 한국 등지에서 온 관광객들을 위한 게토였고, 그렇게 아름다운 비치들은 들어갈 수도 없었다. 현지인들의 일상 영역에서는 신선한 생선 구경조차 힘들었고, 색색의 양념들을 쌓아 놓은 피지 수도 수바의 인도계 양념 시장만이 기억에 남는다.

에콜 노르말 출신으로 오스만 터키에 대해 박사논문을 쓰고 교사 자격증인 아그레가시옹을 갖고 있는 최고행정학교(ENA) 출신의 파스칼과는 그가 한국 주재 프랑스 대사관에서 학술/문화 교류를 맡고 있을 때부터 친해졌다. 2004년 '비교역사문화연구소'에서 한·불 문화교류 프로그램의 일환으로 방한한 마크 페로Marc Ferro의 강연을 주최하면서 그와 처음으로 인사를 나누었는데, 그는 '리치'의 전투적 토론 방식과 리버럴한 문화를 좋아해 곧 리치의 든든한 스폰서가 되었다. 2006년 9월 프랑스의 앙리 루소Henry Rousso, 장-피에르 아제마Jean-Pierre Azéma, 올리비에 비비오르카Olivier Wieviorka 등을 초청하여 식민지 조선의 친일파와 비시프랑스 당시 나치 협력자를 비교하는 세미나를 열 수 있었던 것은 전적으로 그의 지원 덕분이었다. 그는 프랑스 연구자들의 여비와 체재비를 전부 부담했을 뿐 아니라, 우리가 지정한 프랑스 연구자들을 직접 접촉하고 설득하는 열정을 보여주었다. '홍대입구'와 '개고기'를 좋아했던 파스칼의 지원 덕분에 그 후에도 나는 현재사연구소(IHTP)의 파브리스 달메이다Fabrice d' Almeida, 프랑스 사회과학대학원(EHESS) 산하 '동아시아연구소'의 알랭 들리센Alain Delissen 등과 교류를 갖게 되었다.

친일파와 비시 협력자 세미나는 특히 재미있었다. 세미나가 시작되자 앙리 루소는 순식간에 친일파 문제에 대한 한국의 민족주의 담론을 알아차려서 나를 깜짝 놀라게 했다. 『비시 신드롬(Le Syndrome de Vichy de 1944 à nos jours)』의 저자인 그는 자신이 비판한 프랑스 레지스탕스의 민족주의 담론이 가진 문제를 한국의 민족주의 담론에서도 느꼈던 듯하다. 뒤풀이에서 얘기를 나누다가, 내가 친일파 문제에 대한 민족주의 담론의 밑에 있는 선의는 인정하고 싶다고 말했더니 앙리 루소는 대뜸 68세대가 좋아하는 격언을 하나 들려주었다: "지옥으로 가는 길은 선의로 포장되어 있다." '선의'라고 타협하지 말고 비판을 더 밀고 나아가자는 이야기가 아니었나 싶다. 2011년 5월 파리의 '쇼아 기념관'에서 아이히만 재판 50주년 기념전시회를 할 때, 앙리 루소와는 다시 만나 아이히만 재판과 그 전시에 대한 이야기를 나누고 『경향신문』에 인터뷰를 게재했다.

2010년과 2014년에는 그들의 초청으로 EHESS와 팡테옹 파리 2

대학에서 집중세미나를 진행하기도 했는데, 그때마다 파리에서 반갑게 해후하고는 했다. 덕분에 전통적 학생구역 라탱 쿼터Latin Quarter나 유대 구역 마레Marais의 뒷골목은 조금 익숙해졌다. 프랑스 라디오에서 역사 프로그램을 진행하는 달메이다의 소개로 이스라엘의 제브 스테른헬Zeev Sternhell을 만나게 된 것도 기억에 남는다. 폴란드-우크라이나 접경인 프셰미실Przemysl 출신의 스테른헬은 프랑스 극우파에 대한 연구나 이스라엘의 시온주의의 역사 서술을 비판한 책을 대학원 세미나에서 학생들과 같이 재미있게 읽어 한번 꼭 만나고 싶었던 역사가였다. 그 인연으로 예루살렘에 있는 그의 집에서 점심을 한 적이 있는데, 그의 집 뒤에 있는 언덕에서는 독립전쟁 전투가 벌어졌다고 한다. 바르샤바에서 귀국하는 길에 예루살렘을 잠시 들렀는데, 당시 문을 연 지 얼마 안 된 폴란드 유대인들의 역사박물관인 '폴린 Polin'(독일어 Polen에서 파생된 이디시어 단어로 폴란드라는 뜻)의 소개책자를 선물했더니 아이처럼 좋아하던 모습이 눈에 선하다. 우리는 그의 고향인 프셰미실과 그의 지도교수로 역시 폴란드 출신 유대계 사회주의자였던 탤몬J. L. Talmon에 대해서 즐겁게 이야기를 나누었다.

파스칼이 피지로 떠난 후에도 프랑스 대사관과의 인연은 한 번 더 있었다. '한·불 문화교류'에 기여한 공로로 교육공로훈장(Palme Academique)을 받게 된 것인데, 프랑스 대사관저에서 훈장수여식이 있었다. 프랑스어를 할 줄 모르는 사람은 나밖에 없었는데, 서훈자들은 주로 대학에서 프랑스어를 가르치는 사람들이었다. 상기된 얼굴과 떨리는 목소리로 미루어 보건대, 자신의 평생 업적을 프랑스 정부가 인정해 준 데 대해 매우 감동을 받은 눈치였다. 나만 유일하게 영어로 답사를 했는데, 나는 스스로를 68의 문화적 자식이라고 강조하고 이 점이 훈장 수여를 취소하는 계기가 되지는 않았으면 한다고 했다. 그 얼마 전에 보도된 프랑스 사르코지 대통령의 68 폄하 발언을 꼬집은 것이었다. 배석한 여러 사람들이 웃었고, 프랑스 대사는 서훈이 취소되는 일은 결코 없을 거라고 했다. 이어진 리셉션에 프랑스 대사가 슬며시 내 앞으로 오더니 씩 웃으면서 실제로 68혁명의 가장 큰 수혜자는 사르코지라고 했다. 68혁명이 없었다면 헝가리에서 이주해 온 유대계 이민자의 아들이 어떻게 프랑스 대통령이 될 수 있었겠냐는 그의 진단은 상당히 설득력이 있었다. 같이 웃으면서 68을 위해 건배하지 않았나 싶다. 불어 통역을 맡았던 한 여성은 나더러 자존심을 지켜 주어서 고맙다고 했다. 한국 '서양학'의 한 단면을 잘 보여주는 모임이었다.

'국사'의 대안을 찾으려는 암중모색은 이처럼 2004년 변경사를 시작으로 트랜스내셔널 히스토리, 글로벌 히스토리, 월드 히스토리 세미나와 학술대회 등을 거치면서 어렵게 진행됐다. 그러나 여전히 자신이 없었다. 마음 한 구석에서는 이들이 '국사'의 대안이 아니라 '국사'를 정당화하는 수단으로 이용되는 것은 아닌지 하는 의구심이 떠나지 않았다. 일차대전 당시 미국에서 새로 유입되는 다양한 이민자들에게 유럽보다 더 서양적인 미국의 정체성을 각인시키기 위한 방편으로 '서양문명사(Western Civilization)' 과목이 처음 만들어졌다는 사실부터 그러했다. 더욱이 근대 역사학이 도입되는 과정에서 일본이 구성한 국사-동양사-서양사라는 독특한 삼각구도는 자신은 서양과 동격에 놓고 조선과 중국은 '열등한 동양'으로 자리매김하기 위한 일본판 오리엔탈리즘을 정당화하기 위한 장치였다는 점을 알고 나니 의구심은 더 커졌다. '세계사' 혹은 '서양사'라는 학문의 역사 자체에 이미 '국사'의 학문적 보조 장치라는 흔적이 강하게 남아 있는 것이었다.

영국 블랙웰 출판사의 『세계사 길라잡이(A Companion to World History)』(2012)에 동아시아의 세계사 연구과 교육에 대한 챕터를 준비하면서 나는 이 점을 다시 깨달았다. 민족의 고유성과 특수성에 대한 상상력은 타자와의 비교를 통해서만 힘을 얻는다는 점에서, 모든 '국사'는 사실상 다른 역사와의 비교를 전제하는 것이다. 늘 주장하는 바이지만, 민족주의에 대한 가장 큰 오해 가운데 하나는 민족주의가 민족적이라고 전제하는 것이다. 얼핏 보면 자명한 것처럼 보이는 이 전제는 틀렸다. 자신의 고유성과 특수성에 대한 민족주의적 상상력은 타자와의 비교를 필요로 하고, 그 비교가 이루어지는 공간은 트랜스내셔널한 공간이다. 그래서 민족주의는 내셔널하기보다 트랜스내셔널하다는 게 내 지론이다. 트랜스내셔널한 공간에서 민족주의가 태어나서 성장하는 데 이론적 자양분을 제공하는 학문적 기제로서 국사뿐만 아니라 서양사 혹은 세계사가 요구되는 것도 이 때문이다. 일본에서 근대 역사학이 성립될 때, 세계사가 먼저 생기고 국사가 뒤따른 선후관계에서 이는 다시 입증된다. 나는 이 글에서 '국사'에 대한 대안으로서의 글로벌 히스토리와 트랜스내셔널 히스토리의 가능성을 충분히 인정하면서도, '국사'와의 담론적 공모 가능성에 주의를 촉구했다.

우연의 일치지만, 이 원고를 넘기자마자 외우 교토 대학의 고야마 사토시小山哲가 연락을 해왔다. 16~18세기 폴란드 공화주의 전공자인 그는 1990년대 중반 바르샤바에서 처음 만났다. 그 이래 '비판과 연대를 위한 동아시아 역사포럼'에서 같이 작업을 해온 사이였다. 그는 2013년 5월 교토에서 열리는 일본서양사학회대회에 나를 기조강연자로 초대하고 싶다는 내용이었다. '서양사학' 대회라는 특성상 지금까지 기조강연은 전부 일본이나 '서양' — 미국과 유럽 — 의 유명한 연구자들에게 의뢰했는데, 관례를 깨고 처음으로 동아시아의 서양사 연구자인 내게 기조강연을 의뢰한다는 것이었다. 개인적으로는 큰 영예였지만, 그만큼 부담도 컸다. 더욱이 내 스승의 스승들이자 해방 이후 서양사 연구와 강의의 기틀을 닦은 한국의 1세대 및 1.5세대 서양사학자들이 거의 대부분 일본에서 수학했다는 데 생각이 미치자 감회가 복잡했다.

어떤 이야기를 할까 고민하다 동아시아의 서양사에 대한 자기 성찰적 발표가 어떻겠는가 하고 답장을 보냈다. 답장을 보내면서 블랙웰 출판사에 넘긴 원고 파일을 참고삼아 같이 보냈더니, 고야마 사토시는 자기가 바라던 게 바로 이런 취지의 발표라며 그 원고를 기본으로 강연 원고를 작성해 달라는 것이었다. 내가 영어로 원고를 작성해 보내면, 하세가와 마유호長谷川まゆ帆, 오다나카 나오키小田中直樹, 하시모토 노부야橋本伸也, 하세가와 다카히코長谷川貴彦, 사사키 히로미츠佐々木

博光 등 서로 다른 지역과 주제를 전공하는 5명의 토론자에게 돌리고 대회 참가 청중을 위해서는 고야마가 직접 일본어 번역을 맡았다. 나는 일본 연구자들의 바둑 취향을 고려해 "국사를 향한 포석으로서의 서양사"라는 일본어 제목만 따로 보내고, 본문은『세계사 길라잡이』에 게재한 논문을 수정보완하기로 했다.

수정 과정에서는 특히 메이지 유신을 둘러싼 강좌파-노농파 논쟁 이래 다카하시 고하치로 등의 마르크스주의 역사학이 어떻게 마르크스주의적 특수한 길을 옹호하며 '결과론적 유럽중심주의'로 빠졌는가 하는 점을 강조했다. 오쓰카 히사오大塚久雄 등 베버와 마르크스를 접합하여 자본주의로의 이행을 다룬 일본 경제사의 주류적 해석도 염두에 둔 포석이었다. 이는 일본 마르크스주의의 특수성이라기보다는 마르크스의 역사발전론에 내장된 마르크스주의적 역사주의의 문제였다. 인도와 영국 식민주의에 대한 마르크스의 분석에서 보듯이, 식민주의에 대한 인도적 비판이라는 선의에도 불구하고 마르크스주의 역사주의는 식민지 근대화론의 선구자였다. 마르크스주의적 역사주의는 에피스테메의 차원에서 식민지 근대화론을 뒷받침하는 인식론이었다. 이 글은 2015년 이와나미에서 간행되는『시소思想』에서 다른 토론자들의 글과 함께 '동아시아의 세계사' 특집의 권두논문으로 간행되었다.

식민주의와 봉건제의 완강한 잔재들, 부르주아지의 정치적 허약성과 반봉건화, 개발독재의 폭력적 정치 양식, 기본적인 노동권과 사회권을 박탈당하고 '즉자적 계급'에 머물러 있는 노동자 계급, 허약한

의회민주주의, 강력한 후견인적 국가의 존재, 근대적 개인 주체의 미성숙 등 이른바 자본주의 발전의 '프로이센적 길'에 대한 역사주의적 해석이 어떻게 붉은 오리엔탈리즘을 자가발전하는가 하는 문제는 마르크스주의적 서양사 혹은 세계사조차도 자국사의 특수한 길을 강조하는 국사와 공모관계임을 드러내는 기제였다. 독일 잡지 『유럽현대사저널(Journal of Modern European History)』에서 원고 청탁이 왔을 때, 나는 독일사의 '특수한 길' 논쟁을 중심으로 이 문제를 다시 한 번 짚었다. 이 논문은 「독일 '특수한 길'의 포스트콜로니얼 읽기(A Postcolonial Reading of the German Sonderweg: Marxist Historicism Revisited)」라는 제목으로 발표됐는데, 2014년 독일역사학대회에서 위르겐 코카가 이 논문을 거론하면서 존더베크 논쟁의 현재적 의미를 이야기했다고 들었다. '특수한 길'은 독일사의 문제만이 아니라 사실상 영국사가 아닌 다른 모든 국사의 내러티브에서 발견되는 '보편적 길'인 것이다.

여러 시도에도 불구하고 '국사'에 대한 대안은 여전히 모색 중이라 하겠다. 현재로서는 세계사, 글로벌 히스토리, 트랜스내셔널 히스토리, 변경사, 중복되는 역사(overlapping history), 얽혀 있는 역사(entangled history) 등 다양한 조류에서 가능성을 모색하면서도 동시에 그것이 '국사' 패러다임과 맺고 있는 공모관계에 눈을 감지 않는 어정쩡한 자세가 내가 취하고 있는 자세이다. 중요한 것은 구름 위에서 평론가적 자세로 문제를 지적하기보다는 문제점을 충분히 자각한 바탕 위에서 글로벌 히스토리가 됐든 트랜스내셔널 히스토리가 됐든

2015년 8월 중국 산둥성 제남의 세계역사학대회에서 '글로벌 히스토리 및 세계사 네트워크' 회장에 선출된 직후. 아시아 세계사학회장 아키타 시게루, 유럽의 글로벌 히스토리 네트워크 의장 마티아스 미델, 미국역사학회장이자 북미 세계사학회장인 패트릭 매닝 등의 모습이 보인다.

혹은 다른 무엇이든 구체적으로 실천하면서 부딪치는 자세가 아닌가 한다. 2015년 8월 중국 제남의 세계역사학대회 기간 중에 열린 '글로벌 히스토리 및 세계사 네트워크(Network of Global and World History Organizations)' 총회에서 5년 임기의 회장으로 선출됨으로써, 더 이상 제3자의 입장은 불가능하게 됐다. 라이프치히에 사무국을 둔 이 네트워크는 미국, 유럽, 아시아의 글로벌 히스토리 혹은 월드 히스토리 조직들로 구성되어 있는데, 아프리카나 중동, 중앙아시아 지역의 멤버들을 포괄하는 명실상부한 글로벌 히스토리 네트워크로 발전시키는 게 내 임기 중 할 일이 아닌가 한다. 올해에는 다시 도미닉 작센마이어의 초청으로 '토인비재단 이사회'의 이사로 선임되었는데, 여기에서도 유럽중심주의의 때를 벗겨 내는 게 내 임무일 것이다.

'국사'를 넘어서는 대안을 찾을지 아니면 또 다른 형태로 국사의 공모자가 될지는 아직 자신이 없다. 선의가 밥 먹여 주는 것은 아니다. "지옥으로 가는 길은 선의로 포장되어 있는 것이다."

14

트랜스내셔널 인문학 비행대학

Doing
History

'트랜스내셔널 인문학 비행대학'에 대해
서 처음 듣는 사람들은 거의 대부분이 고개를 갸우뚱하며 묻는다.
'비행'대학이 무슨 뜻이냐고. "여기저기 날아다니면서 하는 거예요?"
하는 질문이 제일 많다. 지금까지 5대륙 15개국 이상의 교수와 박사
과정 학생들이 비행대학에 참가하기 위해 국가와 대륙의 경계를 넘
어 날아오고 갔다는 점에서 날아다니는 대학이라고 해도 틀린 말은
아니다. '비행'을 저지르는 대학이냐고 묻는 사람은 거의 없어 다행
이다. 정식 명칭은 '트랜스내셔널 인문학 비행대학'이고 '비행대학'은
약칭인데, 많은 사람들의 궁금증을 자아냈다는 것만으로도 작명은
일단 성공적이라 생각한다. 공식 영어 명칭은 'Flying University of
Transnational Humanities'지만, 비행대학의 기원은 폴란드이다. 폴란
드 판 오리지널 비행대학(Uniwersytet Latający)은 19세기 말 러시아 점
령기 바르샤바에서 대학 진학이 허용되지 않은 여성들을 대상으로
하는 지하대학으로 시작했다. 물리학과 화학에서 노벨상을 두 번이
나 수상한 퀴리 부인Maria Skłodowska-Curie이 아마도 가장 유명한 졸업
생일 것이다. 노벨상에 목을 맨 한국의 고등교육기관들로서는 부러워
할 만하다.

1918년 폴란드가 주권을 되찾자 비행대학은 빛이 바랬다. 독립 폴란드에서 필요한 것은 공식적인 지상대학이지 더 이상 학교의 담 밖에서 수업을 진행하는 지하대학은 아니었던 것이다. 이차대전이 발발하고 나치가 폴란드를 점령하자, 비행대학은 다시 출현했다. 바르샤바 대학, 폴리테크니크, 상과대학, 의과대학 등의 전통적인 대학은 물론 음악학교, 미술대학, 연극대학 등 특수대학까지 다양한 비행대학들이 나치가 점령하고 있는 바르샤바의 지하에서 움직였다. 1945년 해방 이후 비행대학은 다시 지상으로 올라왔지만, 소련군이 주둔하는 상황에서 1977년부터 반체제 인사들이 자신의 아파트 등에서 인문·사회과학 강좌들을 비밀리에 조직하고는 '비행대학'이라고 옛 이름을 붙였다. 현실사회주의 하의 이 세 번째 비행대학은 1980년 그단스크의 레닌조선소에서 시작된 '연대노조' 운동을 위한 지식공작소였다. 비행대학은 이처럼 공식 섹터보다는 비공식 지하섹터에서 늘 탁월한 조직적 수완을 보였던 폴란드 현대사의 자식으로 손색이 없다. '트랜스내셔널 인문학 비행대학'은 일종의 비공식 지하섹터의 교육 기관을 지향한다는 점에서 폴란드 비행대학의 후계자라고 생각한다.

내가 만든 '비행대학'의 실제 내용은 트랜스내셔널 인문학을 지향하는 전 세계 박사과정 학생들에게 열려 있는 서머스쿨이다. 서머스쿨이라는 잘 알려진 이름을 마다하고 '비행대학'이라는 이름을 고집한 데는 몇 가지 이유가 있다. 첫째, 이미 전 세계에 오랜 전통과 좋은 평판을 지닌 비슷한 규모의 '여름학교'가 너무 많아서 서머스쿨이라는 이름을 붙여서는 후발주자로서 차별성을 드러내기 어려웠다.

'비행대학'은 내용에 앞서 이미 그 이름만으로도 많은 궁금증을 자아냄으로써 일단 성공적인 킥오프였다. 둘째, 학문 분야를 막론하고 여전히 '방법론적 민족주의'가 지배적인 상황에서 트랜스내셔널 인문학의 저항성을 담기에는 밋밋한 서머스쿨보다는 '비행대학'이라는 지하대학의 역사성이 제격이었다. 주류의 입장에서 볼 때는, '비행非行'을 가르치는 대학이라고 해석할 수도 있는데 틀린 이야기는 아니다. 셋째, 서울, 라이프치히, 피츠버그, 이타카에서 번갈아 가며 비행대학이 개최되었을 때, 걷거나 육상 운송 수단을 이용한 참가자들보다는 글자 그대로 날아서 오고 간 참가자들이 압도적으로 많았다는 점이다. 대부분의 참가자들이 날아다녀야 하는 이 양상은 앞으로 비행대학이 예정된 탐페레, 타이완, 뉴델리 등에서도 크게 바뀌지는 않을 것이다. 글자 그대로 '비행飛行' 대학인 것이다.

솔직히 처음 비행대학을 발의할 때만 해도 별반 자신은 없었다. 관건은 섹시한 이름이 아니라 우리의 비행대학이 다른 서머스쿨과 비교해서 어떤 차별성을 가질 수 있는가의 문제였다. 내용에 대해서는 별다른 여지가 없었다. 비행대학은 '인문한국' 프로젝트의 일환으로 한국연구재단에서 지원하는 프로그램 중의 하나이기 때문에 트랜스내셔널 인문학의 프레임 안에서 움직여야 했다. 트랜스내셔널 인문학 비행대학의 이론적 지향은 3T로 정리했다. 국경에 갇힌 문화본질주의를 넘어서 문화를 상대화하는 Trans-cultural, '학제간(interdisciplinary)' 연구를 넘어서 '탈학제'를 지향하는 Trans-disciplinary, 제도로서의 대학의 경계를 넘는 탈제도적이라는 의미에

2010년 한양대학에서 열린 제1차 트랜스내셔널 인문학 비행대학 1주일간의 일정을 마치고
학생들과 함께.

서의 Trans-institutional이 그것이다. 비교역사문화연구소에서 2010년부터 2012년까지 비행대학의 첫 3년 세미나를 개최했는데, '경계연구(border studies)'라는 큰 제목 아래 매년 '지역과 지역주의', '경계를 넘는 행위자들', '학문적 경계를 넘어서'와 같은 소주제를 다루었다. 각각의 비행대학은 주제에 맞는 교수들의 강의와 박사과정 학생들의 논문 발표라는 두 트랙으로 나누어 진행됐다.

교수들의 강의와 별도로 박사논문 발표 세션에서는 발표자 1인당 다른 지역과 다른 학제, 다른 주제의 토론자 2명씩을 배정하여 세미나를 진행했는데, 참가 학생들은 놀라울 정도로 유연한 학문적 자세를 취해 상상했던 것보다 훨씬 좋은 반응을 얻었다. 1회 비행대학을 마치고 학생들의 소원 수리를 받으니 오히려 교수들의 개입을 줄이고 자신들에게 더 많은 토론 시간을 달라는 요청이 많을 정도였다. 젊은 학생들은 기성학자들과는 달리 기회만 주어지면 얼마든지 자기 대륙과 국가 그리고 학제의 경계를 넘을 준비가 되어 있었던 것이다. 2010년부터 3년여 동안 서울에서 성공적으로 착륙한 비행대학은 다시 날기 시작했다. 첫 3년 동안 비행대학이 자리 잡는 데는 비교역사문화연구소의 김상현 HK교수와 박선주 연구교수의 노고가 컸다. 2013년에는 라이프치히 대학 트랜스내셔널 역사학 및 지역학 연구그룹이 비행대학을 호스트했고, 2014년에는 피츠버그 대학의 월드히스토리 센터와 글로벌 의료 연구 집단이 비행대학의 주최자였다. 나의 이직 때문에 2015년을 건너뛴 비행대학은 2016년에는 코넬 대학의 비교문학부와 동아시아학부가 주최했고, 2017년에는 핀란드의 탐페레 대학교, 2018년에는 대만의 교통대학에서 각각 개최될 예정이다. 비행대학 참가자들뿐만 아니라, 비행대학 자체가 날아다니기 시작함으로써 명실상부한 비행대학이 된 것이다. 현재 트랜스내셔널 인문학 비행대학은 서강대학, 라이프치히 대학, 피츠버그 대학, 탐페레 대학, 대만 교통대학, 코넬 대학의 대표자들로 운영위원회가 구성되어 있다.

'비행대학'을 운영하는 재정 원칙은 호스트 대학이 강의를 맡은 교수들의 여행 경비와 강사료를 제공하고, 박사과정 학생들의 경우에는 자신이 속한 대학에서 여행 경비를 제공하는 것이었다. 그러나 재정적으로 취약한 국가나 대학의 박사과정 학생들을 위해 '연대기금(solidarity fund)'을 조성하여 가능하면 그들도 초청하고자 했다. 2010년 비행대학이 개교한 이래 나이지리아, 벨라루스, 인도, 터키, 인도네시아 등지의 학생들이 연대기금 혜택을 받았다. 1회 비행대학 졸업생들 중에는 노르웨이와 미국 결혼 커플이 탄생하기도 했고, 이미 기성학계에 진출하여 이제는 같이 공동세미나를 진행하는 연구자도 생겨 흐뭇하다. 예컨대 훔볼트 대학 출신의 헤딩거Daniel Hedinger는 전간기 독일과 일본을 중심으로 인간의 몸에 대한 전시가 어떻게 인간에 대한 트랜스내셔널한 이해를 불러왔는가에 대해 박사논문을 쓴 후 폴 코너와 내가 편집하고 있는『팰그레이브 대중독재 편람(The Palgrave Handbook of Mass Dictatorship)』의 식민주의 파트 섹션 편집자로 참가하여 훌륭하게 자기 역할을 하고 있다. 독어와 불어, 이탈리아어 외에 일본어에 능통한 스위스 출신의 헤딩거는 20세기 독재를 트랜스내셔널 히스토리의 관점에서 연구할 수 있는 신세대 역사가인 것이다.

2기 졸업생인 타니아 바이툴레비치Tatsiana Vaitulevich는 괴팅겐 대학에서 나치 점령기 벨라루스와 네덜란드의 강제징용에 대한 비교연구로 박사논문을 쓰고 베를린의 '나치범죄자료센터'에 연구원으로 취직했다. 역사에 앞서 네덜란드어와 벨라루스어의 동시통역을 먼저 공부한 타니아는 독일어와 폴란드어, 러시아어에도 능통한 언어 감각이 뛰어난 연구자로 외가가 벨라루스의 폴란드계이다. 타니아는 동 연구센터의 청소년 교육 담당으로 자리를 얻자마자, 첫 작업으로 퍼블릭 히스토리 공동 작업을 제안하여 2016년 8월부터 서강대의 트랜스내셔널 인문학 연구소와 나치 및 일제의 강제징용에 대한 퍼블릭 히스토리 워크숍을 같이 진행하고 있다. 벨라루스 출신의 타니아에게는 2회 비행대학 당시 '연대기금'에서 약간의 여행 보조금이 지급되었는데, 이제는 주객이 전도되어 타니아가 오히려 한국 측 참가자들에게 재정 지원을 해주고 있다. 2016년 8월 베를린의 첫 워크숍에 참가한 한국 측 여섯 명의 교사 및 퍼블릭 히스토리 대학원생들에게 서울-베를린 여행 경비와 체재비를 타니아의 연구센터에서 모두 부담하여 내 짐을 크게 덜어 주었다.

그러나 출발은 결코 순탄하지 않았다. 비행대학은 자칫 청사진으로만 그칠 뻔했다. 기억은 2007년 가을로 거슬러 올라간다. 대중독재 프로젝트의 마지막 6년차 회기가 시작된 이해 가을 나는 비교역사문화연구소의 폐쇄 기념 국제학술대회를 구상하기 시작했다. 프로젝트

2013년 라이프치히 대학에서 열린 제4차 트랜스내셔널 인문학 비행대학 세션 사회 장면.
왼편에 코넬 대학의 사카이 나오키 얼굴이 보인다.

연구소로 만들었으니, 대중독재 프로젝트가 끝나면 문을 닫는 것이 당연했다. 그러나 이런 형식 논리의 밑에는 한국의 인문학 연구소가 밖에서 따오는 인건비 중심의 연구비로 운영되는 것은 거의 불가능하다는 판단이 자리하고 있었다. 공부를 잘하자고 연구소를 만들었는데, 연구소 때문에 공부를 못한다면 그것은 주객이 전도된 것이었다. 인문학에 대한 이해가 부족하고 행정적 지원도 기대하기 힘든 상황에서는 하루하루 연구소의 일상을 꾸려 나가기조차 어려웠다. 처음에야 멋모르고 했지만, 다시 프로젝트 연구비를 수주해서 매년 연구계획서를 제출하고 그 결과에 따라 연구소 예산과 계획을 그때그때 급하게 만들어야 하는 환경은 지나치게 소모적이고 또 장기적인 계획 자체가 불가능했다. 긴 호흡으로 수준 있는 연구 업적을 만들어 내는 게 어려운 구조였다. 연구를 위해서는 연구소 문을 닫는 게 상책이라는 판단이 들었고, 폐쇄 기념 학술대회라는 선례를 남기는 것도 나쁘지는 않다는 생각이었다.

그런데 느닷없이 한국연구재단에서 '인문한국(Humanities Korea)' 프로젝트 청사진을 발표했다. 한국의 인문학을 국제적 수준으로 끌어올리기 위해 세계 학계에 내놓을 수 있는 신선한 어젠다를 제시하고 연구를 끌어갈 수 있는 연구소를 지원한다는 내용이었다. 각별히 내 눈길을 끈 것은 무려 10년에 달하는 지원 기간이었다. 잡다한 일에 신경 쓸 것 없이 유능한 소장 연구자들을 10여 명 뽑아서 10년 동안 연구에 매진할 수 있는 충분한 재정 지원도 매력이었다. 그래서 거의 구상이 끝난 폐쇄 기념 국제학술대회를 접고 '인문한국' 연구계획서를 쓰는 방향으로 선회했다. 매사추세츠 대학에서 트랜스내셔널 문학으로 학위를 받은 영문학 전공의 박선주, 시카고 대학에서 프랑스 지성사로 학위를 한 오경환 박사 등이 가담하여 이론과 방법론 부분을 강화하고 '트랜스내셔널 인문학'을 연구 어젠다로 하는 연구계획서를 부랴부랴 작성했다. 한국 인문학의 미래를 준비하는 어젠다라는 점에서, 그것은 '국사'에 대한 대안으로 제시된 트랜스내셔널 히스토리의 차원을 넘어서야 한다고 생각했다. 역사뿐 아니라 인문사회과학 거의 전 분야에 깊이 뿌리박고 있는 사유 방식으로서의 '방법론적 민족주의(methodological nationalism)'에 대한 이론적·방법론적 대안으로 '트랜스내셔널 인문학'을 나름대로 제시하고자 했다.

연구계획서는 트랜스내셔널 인문학이 지향하는 논점을 크게 다섯 가지로 요약했다. 첫째, 국민국가에 갇혀 있는 인문학적 상상력을 해방시켜 '인류'를 향해 열려 있는 트랜스내셔널 인문학의 전망을 제시하고, 둘째, 자본과 권력이 주도하는 위로부터의 지구화에 대항하는 '아래로부터의 지구화'라는 관점에서 국경을 넘는 연대를 구축하고, 셋째 분과학문의 경계를 유지한 채 체면 유지 정도의 협력을 도모하는 '간학제적(interdisciplinary)'적 연구의 한계를 넘어 '탈학제적(postdisciplinary)' 연구를 도모하고, 넷째 한반도의 문제의식에 기초한 트랜스내셔널 패러다임을 개발해 세계로 발신하고, 다섯째 트랜스내셔널 인문학 연구와 교육의 전 지구적 네트워크를 구성한다. 이는 어떤 학문적 허영심의 발로라기보다는, 자본과 기술, 노동의 자유로운 이동, 이민과 이주, 환경과 인권, 영토 분쟁, 젠더와 인종 문제 등 국민국가의 경계를 넘어서는 다양한 현실적 이슈들을 지속적으로 문제화함으로써 지구화를 비판적으로 사유하고 상상하며 부정할 수 없는 그 현실을 아래로부터 전유하는 트랜스내셔널한 관점을 정립하자는 게 그 궁극적인 목표였다.

막상 써 놓고 보니 부족하고 아쉬운 점이 많았다. 연구재단의 프로젝트 공모가 늘 그렇듯이 번갯불에 콩 구워 먹듯이 급히 써야만 했기 때문이지만, 이론적으로나 방법론적으로 여전히 채워 놓아야 할 구멍이 많았고 우선 내 스스로도 잘 정비된 생각을 갖추지 못했기 때문이다. 그래도 어느 정도 자신은 있었다. 연구계획서의 내용이 잘 정비되었다기보다는 치고 나가는 문제의식이 오히려 한국 인문학의 21세기적 어젠다를 제시한다는 '인문한국'의 취지와 부합된다는 판단에서였다. 운도 따라 주어 80여 개의 제안서 가운데 최고 점수로 예선을 통과했다는 소식을 들었다. 2차 심사에 임해서는 예선을 통과한 20여 개 제안서 가운데 설마 1위로 통과한 제안서를 떨어뜨리겠는가 쉽게 생각했던 듯하다. 10여 명의 심사위원들이 참석한 2차 면접평가는 완전히 이데올로기적 전쟁터 같았다. 제안서의 논리적 정합성보다는 이데올로기적으로 옳으냐 그르냐를 검증하는 사상의 검증무대였다. 말을 맞춘 것 같은 몇몇 심사위원들은 한국 사회에는 아직도 민족주의가 꼭 필요하므로 '트랜스내셔널 인문학'은 곤란하다는 주장을 펴서 심사 대신 민족주의 논쟁이 벌어졌다. 심지어 한 심사위원은 '대중독재'에 참가한 해외 학자들 명단을 들이대고 그중에 세계적으로 유명한 학자를 찍으라는 식의 천박함을 드러냈다. 그런 천박함에는 논리적으로 대응할 재간이 없는 것이다. 한두 심사위원이 이의를 제기했지만, 면접심사는 잘 지휘된 오케스트라처럼 움직였다.

결국 내가 제출한 '트랜스내셔널 인문학' 제안서는 최종심사에서 탈락했다. 내 잘못이었다. 학문이 학문을 하는 게 아니라 사람이 학문을 한다는 사실을 잠깐 잊어버린 것이다. 내가 너무 순진했던 면도 있다. 노무현 정권 말기 이른바 좌파 민족주의 계열의 교수들이 헤게모니를 잡은 것은 알고 있었지만, 학문적 심사가 정치적으로 좌우되지는 않을 거라고 생각했던 것이다. 특히나 심사위원단의 중추로 활동한 사람들 가운데에는 '양심적인 시민-교수'라고 볼 수는 있지만, 이미 연구자의 길을 떠난 지 오래된 사람들도 많았다. 노무현 정권 이후에는 다시 우파 민족주의 계열의 목소리가 커지면서, 예컨대 국정교과서 등에 반대하는 연구자들에게 학문적 성과와는 상관없이 불이익이 주어진다는 이야기도 자주 들린다. 나 자신도 최근 공공재단에서 주최하는 인문학 축제에 기조강연을 청탁받아 수락했는데, 최종 결재 과정에서 번복되었다는 전갈을 받아 불쾌한 적도 있다. 냉정하게 따져 보면, 정권이 바뀔 때마다 공공재단의 지도부에 취임한 인사들의 학문적 선호도나 이념적 지향이 다를 수 있고 또 어느 정도 그것은 불가피한 면도 있다. 문제는 정치적 호불호나 이념적 취향과 관계없이 학문적 성취도를 평가할 수 있는 성숙한 문화가 자리 잡고 있지 못하다는 점이다. 좌·우가 논리적으로 경합하거나 학문적 성취도로 승부를 거는 대신 서로 자기 이해를 챙기는 노골적 천박함이 문제인 것이다.

이들의 노골적 천박함 앞에서 학문의 '가치중립성(Wertfreiheit)', '간주관성(intersubjectivity)', '오류의 검증가능성'(falsifiability) 등은 얼마나 취약한 개념인가? 물론 어느 사회에서도 그런 일들은 벌어지고, 서유럽이나 미국이라고 해서 예외는 아니다. 그래도 정도의 차이는 느껴진다. 좌파든 우파든 한국의 지식사회는 모두 '최대주의(maximalism)'의 성향이 강하다. 단재의 탄식처럼 "어느 주의든 조선에 들어오면 조선의 주의가 아니라 주의의 조선이 되는" 독특한 지적 풍토가 그런 결과를 낳기도 했지만, 해방 이후 '도 아니면 모' 식의 극단으로 흐른 한국 정치의 게임 법칙도 큰 영향을 미쳤을 것이다. '제2인터내셔널' 당시 차르의 전제정 하에서 비합법 지하운동으로 사회주의 운동을 펼친 러시아의 사회민주당에서 '최대주의'가 지배적이었다는 사실도 시사적이다. 집단정서라는 관점에서 보면, 차이를 용납하지 않는 '최대주의'는 볼셰비키의 가장 큰 특징이라 할 수 있는데 제도적 민주주의의 보호 아래 활동했던 서유럽 사회민주당의 '가능주의(possibilism)'나 '사회적 자유주의(social liberalism)' 등과 대조되어 흥미롭다. 어쨌든 나는 공식적인 절차를 거쳐 내부적으로 강력하게 이의를 제기했고, '트랜스내셔널 인문학'은 재수 끝에 그 다음 해인 2008년에야 연구를 개시할 수 있었다.

글로벌 히스토리나 트랜스내셔널 히스토리가 국사에 대한 비판적 대안이면서도 동시에 담론적 공범자라는 양가성은 '방법론적 민족주의'와 '트랜스내셔널 인문학'의 관계에서도 발견된다. 국민국가의 일국적 경계를 뛰어넘는 대담한 실험이면서 동시에 유럽과 비유럽 사이에 확장된 형태의 국민국가적 경계를 공고히 하는 '유럽연합' 같은 경우가 대표적이지 않을까 한다. 일국적 경계를 넘어 유럽연합 내부의 연대가 공고해지는 동시에 이슬람을 비롯한 비유럽 세계의 이민과 난민에 대한 차별이 강화되는 양가성이 트랜스내셔널 인문학의 사유에서도 발견되는 것이다. 스탈린주의의 유제와 현실사회주의에서 해방되어 '유럽'으로 회귀한 동유럽 국가들이 족쇄 풀린 오리엔탈리즘의 보고가 되고 시리아 등 이슬람 난민에 대해 더 적대적인 태도를 취하는 오늘날 유럽의 현실을 어떻게 설명할 것인가는 마조워Mark Mazower의 책 제목처럼 '암흑의 대륙(dark continent)'인 유럽의 20세기사를 어떻게 이해할 것인가 하는 문제와 깊이 관련되어 있다.

2015년 여름 시리아 난민문제가 불거져 독일의 메르켈 총리가 독일 정착을 원하는 난민은 모두 수용하겠다며 100만가량의 난민 유입을 계상했을 때, 폴란드 정부는 2천 명의 난민을 받아들이겠다고 선언한 적이 있다. 독일 인구의 절반 규모라는 점을 감안해서 산술적으로만 계산한다면 폴란드가 수용해야 할 난민 규모는 50만가량이 될 것이었다. 그런데 2천 명이라면 거의 조크 수준이었다. 이에 대해 폴란드 이웃들의 유대인 이웃에 대한 학살극을 파헤친 『이웃들(Sąsiedzi)』(2000)의 저자 얀 그로스Jan T. Gross는 이슬람 난민에 대한 폴란드 정부 및 사회의 무관심이 홀로코스트에 대한 폴란드인들의 공범성을 자기비판적으로 성찰하는 과거청산에 실패한 데서 비롯되었다고 주장하여 파문이 일었다. 독일 신문 『디벨트Die Welt』에 실린 그로스의 비판에 대해 폴란드 역사가인 스몰라르Aleksander Smolar와 자렘바Marcin Zaremba 등이 폴란드 일간지 『가제타 비보르차』의 지면을 빌려 곧바로 반박했다. 이슬람 난민에 대한 폴란드 사회의 무관심은 서유럽과 달리 폴란드가 한 번도 식민주의의 가해자였던 적이 없기 때문이라는 것이 그들의 주요 논지였다. 식민지에서 온 유색인종과 같이 살아 본 경험이 없고 그래서 다문화주의의 전통이 약하기 때문이라는 것이다. 그러나 2015년 폴란드의 이 논쟁은 초점이 어긋나도 한참 어긋났다.

폴란드가 아시아나 아프리카에 식민지를 가져 본 적이 없다는 주장은 분명한 사실이지만, 식민지가 없었다고 해서 오리엔탈리즘이나 서구중심주의로부터 자유로웠던 것은 아니다. 나미비아 등의 아프리카 식민지를 제외하면, 독일 역시 아시아에 식민지를 가져 본 적은 없다. 중국에는 칭다오 등의 조차지만 있었을 뿐이다. 남태평양의 뉴기니나 마셜 군도 등이 있지만, 무시할 만하다. 그러나 오리엔탈리즘이 꼭 아시아에 식민지가 있어야만 성립하는 것은 아니다. 오리엔탈리즘의 아시아는 실증적 지리가 아니라 상상된 지리인 것이다. 예컨대 히틀러에게 유럽과 아시아의 경계는 결코 우랄 산맥이 아니었다. 독일 식민자들의 정착지가 끝나고 순수한 슬라브 거주지가 시작되는 그 경계가 곧 유럽과 아시아의 경계선이었다. 히틀러의 눈에 비친 폴란드와 러시아, 우크라이나 등은 슬라브인이 거주하는 야만적 아시아였던 것이다. 고정되고 본질적인 실체가 아니라 유동하는 이데올로기적 개념으로서의 유럽과 아시아에 대한 히틀러의 사유는 '상상의 지리'로서의 '동양'에 대한 오리엔탈리즘적 사고방식의 전형을 드러내

준다. 동유럽이 동양이 되는 이 담론 구조는 '동양'과 '서양'은 지리실
증적 개념이 아니라 세계사적 구도 속에서 차지하는 역사적 위치에
따라 결정되는 구성주의적 상대 개념이라는 점을 잘 드러내 준다.

폴란드라는 역사의 실험실에서 얻은 소중한 성과 가운데 하나는
'서양과 동양', '유럽과 아시아'를 실증적 역사-지리 개념이 아니라 정
치적 구성물인 '상상의 지리'로 보게 되었다는 점이다. 독일에서는 폴
란드 연구가 '동양 연구(Ostforschung)'로 불리고 폴란드에서는 독일
연구가 '서양 연구(Studia Zachodnie)'로 호명되는 이 연구의 지리적 범
주화가 이미 많은 것을 말해 준다. 내셔널 히스토리의 분절된 이해
방식을 떠나 프랑스-독일-폴란드-러시아를 잇는 역사의 연쇄고리 속
에 내셔널 히스토리를 위치시킬 때, 유동하는 상상의 지리로서의 동
양과 서양은 더 분명히 드러난다. 프랑스 '문명'의 대당 개념으로 '문
화' 개념을 내세운 독일의 역사의식에서 프랑스는 '서구'로 가정되었
지만, 폴란드에 대한 오리엔탈리즘인 독일의 '동양 연구'에서 서양의
위치를 차지한 것은 독일이었다. 반면 '아시아적인 러시아'에 대해 폴
란드는 자신을 '서양'으로 간주했으며, 서구와의 관계에서는 '타타르
인'으로 비하되던 러시아인들도 아시아 이웃들에 대해서는 유럽인으
로 자처할 수 있었다. 심지어 러일전쟁 이후에는 일본이 자신을 서양
으로 자리매김하는 대신 러시아를 오리엔트화하는 경향까지 나타났
다. '서양'과 '동양'은 이처럼 그 담론이 놓여 있는 위치에 따라 유동
하는 개념이었던 것이다.

나는 2006년 12월 폴란드의 쿨리체Kulice에서 열린 독일-폴란드

공동세미나에서 종합토론을 이끄는 발제를 맡아 이런 생각을 정리할 수 있었다. "독일의 폴란드 연구, 폴란드의 독일 연구"라는 제목으로 진행된 이 학술회의는 독일의 폴란드 전문가들과 폴란드의 독일 전문가들이 의견을 교환하는 흥미로운 자리였다. 회의는 쿨리체(독일어명 Külz)에 있는 비스마르크 가문의 장원에서 열렸다. 이차대전 이후 포츠담 조약에 의거 포모제Pomorze(독일어명 Pommern) 지역이 폴란드에 합병되면서 이곳에 있던 비스마르크 가문의 장원은 사회주의 폴란드의 집단농장으로 바뀌었다. 독일의 대귀족이 살던 빌라를 22 가구의 폴란드 농민들이 쪼개어 살았다. 베를린 장벽이 붕괴된 이후 독일과 유럽연합의 지원으로 비스마르크가의 빌라는 원래의 모습대로 복원되어 폴란드의 슈체친Szczecin 대학에 국제학술대회 용도로 기증되었다. 이 학술회의에 참석한 독일과 폴란드의 역사가들의 발표는 대부분 서양과 동양을 지리실증적 개념으로 간주하는 경향이 강했다. 실제로는 독일의 폴란드학(Ostforschung)에서 폴란드는 동양적이라는 의미를 함축했고, 폴란드의 독일학(Studia Zachodnie)에서 독일은 서구적이라는 의미를 함축했다.

내 역할은 도발하는 것이었는데, 이런 주장만으로도 토론을 도발하기에는 충분했다. 나는 「동양과 서양의 자리 옮기기(Displacing East and West)」라는 토론문의 서두에서 폴란드의 희곡작가 스와보미르 므로제크Sławomir Mrożek의 희곡 『계약(Kontrakt)』(1986)에 나오는 대사를 인용했다: "나는 동쪽에서 보면 서쪽이지만, 서쪽에서 보면 동쪽에서 왔다." 이 극중 인물은 베레지니차 비즈나Bereźnica Wyżna 출신이다. 폴란드-슬로바키아-우크라이나 접경 지역인 카르파티아 산맥 기슭의 인구 300명이 채 안 되는 이 작은 시골 마을은 전형적인 '변경 (kresy)'의 특성을 안고 있다. 이들 폴란드 '변경' 지역의 역사적 특징 중의 하나는 유동하는 정체성이다. 1931년 실시된 폴란드 제2공화국의 인구조사만큼 흥미로운 증거도 없다. 당신은 어느 민족인가를 묻는 조사자의 질문에 많은 '변경' 사람들이 자신은 폴란드인도 우크라이나인도 벨라루스인도 아닌 '이곳 사람(tutejszy)'이라고 답했던 것이다. 가상의 극중 등장인물을 통해 내 고향은 동양도 아니고 서양도 아닌 혹은 동양이면서 서양이라고 답하게 만든 므로제크의 촌철살인은 상식의 허를 찌르는 데 명수인 그답다. 더 넓게는 지성사의 텍스트로서의 이 희곡은 동양도 아니고 서양도 아닌 혹은 동양이자 서양인 폴란드의 담론적 위치(discursive location)를 잘 드러낸 것이 아닌가 한다.

1990년 벨벳 혁명 직후 체제의 전환 과정에서 실시된 대통령 선거 당시 '연대노조'의 전설이자 강력한 대통령 후보였던 레흐 바웬사는 "폴란드를 제2의 일본으로 만들겠다"는 공약으로 눈길을 끌었다. 폴란드=서양 대 일본=동양이라는 지리적 통념에 따르면, 바웬사의 공약은 "서양을 동양으로 만들겠다"는 선언이 아닌가 하며 당혹스러웠던 기억이 아직도 생생하다. 훗날 사카이 나오키와의 대담에서 역사주의를 논할 때 이 이야기를 들려주자, 사카이 나오키의 해석은 절로 무릎을 칠 만큼 명쾌했다. 역사주의가 서양=선진, 동양=후진의 구도를 갖고 하나의 시계열 안에서 세계사를 배치하는 것이라면, 바웬사의 공약에서는 결국 폴란드가 '동양'이고 일본이 '서양'이라는 것이다. 후진국을 선진국으로 만들겠다는 공약이야 많지만, 선진국을 후진국으로 만들겠다는 공약은 어불성설이지 않은가! '상상의 지리'로서의 동양과 서양에 대한 에드워드 사이드Edward Said의 개념이 가진 급진성이 그 어느 때보다도 명료하게 다가왔다. 트랜스내셔널 인문학은 이론적으로 포스트콜로니얼리즘의 자식인 것이다. 탈식민주의의 문제의식이 이어질 때, 트랜스내셔널 인문학은 '방법론적 민족주의'에 대한 양가성에서 벗어나 비판적 대안으로서의 의미가 더 분명해질 것이다.

15

희생자의식 민족주의

Doing
History

2007년 1월 18일 조간신문을 펼쳐 본 나는 조금 이상한 느낌을 받았다. 문화면 전면에 걸쳐 대문짝만 하게 실린 『요코 이야기』(문학동네, 2005)에 대한 비판 기사가 자꾸 마음에 걸렸다. 무슨 대단한 책 같아 보이지는 않는데, 그 가치에 비해 기사가 너무 크다는 느낌을 지울 수 없었다. 인터넷으로 확인해 보니 대체로 대동소이한 비판을 『조선일보』, 『중앙일보』, 『동아일보』, 『한겨레신문』 등 전국지들이 일제히 싣고 있었다. 『연합통신』마저 큰 비중으로 보도했으니 많은 지방지들도 이 기사를 받았을 것이다. 비판의 주 내용은 요코 가와시마 왓킨스Yoko Kawashima Watkins의 그 책이 한국인을 사악한 가해자로 묘사하는 등 뒤틀리고 왜곡된 견해를 제공한다는 것이었다. 대한민국 언론의 갑작스런 좌우합작이 조금 이상하기도 하고 또 그 후에도 언론에서 이 문제를 계속 건드리는 바람에 흥미가 생겼다. 먼저 소동의 발원지인 미국에 눈을 돌리지 않을 수 없었다.

일간지 『보스턴 글로브The Boston Globe』의 한 기사에 따르면, 보스턴 인근 뉴튼Newton 소재 한국영사관이 『요코 이야기』에 대한 비판 편지를 매사추세츠 주 교육부에 보낸 것은 현지 시간으로 1월 16일의 일이다. 한국 신문의 인터넷 판에서 이미 1월 17일 저녁에 비판 기사가 실리기 시작했고 미국 동부와 한국의 시차가 14시간이라는 점을 고려하면, 한국영사관이 항의 편지를 보낸 시점과 한국 언론들이 비판 보도를 내보낸 시점이 절묘하게 일치하는 것이다. 우연의 일치라고 치부하기에는 무언가 석연치 않았다. 미국의 한인 학부모들이 문제를 제기한 2006년 가을에는 정작 조용했던 한국 언론들이 약속이라도 한 듯 1월 17일을 『요코 이야기』를 비판하는 디데이로 삼은 것은 아무리 생각해도 수상했다. 당시 보스턴 주재 총영사가 노무현 정권과 호흡이 맞는 한 일간지의 미국 특파원을 지낸 언론인 출신이라는 점도 예사롭지 않았다.

고백하자면 나는 이 기사들이 이상해서 그때서야 부랴부랴 『요코 이야기』를 사서 읽었다. 『요코 이야기(So Far from the Bamboo Grove)』는 일본인 작가 요코 왓킨스의 자전적 소설이다. 이차대전에서 일본이 패전했을 당시 11세 소녀였던 작가와 그 가족이 생명의 위협, 굶주림, 성폭행의 공포 등을 겪으면서 한반도 북부의 나남에서 일본으로 귀환하면서 겪은 참혹한 생존의 경험이 잘 녹아 있다. '히키아게샤引揚者'라 불리는 일본의 거주민들이 겪어야만 했던 고통을 열 살 내외의 어린 소년소녀들이 잘 이해할 수 있게 쉬운 언어로 리얼하게 그리고 있는 책이다. 청소년을 대상으로 한 책이라서 그런지 내용이나 논리도 비교적 단순하고 특별한 무엇이 있어 보이지는 않았다. 패전 후 일본의 어린 소녀가 무수한 시련을 이겨 내고 고통을 극복한 결과 적절한 보상을 받는다는 서사 구조는 오히려 그 영웅적 단순함 덕분에 어린 청소년들에게 더 호소력을 지닐 수도 있을 것이다. 그러나 논란이 될 만한 책이 아니라는 생각에는 지금도 변함이 없다.

1986년 미국에서 첫 간행된 이 책이 한국에서 『요코 이야기』라는 제목으로 번역 발간된 것은 2005년 4월의 일이었다. 2005년 첫 발간 당시 한국에서도 이 책은 그리 큰 반응을 얻지는 못했다. "1945년 일제가 패망할 당시 한반도 북단 나남에서부터…… 일본까지 험난한 피난길에 오른 일본인 일가의 이야기를 어린 소녀의 눈으로 그린 자전적 소설"이라는 『연합통신』 2005년 5월 13일자 기사 혹은 "국적을 잠시만 잊는다면, 전쟁이 한 가족의 삶을 어떻게 고난에 빠뜨리는지 담담하게 묘사한 성장소설"이라는 2005년 5월 6일자 『조선일보』 신간소개는 호의적이지만, 이 책이 그저 그런 평범한 책으로 대접받았음을 말해 준다. 해방 이후 한국에서 발간된 수많은 피난민 문학의 하나일 뿐인 이 책은 후지와라 데이藤原てい의 수기 『흐르는 별은 살아 있다』와 같은 베스트셀러 작품들과 비교하면 이야기를 끌어가는 힘이나 문학적 성취도에서 평범하기 짝이 없다.

그러니 이 책이 출간된 지 2년여가 지난 2007년 1월 새삼 한국 언론에서 뜨거운 논의의 대상으로 된 것 자체가 수상했다. "얼빠진 한국, 일본마저 거부한 『요코 이야기』 출간", "일 전범 딸이 쓴 엉터리 조선 회상기", "미국도 속은 '일본판 안네의 일기'", "한글판 『요코 이야기』 왜곡투성이" 등등의 자극적인 기사 제목에서 보듯이, 진보신문과 보수신문을 막론하고 보도의 핵심은 이 책이 역사를 왜곡하고 있다는 것이다. 심지어는 저자의 아버지가 731부대의 간부였다는 마타도어적 의혹을 부풀리기까지 했다. 개인적 기억이 가질 수밖에 없는 역사적 부정확성을 근거로 요코의 고통을 아예 부정하려는 태도였다. 한국 언론의 보도 태도에서 나타나는 이러한 경향은 '일본 민족=가해자' 대 '한국 민족=희생자'라는 이분법이 흔들리는 데 대한 당혹감의 표현이었을 것이다.

그 당혹감의 밑에는, 피난길에 오른 일본 여성을 위협하고 강간하는 가해자로서의 한국인에 대한 요코의 주장이 피해자로서의 한국 민족의 역사적 정당성을 저해한다는 생각이 깔려 있지 않았나 한다. '한국 민족=희생자' 대 '일본 민족=가해자'라는 등식은 맞지만 틀린 공식이다. 민족적 구도에서는 한국 민족이 일본 식민주의의 피해자라는 등식이 맞지만, 개개인의 차원에서 그 등식은 한반도 내부의 가해자들과 일본 내부의 피해자들을 인정하지 않는다는 점에서 틀렸다. 일본 식민주의의 지배에 적극 협력한 정치적 협력자들뿐 아니라 만주 특수나 남양 특수를 톡톡히 누린 경제적 협력자들이 식민지 조선인이라고 해서 역사의 희생자였다고 볼 수는 없는 것이다. 미국의 무차별 폭격이나 원자폭탄에 스러져 간 일본의 반전평화주의자들이 일본인이라는 이유로 역사의 가해자였다고 보기 어려운 것과 같다. 그 시대를 살던 역사적 행위자들의 구체적 행위가 아니라 그들의 민족적 소속감을 경계로 가해자와 희생자를 나누는 사고방식은 우리의 현실 이해를 대단히 단순화시키는 것이다.

이는 식민지인이라는 이유로, 유대인 혹은 조선인이라는 이유로, 혹은 유색인종이라는 이유로 열등한 인간, 사악하고 추악한 인간이라고 심판했던 제국의 논리이자 인종주의의 논리이며 오리엔탈리즘의 논리였다. 어느 인종에, 어느 민족에, 어느 문명에 속해 있는가에 따라 개개인을 평가하는 제국주의의 논리가 식민지의 의식구조를 지배하는 것이다. 한나 아렌트Hannah Arendt가 전후 나치즘의 과거사 논쟁과 관련해서 '집합적 죄의식(collective guilt)'을 비판하고 나선 것도 같은 맥락에서 이해된다. 개개인의 구체적인 행동과 그에 따르는 책임과 무관하게 단지 독일인이라는 이유만으로 홀로코스트의 죄의식을 가져야 한다면, 유대인이라는 이유만으로 죽음으로 내몬 나치와 다를 바가 무어냐는 것이다. 체제로서의 나치즘은 무너졌지만, 나치즘의 사후에도 인종과 민족을 기준으로 개개인을 절대범주화하는 나치의 이데올로기와 사유 방식은 양상을 달리하며 버젓이 살아 있었던 것이다.

『요코 이야기』 소동에서 한 가지 더 흥미로운 사실은 논쟁의 불씨가 바다 건너 미국에서 지펴졌다는 점이다. 2006년 9월 보스턴과 뉴욕의 한국계 미국인들이 미국학제로 6학년 역사 과목의 리딩 리스트에 포함된 이 책에 문제를 제기했던 것이다. 뉴욕의 한 한국계 여학생은 항의 표시로 등교를 거부했고, 보스턴 지역의 한인 학부모들이 지역 교육위원회에 교재 사용 중단을 요청했다. 한국계 미국인들이 제기한 문제의 핵심은 이 책이 식민주의와 전쟁의 피해자인 한국인들을 가해자로 묘사하고, 가해자인 일본인들은 피해자로 묘사하고 있다는 점이다. 동아시아의 역사에 무지한 미국의 학생들에게 식민주의의 희생자인 한국인이 폭력적 가해자로, 그리고 일본인이 무고한 피해자로 각인될 수 있다는 그들의 항의는 미국적 맥락에서 일리가 있는 것으로 보인다. 이 책에는 사실상 일본 식민주의의 역사적/도덕적 부당성이나 난징대학살 등과 같은 일본군이 저지른 범죄나 잔학 행위는 생략되어 있다.

그렇다고 해서 요코의 기억을 역사의 왜곡으로 몰고 가는 관점이 정당화되는 것은 아니다. 어린 소녀의 시선으로 가해와 희생을 대립시키는 단순 구도 속에서 자신의 생존 경험을 이야기하는 이 책의 내러티브가 단순화와 탈역사화의 문제가 있다는 비판은 가능하겠지만, 거짓이라고 몰아붙이는 것은 곤란한 것이다. 더 근원적으로 문제를 제기한다면, 그것은 미국의 유럽 중심적 문화나 교육 체계에 대한 것이어야 했다. 홀로코스트 등 나치의 범죄 행위나 유럽의 역사에 대해서는 열심히 배우지만 동아시아의 역사는 주변화시키는 미국의 학문적 질서와 교육 과정에 대한 비판이 생략되고, 비판의 초점이 동아시아 내부의 미숙한 역사의식이나 과거청산의 문제로 옮겨지면서 과거를 둘러싼 민족주의적 갈등이 첨예해진 것이다. 일본에서는 출판도 되지 않고 관심도 끌지 못했던 『요코 이야기』가 이 소동 이후에 일본어로 번역 출간되고 일본의 민족주의적 기억을 강화하는 근거로 사용되는 예기치 않은 결과를 어떻게 이해하고 평가해야 할 것인가?

태평양과 현해탄을 횡단하면서 벌어진 『요코 이야기』 소동을 지켜보면서, 나는 처음으로 '희생자의식 민족주의(victimhood nationalism)'라는 말을 썼다. 2007년 4월 29일자 『코리아 헤럴드』에 실린 동아시아의 역사문제에 대한 칼럼에서였다. 그러자 『요코 이야기』 소동의 진원지인 미국의 재미교포들에게서 항의 이메일이 날아오기 시작했다. 자신을 미국 동부의 아이비리그 소속 대학 박사라고 소개하면서 한국에서는 당신 같은 엉터리가 어떻게 대학에서 역사를 가르칠 수 있느냐는 거친 항의에서부터 『요코 이야기』를 읽은 미국 학생들이 자기 아이가 착한 일본인을 괴롭힌 나쁜 한국계라는 이유로 괴롭힘과 왕따를 당하고 울고 귀가하는데 부모된 도리로 가만있을 수는 없지 않느냐는 읍소적 항의까지 다양했다. 자신의 자식들인 한국계 미국 학생들의 곤경에 대한 재미교포들의 민감한 반응은 개인적 차원에서는 충분히 이해되지만, 그들의 의도와는 무관하게 태평양을 가로지르는 트랜스내셔널한 역사적 공간에서 작동하는 디아스포라 민족주의에 대해서 눈을 감을 수는 없는 일이었다.

2007년 정초부터 봄까지 이 일련의 상황을 겪으면서 나는 '희생자의식 민족주의' 개념을 다듬을 수 있었다. 논쟁을 지켜보면서 마음은 불편하기 짝이 없었지만, '희생자의식 민족주의'라는 새 개념이 민족주의의 21세기적 양상을 포착하는 데 유용하다는 확신을 갖게 되었다. 뿐만 아니라 재미교포라는 디아스포라 공동체가 『요코 이야기』 소동의 진원지라는 점에서 희생자의식 민족주의 더 나아가서는 한 사회의 집단적 기억이 갖는 트랜스내셔널한 성격을 확인한 것 또한 중요한 소득이었다. 그 이래 나는 '희생자의식 민족주의'라는 나름대로의 개념을 다듬고 정교하게 만드는 작업을 틈틈이 해왔다. 폴란드-두개의 독일-이스라엘을 한 축으로 하고 일본-한국의 동아시아를 다른 축으로 하는 트랜스내셔널 메모리의 관점과 냉전과 탈냉전, 식민주의와 탈식민주의라는 전후 세계에 대한 전 지구적 역사의 관점을 접목해 희생자의식 민족주의에 대한 트랜스내셔널 역사를 구상하고 집필 중이다.

그 테제가 가진 도발적 문제제기 때문인지, 미국과 일본, 독일, 폴란드, 프랑스, 핀란드, 슬로베니아 등의 20여 개가 넘는 대학과 연구소 등에서 '희생자의식 민족주의'에 대한 강연 초청이 왔고, 덕분에 나는 다양한 청중들과의 토론을 통해 생각을 더 발전시키고 다듬을 수 있었다. 흥미로운 점은 많은 청중들, 특히 전 유고슬라비아, 핀란드, 폴란드 등 이른바 전 지구적 근대의 구도 속에서 주변부에 속했던 나라의 청중들이 희생자의식 민족주의는 바로 자신들의 이야기라며 손쉽게 공감했다는 점이다. 2009년 교토의 '국제일본문화연구센터'에서 전후 일본의 희생자의식을 검토하며 1년의 소중한 시간을 보낸 것도 그 덕분이었다. 다시 2011년에는 독일 고등학술연구원의 초청으로 베를린에서 생산적인 1년을 지낼 수 있었다. 블랙웰 출판사에서 발행하는 전자저널 『히스토리 컴퍼스History Compass』의 청탁으로 동아시아의 희생자의식 민족주의에 대한 논문을 게재하고, 국제 학계에서 기억 연구를 선도하는 알레이다 아스만Aleida Assman과 글로벌 히스토리를 선도하는 연구자 제바스티안 콘라트가 공동편집한 『글로벌 시대의 기억(Memory in a Global Age)』(Palgrave, 2010)에 희생자의식 민족주의에 대한 글을 게재한 것도 이 무렵의 일이었다. 한국학자로는 처음으로 공모 방식이 아닌 이너 서클에 속한 연구자들의 추천과 심사를 통해서만 펠로우를 선발하는 독일 고등학술연구원의 초청을 받은 것도 이런 작업들 덕분이었다.

　이 과정에서 얻은 것은 이런 점이다. 인문사회과학의 독창성이라는 것은 개인의 학문적 수월성 여부를 떠나서 연구자 자신의 개인적·역사적 삶의 경험을 성찰적으로 천착하면서 그 경험을 추상 차원에서 이론적으로 문제화할 수 있는 힘에 있다는 것이다. 자신의 삶에 뿌리박은 고유한 문제의식과 그것을 학문적으로 형상화할 수 있는 역량이 뒷받침할 때 나름의 독자적 이론이 가능하다는 생각은 이를 통해 더 굳어졌다. 물론 희생자의식 민족주의는 2007년 하늘에서 갑자기 떨어진 것은 아니었다. 지상에서 완전히 새로운 것은 없는 법이다. 그 이전에도 나는 '세습적 희생자의식과 포스트콜로니얼 역사학'이라는 주제로 몇 차례 강연을 한 바 있었다. 2003년 4월 '동아시아 역사포럼' 4차 워크숍, 같은 해 5월 UCLA 대학 한국학연구소의 초청강연, 그리고 다시 2004년에는 교토에서 열린 '공공철학 포럼'에서 같은 주제의 강연을 했다. 일본에서의 강연은 후에 도쿄 대학의 미타니 히로시三谷博 선생이 편집한 책 『동아시아 역사 대화: 국경과 세대를 넘어(東アジア歷史対話: 国境と世代を越えて)』(東京大学出版会, 2007)에 수록되었다.

　'세습적 희생자의식'은 지그문트 바우만의 용어로, 2002년 12월 잉글랜드 북부 리즈Leeds에 있는 그의 집에서 인터뷰할 당시 처음 접했다. 인터뷰가 끝나자 그는 막 완성된 초고를 한 부 내게 건넸는데, 바로 '세습적 희생자의식'에 대한 논문이었다. 대담에서 홀로코스트에 대한 폴란드 사회의 기억을 이야기하는 가운데 그는 부끄러움의 해방적 역할에 대해 이야기했다. 나치의 끔찍한 희생자였다는 기억

베를린 고등학술연구원 펠로우 포럼에서 희생자의식 민족주의에 대한 강연 모습. 오른쪽
앉아 있는 사회자는 유대신학 연구자 수잔나 헤셸.

이 가져다주는 도덕적 자기 정당화에 안주하지 않고, 유대인 이웃들이 속수무책으로 학살당하고 있을 때 폴란드인 이웃들의 방관자적 태도에 대한 반성적 기억을 촉구한 것이다. 내가 바우만의 글을 처음 접한 것은 1995~96년 폴란드에 체류할 때였다. 홀로코스트에 대한 폴란드인들의 방관자적 공범성을 지적한 얀 브원스키Jan Błoński의 에세이 「불쌍한 폴란드인들 게토를 바라보네(Biedni Polacy patrzą na getto)」(1987)가 초래한 논쟁 지면이었다고 기억된다.

　나치 지배의 잔학성은 생존의 합리성과 인간의 존엄성이 상충되는 현실을 만들어 냈다는 바우만의 지적은 좀처럼 잊을 수 없는 깊은 울림으로 남아 있었다. 바우만은 그 글에서 인간의 정상적인 연대를 기대할 수 없는 비인간적 조건을 만들어 낸 나치 지배의 예를 들면서 자신의 논지를 전개했다. 유대인을 숨긴 사실이 발각만 되어도 온 가족이 처형당하는 극히 비인간적인 조건은 사실상 유대인뿐만 아니라 폴란드인의 인간적 존엄성마저 여지없이 구겨 버렸다. 프리모 레비Primo Levi가 증언했듯이, 나치 통치의 가장 잔악한 점은 희생자들을 파괴하기 전에 비인간화시킨다는 것이었다. 자기가 직접 그 당사자에게 들은 이야기로 바우만이 든 예는 이런 것이었다.

　이차대전이 발발하고 나치가 크라쿠프를 점령하자 야스트솀보프스키Jastrzębowski 가족의 유대인 친구가 여동생과 함께 숨겨 달라며 집으로 찾아왔다. 가족회의 끝에 야스트솀보프스키 가족은 온 가족이 처형될 위험을 무릅쓰고 오랜 유대인 친구를 숨겨 주기로 결정했다. 그러나 그와 함께 온 그의 여동생 중 한 명은 받아들이지 않기로 결정했다. 검은 머리에 검은 눈 짙은 갈색의 피부 등, 지나치게 눈에 띄는 유대인적 용모를 지녔기에 그 여동생까지 함께 숨겨 준다면 발각될 것은 너무도 뻔한 일이었기 때문이다. 그것은 그 유대인 친구와 폴란드 가족의 생존을 위해 불가피한 합리적인 선택이었다. 그러나 평소 그가 삼촌이라고 불렀던 그 유대인 친구는 여동생들과 함께 죽음을 향해 발길을 돌렸다. 고맙다는 말과 함께……

가족의 목숨까지 담보한 용감하고 또 합리적인 결정이었지만, 이 마지막 이별 장면은 전쟁이 끝난 후에도 야스트셈보프스키 가족들에게 결코 씻을 수 없는 부끄럽고 아픈 기억으로 남아 있었다. 자기 가족은 물론 그 유대인 친구의 생존을 위해서라도 불가피한 합리적 결정이었다고 변호하기에는 인간적으로 너무 처참하고, 인간적 존엄성을 위해 모두가 몰살당하는 길을 택해야 했다고 주장한다면 지나치게 순교적인 도덕론일 것이다. 바우만은 나치가 만든 극히 비인간적인 이 세계에서 우리는 이성과 도덕의, 합리성과 인간성의 비극적 대립을 목격한다. 나치의 지배자들은 생존의 합리성에 비추어 인간적인 다른 모든 동기들은 비합리적인 것으로 보일 수밖에 없게끔 인간 게임의 법칙을 변조시켰다. 나치가 만든 이 환상적으로 비인간적인 세계에서 이성은 도덕의 적이었다.

폴란드인과 유대인의 관계에서 본다면, 폴란드인의 자기 생존에 대한 합리적 변호는 유대인의 대량 학살에 대한 소극적 방관과 무저항을 낳았다고 할 수 있다. 결국 생존의 합리성은 극한적 상황에서 인간적 삶을 생존의 계산법으로 환원시킴으로써, 인간성을 사상시켰던 것이다. 물론 이것은 비단 폴란드인에게만 국한된 것은 아니다. 그 생존을 위한 합리적 계산 때문에 나치 수용소에서 살아남은 몇 안 되는 유대인 생존자들의 뼈아픈 고백에서도 그것은 흔히 발견되는 현상이다. 나치는 결국 생존의 논리를 도덕적 의무와 인간적 존엄성에 앞서게 만드는 데 '통치의 기술적 성공'을 거둔 것이다. 사람들의 목숨을 담보로 나치가 행사한 그 엄청난 압력 앞에서는 누구도 죄가 있다고 단언할 수는 없지만, 또 누구도 도덕적 자기 비하에서 자유로울 수는 없다.

홀로코스트와 같은 극한 상황을 겪은 희생자들에게 희생자라는 위치가 주는 도덕적 정당성에 안주하지 말고 성찰적 태도를 취하라는 요구는 너무 지나친 것인지도 모른다. 그러나 문제는 홀로코스트나 식민주의를 직접 겪지 않은 전후 세대들까지도 자신을 희생자라고 간주하는 역사문화 혹은 집단적 기억의 코드이다. 바우만은 이들 전후 세대가 자신의 정체성을 희생자의식에서 구하고 그렇게 세습된 희생자적 위치가 이들의 공격적 민족주의를 정당화하는 메커니즘을 '세습적 희생자의식'이라 칭한다. 1968년 폴란드 공산당의 반유대주의 캠페인의 목표가 되어 폴란드를 떠나 이스라엘로 갔던 바우만은 이스라엘의 문제가 '세습적 희생자의식'이라는 점을 간파했다. 이스라엘의 공격적 시온주의를 비판하는 성명을 발표하고 영국의 리즈 대학으로 떠난 그는 나중에 『근대성과 홀로코스트(Modernity and the Holocaust)』(1989)에서 이 문제에 천착했다.

바우만의 표현을 빈다면, 홀로코스트의 역사적 교훈은 어떻게 하면 다시 홀로코스트의 희생자가 되지 않을 것인가가 아니라 어떻게 하면 다시 홀로코스트의 가해자가 되지 않을 것인가에 있다. 전 지구적 근대성의 역사적 조건 속에서는 누구라도 여건만 되면 제노사이드의 가해자가 될 수 있다는 자기 성찰이 중요하다는 것이다. 바우만의 '세습적 희생자의식'은 홀로코스트와 같은 끔찍한 역사적 경험을 이어받은 이스라엘의 젊은 군인들이 어떻게 인티파다에 나선 맨손의 팔레스타인 청소년들에게 총을 겨누고 잔인한 진압을 정당화할 수 있었는가 하는 질문에 대한 답이기도 했다. 홀로코스트와 같은 끔찍한 비극을 겪지 않기 위해서는 강한 국가가 필요하고, 이스라엘을 강한 국가로 만들기 위해서라면 팔레스타인인들이 겪는 비극과 희생은 얼마든지 사소한 것으로 차치될 수 있는 것이었다.

인티파다 봉기 당시 이스라엘 국방부에서 이스라엘 군인들의 바르샤바 게토 봉기 기념관 방문을 일시 금지시킨 조치는 이 점에서 매우 시사적이다. 1943년 5월 바르샤바 게토 봉기는 죽음의 수용소로 끌려가기 직전 "우리는 인간답게 죽을 준비가 되어 있다"고 외친 10대 후반의 청소년들이 주동으로 시작되었다. 조잡한 사제 무기와 화염병, 맨손의 이 어린 전사들은 압도적인 화력의 나치 친위대에게 곧 진압되었지만 홀로코스트 당시 유대인 저항운동의 상징과 같은 역사적 사건이었다. 문제는 이 기념관을 방문한 이스라엘 군인들에게 인티파다에 나선 팔레스타인의 청소년들이 게토 봉기의 유대 청소년들과 동일시되고 자신들은 그들을 진압했던 나치 친위대와 비슷하다는 연상을 불러일으켰다는 점이다. 참으로 역설도 이런 역설이 없다.

바르샤바 유대인 묘지. 유럽에서 가장 큰 유대인 묘지로 나치 독일-스탈린주의 소련-폴란드-유대
인들의 얽히고설킨 비극적 기억을 안고 있다.

해방 직후 남북한 모두 "다시는 나라 없는 백성의 설움을 겪지 않기 위해서는 국민 모두 국가가 요청하는 근대화 프로젝트에 허리띠 졸라매고 나서야 한다"고 독려했던 동원 이데올로기의 밑바닥에도 실은 이러한 역사적 희생자의식이 오롯이 담겨 있다. 역사적 희생자의식은 이스라엘에서 한국의 국가주의적 발전 모델인 '강소국'의 모범적 길을 찾으려는 오늘날 남한의 우파 민족주의 세력에게도 잘 계승되고 있다. 일본 식민주의에 이어 미 제국주의의 희생자였다는 점을 강조하는 북한의 역사의식에서도 희생자의식은 쉽게 발견된다. 그러나 '희생자의식'이 지배적인 기억문화 혹은 역사문화는 폴란드나 이스라엘, 남북한에서만 발견되는 특수한 현상은 아니다.

1853년 페리 제독의 문호개방 이래 자신들은 줄곧 서구 열강의 식민주의적 침략의 희생자였다고 강조하는 일본의 우파 민족주의자들에게 이차대전 이후 일본은 포스트콜로니얼 국가라고 자리매김된다. '서구=가해자' 대 '일본=피해자'라는 구도 속에서 한반도와 중국, 동남아시아나 남양 군도 등에 대한 자신들의 제국주의적 침략의 기억은 자연스레 지워진다. 원자폭탄, 연합군의 무차별 공습, 전쟁포로, 피난민 등등의 기억은 이차대전의 가해자인 나치 독일과 제국 일본의 희생자의식을 북돋우는 역사적 기제이기도 하다. 심지어는 최강대국 미국조차 자신을 9·11 테러의 희생자로 간주할 정도이니, 희생자의식의 규모는 생각보다 넓고 또 깊다.

이차대전 직후 민족주의를 떠받치는 기억은 '희생자의식'보다는 '영웅주의'에 대한 기억이었다. 절대악에 대항해서 국가와 민족을 위해 영웅적으로 싸웠거나 그 과정에서 쓰러져 간 영웅들이 민족주의의 기억을 구성하는 질료였다. 1970년대 초반까지도 홀로코스트 희생자보다는 바르샤바의 게토 봉기 영웅들에 대한 기억이 더 중요했던 이스라엘이나 독립기념관에는 군 위안부 할머니들의 기림비를 세울 수 없다는 식으로 독립운동의 기억이 기세등등한 한국의 경우에도 그렇다. 그러나 지구화와 더불어 국가의 경계를 넘어 전 지구적 기억공간이 만들어지면서, 더 이상 영웅적 민족주의가 설 땅이 없어졌다. 전 지구적 기억공간과 트랜스내셔널한 공공영역의 등장으로 약자, 희생자, 피억압 민족 등에 대한 공감과 동정의 여론이 확대되면서, 민족적 영웅서사는 호소력과 매력을 잃어 갔다.

트랜스내셔널한 공공영역과 기억공간의 형성이 곧 민족주의의 퇴출을 의미하는 것은 아니었다. 민족주의는 영웅에서 희생자 중심으로 서사 구조를 바꾸어 국경을 넘는 기억공간이라는 바뀐 환경에 적응했다. 홀로코스트가 코즈모폴리턴적인 기억의 중심에 서면서, 트랜스내셔널한 기억공간에 진입한 개개의 민족적 기억들은 그 희생의 정도에 따라 정당성을 인정받는 듯했다. 1990년대 중반 구 유고슬라비아 내전의 참혹한 광경이 텔레비전으로 생중계되다시피 하고 르완다의 인종 학살 또한 세계 언론의 주목을 받았다. 희생자들에 대한 공감과 가해자에 대한 비난이 거세지는 트랜스내셔널한 기억공간에서 영웅주의에 기댄 민족주의는 어디에도 설 땅이 없었다. 민족주의가 가해자의 운율과 맞아떨어지는 영웅 서사를 버리고 희생자의 서사를 받아들인 것은 자연스러운 수순이었다. "민족은 이미 치러진 희생과 여전히 치를 준비가 되어 있는 희생의 욕구에 의해 구성된 거대한 결속"이라는 에른스트 르낭Ernest Renan의 혜안은 왜 그의 책이 고전의 반열에 올랐는지를 잘 가르쳐 준다.

구 사회주의 블록의 붕괴로 조성된 탈냉전의 국제정치도 희생자의식 민족주의의 고양에 큰 역할을 했다. 희생자의 기억들이 냉전의 속박에서 벗어나기 시작한 것이다. 냉전 체제가 만든 진영론의 구도 속에서는 희생자의 기억도 이데올로기적으로 배치되었다. 구 공산 블록에서는 나치의 홀로코스트나 연합국 폭격전대의 무차별 폭격 등으로 인한 민간인 학살의 기억이 부각된 반면, 카틴Katyn 숲의 학살 등 스탈린주의의 범죄나 소련 적군의 강간과 폭력에 대한 기억은 지워졌다. 반대로 서구에서는 나토 동맹국인 서독이 연루될 수밖에 없는 홀로코스트 대신 소련의 반유대주의, 스탈린주의의 범죄와 피난민들에 대한 소련 적군의 약탈·강간 등에 대한 기억이 선별적으로 강조되었다. 연합국 폭격전대의 민간 시설을 목표로 한 전략폭격이나 미국의 원자폭탄 투하, 태평양 전선에서 일본군을 상대로 한 미군의 인종주의적 폭력에 대한 기억은 건드리기 어려운 터부였다. 뿐만 아니라 동아시아 냉전 체제의 형성은 동아시아 이웃들에 대한 일본의 가해 기억들을 동결시키는 효과를 낳았다. 냉전 체제의 붕괴는 이처럼 냉전의 속박에 묶여 있던 희생자들의 기억을 놓아 줌으로써 동과 서 양 진영에서 희생에 대한 기억은 봇물이 터졌다. 일본군 위안부, 카틴 숲의 폴란드 장교 학살과 예드바브네Jedwabne의 유대인 학살, 연합국 폭격전대의 무차별 폭격과 민간인 피난민, 점령지에서 동원된 민간인들

바르샤바의 게슈타포 감옥 자리에 세운 폴란드 희생자들의 기념비. 비의 명문은 함부르크 근교의 노이엔감메의 강제수용소에서 희생당한 7,500명 폴란드 희생자들을 기리는 내용.

의 강제노동 등이 그 대표적 예들이다.

내가 던진 '희생자의식 민족주의'는 폴란드와 동아시아의 경험에서 촉발된 개념이지만, 트랜스내셔널한 기억과 전 지구적 공공영역의 출현이라는 새로운 세계사적 조건들과 맞아떨어지면서 21세기 민족주의의 새로운 양상을 설명하는 개념 틀이 되었다. 이를 계기로 민족주의에 대한 문제제기를 기억 연구와 접목시켜, 트랜스내셔널한 기억공간에서 탈영토화하는 기억과 재영토화하는 기억이 가해자와 희생자에 대한 관계적 기억을 중심으로 어떻게 서로 경합하고, 전유하고, 타협하면서 만들어 나가는 트랜스내셔널한 기억의 정치를 만들어 나가는가를 추적하는 것이 앞으로의 내 연구과제이다. 마이클 가이어와 애덤 투즈Adam Tooze가 편집한 『케임브리지 이차대전사(The Cambridge History of The Second World War)』(2015)에 게재한 「전 지구적 기억공간에서의 이차대전(Second World War in Global Memory Space)」, 뮌헨의 현대사연구소와 토론토 대학, 조지워싱턴 대학이 공동기획한 『희생자의식과 역사적 진정성(Victimhood and Historical Authenticity)』(2017)에 게재 예정인 「전 지구적 기억공간과 3중의 희생자의식: 홀로코스트, 식민주의적 인종 학살, 스탈린주의 테러를 중심으로」 등 최근 출판했거나 출판을 기다리고 있는 몇몇 논문들이 모두 여기에 해당된다. 큰 변화가 없다면, 당분간은 '희생자의식 민족주의'를 바탕으로 민족주의와 기억에 대한 문제에 천착할 생각이다.

에필로그
역사와 기억 사이에서

라울 힐버그Raul Hilberg는 말년의 한 에세이에서 "아우슈비츠 이후에 각주를 다는 것 또한 야만적인 것은 아닌가?"라고 물은 바 있다. 「나는 거기에 없었다(I was not There)」(1988)라는 에세이의 제목도 예사롭지 않다. "아우슈비츠 이후 서정시를 쓰는 것은 야만이다"라는 아도르노Theodor W. Adorno의 성찰을 패러디한 게 분명해 보이는 이 질문이 놀라운 것은 힐버그 자신이 홀로코스트에 대해 누구보다 엄격하고 단단한 실증적 연구를 해온 선구자적 역사가라는 데 있다. 그런 그가 역사가의 작업에서 실증의 증표나 다름없는 '각주'가 야만적인 것이 아닌가 물으니 놀라지 않을 수 없었다. 역사적 사실을 추구하는 역사가의 소명을 부정하기 위해 힐버그가 이런 질문을 던졌다고는 생각하기 힘들다. 문서 자료를 아무리 샅샅이 뒤지고 꼼꼼하게 정리했다고 해서 현장에 없었던 자신이 문서 자료도 없이 부정확한 기억에만 의존하고 있는 아우슈비츠 생존자들보다 아우슈비츠를 더 잘 안다고 이야기할 수 있는가 하는 역사가로서의 자기반성이 그 밑에는 깔려 있다.

많은 경우 생존자들의 증언과 기억에 의존할 수밖에 없는 홀로코스트의 진실 규명은 가시적 증거와 문자화된 자료에 의거해 역사적 사실을 규명하는 일반적인 프로세스와는 다르다는 점을 강조한 것처럼 보인다. 기억의 퇴적물인 증언은 문헌 기록에 비해 부정확할 수밖에 없기 때문에 사실을 재현하는 역사적 진실 게임에서는 불리할 수밖에 없다. 그런데 가해자/지배자들이 내러티브와 역사를 독점하고, 피해자/희생자들은 경험과 증언밖에 없는 상황은 역사를 재현하는 데 심각한 윤리적 문제를 제기한다. '부정확한' 증언이 '정확한' 증거보다 더 중요할 수도 있지 않으냐고 반문하듯 던진 힐버그의 이 질문은 결국 역사인식론과 도덕성의 관계를 어떻게 설정할 것인가의 문제와 맞닿아 있다. 가해자가 남긴 문서화된 증거가 피해자의 희미한 증언보다 더 정확한 것인가? 가해자가 지워 버린 증거는 어떻게 하나? 자신이 개입한 문헌 증거를 없애 버리고 가학 행위를 부정하는 가해자와 그를 가해자로 지목한 피해자의 증언이 충돌할 때 역사가가 택해야 하는 자세는 무엇인가?

　역사의 재현 과정에서 자주 부딪치는 이런 문제들에 대해 실증주의가 가리키는 답은 대부분 너무 단순하고 또 비윤리적이기도 하다. 이 질문들에 대한 답은 실증주의가 아니라 '아우슈비츠의 아포리아' 같은 데서 구할 수 있다. 아우슈비츠의 경험이 역사가들에게 던져 주는 인식론적 과제는 사실과 진실이 일치하지 않을 때 역사가가 취해야 하는 포지션이 무엇인가 하는 문제이다. 예컨대 한 생존자 여성이 아우슈비츠에서 일어난 수감자들의 무장폭동을 회고하면서 "네 개의 굴뚝이 폭파되었다"라고 증언했을 때, 역사가들은 당시 그녀가 살았던 캠프의 소각장에는 한 개의 굴뚝만이 있었다는 사실을 들어 그녀의 증언이 거짓이라 선고했다. 그러나 루마니아 출신의 유대계 심리학자 도리 라웁Dori Laub은 자기 눈앞에서 일어난 도저히 믿을 수 없는 사건을 기억하는 증인의 기억은 과장될 수밖에 없다는 점을 지적한 바 있다. '지식으로 얻어진 기억(intellectual memory)'은 사실과 부합하지만, 트라우마처럼 '깊이 새겨진 기억(deep memory)'은 과장된 감정 속에서 사실과 어긋나는 경우가 더 많다는 것이다. '지식의 기억'과 '깊은 기억' 중에서 기억의 진정성이 후자에 있다는 것은 부인하기 힘들다. 가짜 생존자들이 만든 회고록들이 진짜 회고록보다 사실 면에서 더 정확한 경우가 많다는 점을 부언한다. 이들의 가짜 기억은 직접 경험한 것이 아니라 자료를 공부해서 만들어 낸 것이기에 역설적으로 더 정확한 것이다.

동아시아로 눈을 돌리면, 사실을 입증하지 못한다는 이유로 '군 위안부'의 증언을 거짓으로 몰아가는 천박한 실증주의가 '아우슈비츠의 아포리아'를 이해하지 못한다는 것은 분명하다. 이렇게 볼 때, "섭얼턴은 말할 수 있는가?"라는 스피박의 질문은 "역사가는 들을 수 있는가?"라는 질문으로 바꾸어 보고 싶다. 홀로코스트 생존자나 일본군 성노예 희생자들의 증언을 보면, 섭얼턴이 말하지 못한 것이 아니라 역사가들이 듣지 못한 것이다. 제노사이드나 일본군 성노예 같은 트라우마를 겪은 증인들과 만나는 장은 문헌 증거를 전가의 보도처럼 휘두르며 증인들을 취조하는 역사의 취조실이 아니다. 아이히만 재판 당시 자신의 증언을 믿지 않고 자꾸 사실을 확인하고 취조하는

2016년 6월 교토의 AAS 컨퍼런스. 캐롤 글룩(컬럼비아 대학, 일본사) 윌리엄 페리(예일 대학, 인류학) 등과의 라운드 테이블 모습.

판사들 앞에서 실신하여 의식불명 상태에 빠졌던 아우슈비츠 생존자 증인의 예는 직업적 원칙과 도덕적 코드 사이의 긴장을 잘 드러내준다. 그 자신 평생 '각주'의 역사가였으면서도 '각주'에 대해 의문을 제기한 힐버그는 직업과 윤리 사이의 이 긴장을 드러낸 것이었다.

역사가에게 요구되는 것은 사실과 어긋남에도 불구하고, 아니 사실과 어긋나기 때문에 증인들이 드러내는 '깊은 기억'에 귀를 기울이는 공감의 자세일 것이다. 그것은 전통적인 역사가보다는 오랜 세월에 걸쳐 침윤되고 퇴적된 기억의 진정성을 복원하는 '기억 활동가(memory activist)' 혹은 '트라우마 치료자'의 태도에 가까운 게 아닌가 한다. 최근 진지하게 고민하고 있는 '역사가'에서 '기억 활동가'로의 위치 이동은 이런 깨달음 덕분이다. 또 현실적으로는 점차 비루해지는 동아시아의 역사전쟁에서 역사가들의 역할에 대한 고민 끝에 얻은 결론이기도 하다. 역사가들의 작업은 곧 과거에 대한 사회적 기억을 만드는 작업이며, 이 점에서 원하든 원치 않든 '역사가'는 '기억 활동가'인 것이다. 희생자의식 민족주의를 비롯해 이차대전과 제노사이드, 일본군 성노예 등 '트랜스내셔널 메모리'에 대한 연구를 진행하면서 이런 생각은 점점 더 강해졌고, 최근 몇몇 국제 모임에서 나는 스스로를 '기억 활동가'라고 소개했다.

'서양사가'로부터 '역사가'로의 자리 이동에 이어, 트랜스내셔널 기억 연구에 이르러서는 다시 '역사가'에서 '기억 활동가'로 변신을 꾀하고 있는 셈이다. 가끔은 너무 나간 것이 아닌가 하는 회의가 역사학으로의 귀소본능을 자극하기도 하지만, 기억의 장으로서의 동아시아를 생각하면 '기억 활동가'로서의 입장을 더 분명히 해야 하지 않은가 하는 생각이 들 때가 더 많다. '서양사' 연구자로 출발하여 동·서양의 경계를 넘는 '역사가'를 꿈꾸다, 이제는 다시 '역사가'에서 트랜스내셔널한 '기억 활동가'로 변신하고 있는 이 길은 어떤 길인가? 이것은 내 길인가? 역사학과 기억 연구의 건강한 긴장관계는 어떻게 가능한가? 역사학이 변하기 시작하는 것인가? 아니면 내가 그냥 역사학을 떠나는 것인가? 누가 같이 가고 누가 남는가? 이 이동은 학문적·정치적·도덕적으로 바람직한가? '역사가'의 작업과 '기억 활동가'의 작업은 양립할 수 있는가? 그것은 어떻게 가능한가? 단순한 봉합이 아니라 두 가지 작업이 건강한 긴장관계를 유지하며 서로를 견인해 내는 조건은 무엇인가?

질문만 있고 대답이 없는 상황은 답답하지만, 질문의 절실함에 비례하여 대답이 어려운 면도 많다. 훗날 이러한 질문들에 답할 수 있을 때, 역사가로서의 내 정체성이 어떻게 변해 왔으며 그 복수의 다양한 정체성들을 유도하고 만든 그때마다의 상황적 규정성과 정치적 함의는 무엇이었는지를 이야기할 수 있지 않을까 한다. 그런데 이런 문제들에 대해 자신 있게 답하는 날이 과연 오기나 할지 모르겠다. 나이가 들수록 답변보다는 질문이 더 많아지고, 더 많이 알아 가기보다는 이미 아는 것도 점점 자신이 없어지고, 세상에 대한 분노보다는 자신에 대한 부끄러움이 더 많아지고, 새로운 것에 대한 호기심보다 익숙한 것에 대한 편안함에 더 안주하게 되는 자신을 문득문득 느낄 때, 지금 이런 책을 쓸 때가 바로 그런 때인 듯싶다.

참고문헌: 임지현 저술목록*

저서 및 편저서

Paul Corner and Jie-Hyun Lim eds., *The Palgrave Handbook of Mass Dictatorship* (Palgrave Macmillan, 2016).

Jie-Hyun Lim, Barbara Walker and Peter Lambert eds., *Mass Dictatorship and Memory as Ever Present Past* (Palgrave Macmillan, 2014).

Jie-Hyun Lim and Karen Petrone eds., *Gender Politics and Mass Dictatorship: Global Perspectives* (Palgrave Macmillan, 2011).

임지현·김용우 엮음, 『대중독재 3: 일상의 욕망과 미망』(서울: 책세상, 2007).

『새로운 세대를 위한 세계사 편지』(서울: 휴머니스트, 2010).

임지현·염운옥 엮음, 『대중독재와 여성: 동원과 해방의 기로에서』(서울: 휴머니스트, 2010).

임지현·김용우 엮음, 『대중독재 2: 정치 종교와 헤게모니』(서울: 책세상, 2005).

『적대적 공범자들』(서울: 소나무, 2005).

임지현·김용우 엮음, 『대중독재 1: 강제와 동의 사이에서』(서울: 책세상, 2004).

임지현·이성시 엮음, 『국사의 신화를 넘어서』(서울: 휴머니스트, 2004).

임지현 엮음, 『근대의 국경, 역사의 변경: 변경에 서서 역사를 바라보다』(서울: 휴머니스트, 2004).

宮嶋博史·李成市·尹海東·林志弦 編, 『植民地近代の視座: 朝鮮と日本』(東京: 岩波書店, 2004).

『오만과 편견』(서울: 휴머니스트, 2003) [사카이 나오키 대담집].

『이념의 속살: 해방과 억압의 경계에서』(서울: 삼인, 2001).

임지현 엮음, 『노동의 세기』(서울: 삼인, 2000).

『그대들의 자유, 우리들의 자유: 폴란드 민족해방운동사』(서울: 아카넷, 2000).

임지현 엮음, 『우리 안의 파시즘』(서울: 삼인, 2000).

『민족주의는 반역이다: 신화와 허무의 민족주의 담론을 넘어서』(서울: 소나무, 1999).

---

* 저자의 '에고 히스토리'인 이 책의 성격상 저자의 모든 저술목록이 곧 기본적인 참고문헌이다. 따라서 문헌정보의 중복을 피하며, 독자들에게 한층 더 세밀한 저자의 저술목록을 제공하는 것으로 참고문헌을 대신한다. ― 편집자 주

『바르샤바에서 보낸 편지』(서울: 강, 1998).

Jie-Hyun Lim and Michał Śliwa eds., *Korea i Polska: Proces Modernizacji w Perspektywie Historycznej* (Kraków: wydawnictwo WSP, 1997).

김영한·임지현 공편, 『서양의 지적 운동』(서울: 지식산업사, 1994).

『마르크스·엥겔스와 민족문제』(서울: 탐구당, 1990).

편역서

『대중의 국민화: 독일 대중은 어떻게 히틀러의 국민이 되었는가?』(서울: 소나무, 2008), 김지혜 공역.

『오늘날의 역사학: 쟁점과 전망』(서울: 역사비평사, 1992), 김원수 외 공편.

『프랑스 혁명사 3부작』(서울: 소나무, 1992), 이종훈 공역.

『민족문제와 마르크스주의자들』(서울: 한겨레, 1986).

『신자본주의 이행논쟁』(서울: 한겨레, 1985), 이영석·장수한 공역.

논문

"Victimhood," in Paul Corner and Jie-Hyun Lim eds., *The Palgrave Handbook of Mass Dictatorship* (Palgrave Macmillan, 2016).

「'역사가' 되기의 어려움: '서양사학'을 넘어 '역사학'으로 나아가기」, 『역사학보』 228 집 (2015년 12월).

"History Education and Nationalist Phenomenology in East Asia," *Global Asia*, vol. 10, no. 2 (Summer, 2015).

"Second World War in Global Memory Space," in Michael Geyer and Adam Tooze eds., *The Cambridge History of The Second World War* (Cambridge: Cambridge University Press, 2015).

"Nationalism and History," in John Stone, Anthony D. Smith et al. eds., *The Wiley-Blackwell Encyclopedia of Race, Ethnicity and Nationalism* (Wiley Blackwell, 2015).

「国史への布石としての世界史」, 『思想』 (2015年 3月).

"Victimhood Nationalism in the Memory of Mass Dictatorship," in Jie-Hyun Lim, Barbara Walker and Peter Lambert eds., *Mass Dictatorship and Memory as Ever Present Past* (Palgrave Macmillan, 2014).

"Introduction: Coming to Terms with the Past of Mass Dictatorships," in Jie-Hyun Lim, Barbara Walker and Peter Lambert eds., *Mass Dictatorship and Memory as Ever Present Past* (Palgrave Macmillan, 2014).

"Transnational History of Victimhood Nationalism: On the Transpacific Space," *Annales Universitatis Paedagogicae Cracoviensis: STUDIA POLITOLOGICA*, vol. 13 (2014).

「'追悼文'文化には国境がない: 西川長夫へ」, 原佑介 訳, 『東アジアの思想と文化』第 6号 (東アジア思想文化研究会, 2014年 12月).

"A Postcolonial Reading of the German Sonderweg: Marxist Historicism Revisited," *Journal of Modern European History*, vol. 12, no. 2 (2014).

"Mass Dictatorship as a Transnational Formation," in Michael Kim, Michael Schoenhals and Yong-Woo Kim eds., *Mass Dictatorship and Modernity* (Palgrave Macmillan, 2013).

「독재는 민주주의의 반의어인가?: 대중독재의 모순어법과 민주주의의 민주화」, 『서양사론』 116호 (2013년 3월).

"Towards a Transnational History of Victimhood Nationalism: On the Trans-Pacific Sapce," in Naoki Sakai and Hyon Joo Yoo eds., *The Trans-Pacific Imagination: Rethinking Boundary, Culture and Society* (Singapore: World Scientific, 2012).

"Nationalism, Neo-Nationalism," in Helmut K Anheier & Mark Juergensmeyer eds., *Encyclopedia of Global Studies* (LA: Sage Publications, 2012).

"Historicizing the World in Northeast Asia," in Douglas Northrop ed., *A Companion to World History* (Chichester: Wiley-Blackwell, 2012).

"Mass Dictatorship: A Transnational Formation of Modernity," *Moving the Social: Journal of Social History and the History of Social Movements*, vol. 47 (2012).

"Displacing East and West: Towards a postcolonial reading of 'Ostforschung' and 'Myśl Zachodnia'," *Transeuropeennes* 5 (April, 2012). (http://www. transeuropeennes.eu/en/articles/354/Displacing_East_and_West)

"Series Introduction: Mapping Mass Dictatorship: Towards a Transnational History of Twentieth-Century Dictatorship," in Jie-Hyun Lim and Karen Petrone eds., *Gender Politics and Mass Dictatorship: Global Perspectives* (Palgrave

Macmillan, 2011).

"Introduction: Meandering between Self-empowerment and Self-mobilisation"
With Karen Petrone, in Jie-Hyun Lim and Karen Petrone eds., *Gender
Politics and Mass Dictatorship: Global Perspectives* (Palgrave Macmillan, 2011).

「역사의 금기와 기억의 진정성: 21세기 폴란드 역사학과 '희생자의식'」, 『서양사론』
111호 (2011년 12월).

"Victimhood Nationalism in Contested Memories: National Mourning and Global
Accountability," in Aleida Assmann and Sebastian Conrad eds, *Memory in a
Global Age: Discourses, Practices and Trajectories* (Palgrave Macmillan, 2010).

"Narody-ofiary i ich megalomania," *Więź*, no. 2~3 (2010) Tr. By Marek Darewski.

"Victimhood Nationalism and History Reconciliation in East Asia," *History
Compass*, vol. 8/1 (November, 2009).

「犠牲者意識の民族主義 (特集 シンポジウム: グローバル化時代の植民地主義とナショナ
リズム: 問題提起)」,『立命館言語文化研究』20巻 3号 (2009年 2月).

"The Configuration of Orient and Occident in the Global Chain of National
Histories: Writing National Histories in Northeast Asia," in Stefan
Berger, Linas Eriksonas and Andrew Mycock eds., *Narrating the Nation:
Representations in History, Media and the Arts* (New York: Berghahn Books,
2008).

"The Antagonistic Complicity of Nationalisms: On 'Nationalist Phenomenology'
in East Asian History Textbooks," in Steffi Richter ed., *Contested Views
of a Common Past: Revisions of History in Contemporary East Asia* (Frankfurt:
Campus Verlag, 2008).

「Transnational History as a Methodological Nationalism: Comparative Perspectives
on Europe and East Asia」, 『서강인문논총』 24집 (2008년 12월).

「'지구사' 연구의 오늘과 내일: '지구적 차원에서 지구사를!' 학술대회를 다녀와서」,
『역사비평』83호 (2008년 여름).

「六八年革命と朝鮮半島」,『環』vol. 33 (Spring, 2008).

「희생자의식 민족주의」,『비평』15호 (2007년 여름).

「유럽의 역사논쟁: 국가주의와 보편주의」, 동북아역사재단,『동북아를 보는 눈: 국
가주의와 보편주의』심포지엄 발표집 (2007년 5월 30일 프레스센터).

"Re-membering or Dis-membering?: Collective Memory in Visual Arts," *Somewhere in Time* (Artsonje Center, 2007).

「国民国家の内と外」, 三谷博, 『歴史教科書問題』(東京: 日本図書センター, 2007).

「"世襲的犠牲者"意識と脱植民地主義の歴史学」, 三谷博 偏, 『東アジア歴史対話: 国境と世代を越えて』(東京: 東京大学出版会, 2007).

"Appendix: Introduction to TMPR special issue 6.3, 'Political Religions and the Sacralisation of Politics," With Peter Lambert, *Totalitarian Movements and Political Religions*, vol. 8, no. 6 (September-December, 2007).

「역사는 심판할 수 있는가?」, 김용석·이재민·표정훈 엮음, 『한국의 교양을 읽는다 1』(서울: 휴머니스트, 2006).

「독재와 민주주의의 '근대적' 기원」, 장문석·이상록 엮음, 비교역사문화연구소 기획, 『근대의 경계에서 독재를 읽다: 대중독재와 박정희 체제』(서울: 그린비, 2006).

「고구려사 구하기: '국사'의 패러다임을 넘어서」, 한국한중앙연구원 한국문화교류센터 엮음, 『민족주의와 역사교과서: 역사 갈등을 보는 다양한 시각』(서울: 에디터, 2006).

「'동양'에서 '서양'으로: 폴란드 역사교과서의 민족운동 서사 구조」, 역사학회 편, 『한국 근·현대사 교과서의 '독립운동사' 서술과 쟁점』(서울: 경인문화사, 2006).

「국민국가의 안과 밖: 동아시아의 영유권 분쟁과 역사논쟁에 부쳐」, 우카이 사토시 외 지음, 『반일과 동아시아: 반일이라는 사상과제』(서울: 소명출판, 2005).

"Historiographical Perspectives on 'Mass Dictatorship,'" *Totalitarian Movements and Political Religions*, vol. 6, no. 3 (December, 2005).

"Oriente e Occidente nelle storie nazionali dell'Asia nord-orientale," *Passato e Presente*, Nr. 66 (settembre-dicembre, 2005).

「포스트 민족주의 대 열린 민족주의」, 『인문비평』 4호 (2005).

「국민국가의 안과 밖: 동아시아의 영유권 분쟁과 역사논쟁에 부쳐」, 『인문연구』 48호 (2005년 6월).

「國民國家の 內と外」, 『現代思想』 (2005年 6月).

"Conference Report: Coercion and Consent: A Comparative Study of 'Mass Dictatorship,'" *Contemporary European History*, vol. 13, no. 2 (2004).

「대중독재'란 무엇인가?」, 김용우 공저, 『역사와 문화』 9호 (2004년 12월).

「대중독재'와 '포스트파시즘': 조희연 교수의 비판에 부쳐」, 이상록 공저, 『역사비평』 68호 (2004년 가을).

「국사'의 대연쇄와 오리엔탈리즘」, 『한국사학사학보』 10집 (2004년 9월).

「国際会議: 強制と同意「大衆独裁」の比較研究: 成果と課題」, 『Quadrante』 6号 (東京外国語大学海外事情研究所, 2004年 3月).

"Coercion and Consent: A Comparative Study on Mass Dictatorship," *Potsdamer Bulletin für Zeithistorische Studien*, Nr. 30/31 (January, 2004).

"The Shifting Marxist Historiography: From Hard History to Soft History," Instytut Historyczny Uniwersytetu Warszawskiego ed., *Społeczeństwo w Dobie Przemian Wiek XIX I XX: Księga Jubileuszowa Professor Anny Żarnowskiej* (Warszawa: DiG, 2003).

「争点討論:「日常的ファシズム」論のさらなる一歩のために」, 『Quadrante』 5号 (東京外国語大学海外事情研究所, 2003年 3月).

「다시, 민족주의는 반역이다」, 『창작과 비평』 117호 (2002년 가을).

"From Hard History to Soft History: Cultural Histories of the Korean Working Class," *International Labor and Working-Class History*, no. 61 (Spring, 2002).

"The Nationalist Message in Socialist Code: On Court Historiography in People's Poland and North Korea," in Sølvi Sogner ed., *Making Sense of Global History: The 19th International Congress of the Historical Sciences, Commemorative Volume* (Oslo: Universitetsforlaget, 2001).

「민족의 역사학에서 인간의 역사학으로」, 한신대학교 개교 60주년 기획위원회 편, 『한반도 통일 논의의 쟁점과 과제』(오산: 한신대학교출판부, 2001).

「포스트 맑스주의의 로자 룩셈부르크 읽기」, 『역사비평』 57호 (2001년 겨울).

"Befreiung oder Modernisierung? Sozialismus als ein Weg der anti-westlichen Modernisierung in unterentwickelten Ländern," *Beiträge zur Geschichte der Arbeiterbewegung*, Jg. 43, nr. 2 (2001).

"Labour, Ethnicity and Nationalism in Poland, 1870~1939," *Idee polityczne od historii do współczesności: Księga dedykowana Profesorowi Waldenbergowi* (Kraków: Księgarnia Akademicka, 2000).

"From the Labor Emancipation to the Labor Mobilization," in Bruno Groppo,

Winfried R. Garscha and Christine Schindler eds., *Die Arbeiterbewegung: Ein gescheitertes Projekt der Moderne?* (Leipzig: Akademische Verlagsanstalt, 2000).

"Socjalizm, ale jaki...? Ideologia mobilizacji ludu w procesie modernizacji w Azji Wschodniej," *Dzieje Najnowsze*, vol. 32, no. 1 (2000).

「'근대'의 담 밖에서 역사 읽기: 20세기 한국 역사학과 '근대'의 신화」, 『한국사론』 30호 (2000).

「민족주의: 전통과 근대의 변증법?」, 『인문과학』 30집 (2000).

「'전 지구적 근대성'과 민족주의」, 『역사문제연구』 4호 (2000).

「파시즘의 진지전과 '합의독재'」, 『당대비평』 12호 (2000년 가을).

「Class Solidarity or Supra-class Solidarity?: The Controversy over the Agrarian Question in Polish Socialist Irredentism」, 『인문논총』 30집 (2000년 8월).

「朝鮮半島の民族主義と権力の言説: 比較史的問題提起」, 『現代思想』 第28卷, 第7号 (2000年 6月).

「민족 담론의 스펙트럼: 원초성, 근대성, 탈근대성」, 『안과 밖: 영미문학연구』 8호 (2000년 상반기).

「한반도 민족주의와 권력 담론: 비교사적 문제제기」, 『당대비평』 10호 (2000년 봄).

「마르크스주의 역사학의 중심이동」, 『역사와 문화』 창간호 (2000년 3월).

"Labour and the National Question in Poland," in Stefan Berger and Angel Smith eds., *Nationalism, Labour and Ethnicity 1870~1939* (Manchester: Manchester University Press, 1999).

"Obraz rewolucji 1848 r. w oczach Azji," in Władysław Wic ed., *rok 1848 Wiosna Ludów w Galicji: zbiór studiów* (Kraków: wydawnictwo naukowe AP, 1999).

「폴란드 노동자 계급의 민족의식과 계급의식: 분할 점령기(1870~1918)를 중심으로」, 한국서양사학회 편, 『서양에서의 민족과 민족주의』(서울: 까치, 1999).

「연극인의 역사 쓰기, 역사가의 연극 읽기」, 이영미·안치운 외, 『이강백연극제 기념 논문집: 〈다섯〉에서 〈느낌...〉으로』(서울: 예술의전당, 1998).

「역사의 대중화, 대중의 역사화: 시민사회의 역사학을 향하여」, 『중앙사론』 10·11호 합집 (1998년 12월).

「로자 룩셈부르크와 민족문제: 사회애국주의와 프롤레타리아 국제주의의 변증법」, 『역사비평』 42호 (1998년 봄).

"The 'Good Old Cause' in the New Polish Left Historiography," *Science & Society*, vol. 61, no. 4 (Winter, 1997).

『동유럽 현실사회주의의 체제 변혁과 반전: 폴란드를 중심으로』, 『동향과 전망』 36 호 (1997년 겨울).

「폴란드에서의 역사 재평가 작업: 민족주의에서 다시 민족주의로」, 『한국사 시민강 좌』 21집 (1997년 8월).

「폴란드 사회주의 운동사 연구의 반성과 전망」, 미하우 실리바 공저, 『역사비평』 32 호 (1996년 봄).

"Rosa Luxemburg on the Dialectics of Proletarian Internationalism and Social Patriotism," *Science & Society*, vol. 59, no. 4 (Winter, 1995/96).

「동유럽 민족운동의 구조와 논리: 폴란드의 역사적 경험을 중심으로」, 한국사연구 회 엮음, 『근대 국민국가와 민족문제』(서울: 지식산업사, 1995).

「운동으로서의 민족주의」, 김영한·임지현 공편, 『서양의 지적 운동』(서울: 지식산업 사, 1994).

「마르크스-엥겔스와 민족문제」, 『이론』 10집 (1994년 가을·겨울).

「한국 사학계의 '민족' 이해에 대한 비판적 검토」, 『역사비평』 26호 (1994년 가을).

「로자 룩셈부르크의 사회 이론과 민족문제」, 이민호 교수 정년기념논총 간행위원회 편, 『유럽사의 구조와 전환』(서울: 느티나무, 1993).

「러시아 지배하 폴란드 '민족개량주의'의 논리와 구조」, 『역사비평』 23호 (1993년 겨 울).

「폴란드사회당(PPS)'과 '폴란드왕국 사회민주당(SDKP)'의 민족문제 논쟁: 창당 시 기(1892~1894)를 중심으로」, 『역사학보』 134·135집 (1992년 9월).

"Marx's Theory of Imperialism and the Irish National Question," *Science & Society*, vol. 56, no. 2 (Summer, 1992).

「폴란드의 사회주의와 애국주의」, 『서양사론』 37호 (1991년 12월).

「맑스 사관의 새로운 이해를 위하여」, 『역사비평』 14호 (1991년 가을).

「사회주의 민족 이론과 소련의 민족문화 정책: 민족어 정책의 변천사를 중심으로」, 『중소연구』 15권 1호 (1991년 봄).

「마르크스의 후기 사상과 유물사관: 단선론적 단계론에 대한 비판적 고찰」, 『역사 학보』 126집 (1990년 6월).

「한국 서양사학의 반성과 전망: '시민계급적 관점'에서 '민중적 관점'까지」, 『역사비 평』 8호 (1990년 봄).

「사회주의 민족 이론과 민족문제」, 『사회와 사상』 (1990년 4월).

「마르크스의 동양사회관」, 『한국사 시민강좌』 6집 (1990년 2월).

「마르크스, 엥겔스와 아일랜드 민족문제」, 『서양사론』 29·30호 합집 (1988년 5월).

「계급과 민족: 이론 구축을 위한 시론」, 『서강』 17집 (1987).

「서양사 교육의 과거와 현재: 중등교육을 중심으로」, 『역사교육』 40집 (1986년 12월).

「다윈과 마르크스: 헌정설을 중심으로」, 『역사학보』 102집 (1984년 6월).

에세이·칼럼·시론·서평·좌담·인터뷰 등

「임지현의 내 인생의 책 ⑤: 자본론」, 『경향신문』 2016년 10월 8일.

「임지현의 내 인생의 책 ④: 수요·공급은 '문화'가 결정한다」, 『경향신문』 2016년 10월 7일.

「임지현의 내 인생의 책 ③: '피고'로 소환한 20세기 유럽」, 『경향신문』 2016년 10월 5일.

「임지현의 내 인생의 책 ②: 때론, 용서는 폭력이다」, 『경향신문』 2016년 10월 4일.

「임지현의 내 인생의 책 ①: '가짜 폐허'까지 만든 열등감」, 『경향신문』 2016년 10월 3일.

「시론: 홀로코스트는 추모일 선포까지 60년 걸렸다」, 『조선일보』 2016년 1월 29일.

인터뷰. 「아베 정권만 바뀐다고 해결되나? 비뚤어진 '희생자의식' 벗어나야」 『조선일보』 2015년 10월 7일.

「우리 안의 야스쿠니」, 『한국일보』 2014년 2월 3일.

「부끄러움의 정치학」, 『한국일보』 2013년 12월 25일.

「김학이, 『나치즘과 동성애: 독일의 동성애 담론과 문화』(서울: 문학과지성사, 2013), 560쪽」, 『역사학보』 220호 (2013년 12월)

「막말의 정치학」, 『한국일보』 2013년 11월 27일.

「'부채춤' 외교」, 『한국일보』 2013년 11월 6일.

「정치로부터 역사 구출하기」, 『한국일보』 2013년 10월 2일.

「'국사' 공부 그만 합시다」, 『한국일보』 2013년 9월 2일.

대담. 「뤼트케·임지현 교수 대담: 우리 일상사에 존재하는 두터운 회색지대… 이걸 잘 읽어야 사회나 역사도 제대로 보여」, 『경향신문』 2013년 4월 14일.

인터뷰. 「18대 대선과 진보개혁 진영의 혁신 ⑤: "시골서 상경한 여공이었던 50대, 박정희 체제가 억압적으로 느껴졌을까」, 『민중의소리』 2013년 1월 11일.

인터뷰. "Présidentielle : la Corée du Sud a le blues du dictateur," *Libération*. 19.

décembre. 2012.

인터뷰. 「트랜스내셔널은 생각의 결을 바꾸는 작업」, 『교수신문』 659호 (2012년 10월 4일).

「Sucheta Mazumdar, Vasant Kaiwar and Thierry Labica eds., *From Orientalism to Postcolonialism: Asia-Europe and the lineages of difference*」, 『역사학보』 212호 (2011년 12월).

대담. 「정재승이 만난 사람들 ③: 비교문화역사학자 임지현」, 『중앙일보』 2011년 6월 13일.

대담. 「홀로코스트에 대한 기억을 역사로 연결시킨 재판: 앙리 루소와 만난 임지현 교수」, 『경향신문』 2011년 5월 24일.

「아침논단: 명예훼손인가, 학문의 자유인가」, 『조선일보』 2010년 6월 23일.

「아침논단: 이제 남·북 아닌 국제문제로」, 『조선일보』 2010년 5월 26일.

「아침논단: 화산재는 국경이 없다」, 『조선일보』 2010년 4월 28일.

「아침논단: 일본의 조선학교와 뉴욕의 이슬람학교」, 『조선일보』 2010년 3월 17일.

「아침논단: 광화문과 日 쇼소인(正倉院)에서 본 '민족문화'」, 『조선일보』 2010년 2월 11일.

「아침논단: 한국 정치, 비겁할 줄을 왜 모르는가?」, 『조선일보』 2009년 12월 29일.

「Frank Hadler and Mathias Mesenhoeller (eds.), *Vergangene Größe und Ohnmacht in Ostmitteleuropa: Repräsentationen Imperialer Erfahrung in der Historiographie seit 1918* (Akademische Verlagsanstalt, 2007), pp. 324」, 『서양사론』 103호 (2009년 12월).

「금요논단: 문화적 정의正義를 되새기며」, 『경향신문』 2009년 6월 19일.

「금요논단: 환경재앙, 국경이 없다」, 『경향신문』 2009년 3월 27일.

「금요논단: '이승복의 죽음' 무엇이 핵심인가」, 『경향신문』 2009년 2월 27일.

「금요논단: 이스라엘, 가해자가 된 희생자」, 『경향신문』 2009년 1월 30일.

「금요논단: 권력의 못된 문법 '우리 국민'」, 『경향신문』 2009년 1월 2일.

「금요논단: 관용과 억압의 종교 상징」, 『경향신문』 2008년 12월 12일.

「금요논단: 역사가 천국」, 『경향신문』 2008년 11월 7일.

「해외서평: 일본의 빗나간 추억… 피폭은 면죄부인가?」, 『조선일보』 2008년 6월 14일.

「해외서평: "우리는 피해자"… 강대국 중국의 빗나간 민족주의」, 『조선일보』 2008년 5월 17일.

「해외서평: 월슨은 식민지 민중에 의해 '해방의 전도사'로 둔갑했다」, 『조선일보』
　　2008년 4월 19일.

「해외서평: "나는 기독교 처녀를 욕보였다" 피켓을 든 사내는…」, 『조선일보』 2008
　　년 3월 22일.

「해외서평: 그녀에게 덧씌운 편견」, 『조선일보』 2008년 2월 23일.

「해외서평: 르완다 학살은 다수결 민주주의가 낳았다」, 『조선일보』 2008년 1월 12일.

「해외서평: 이웃에 총 겨눈 홀로코스트 공범자, 그들은 누구였나」, 『조선일보』 2007
　　년 12월 15일.

「한국의 인종주의는 일반인들의 일상에 뿌리 깊게 박힌 문제」, 『조선일보』 2007년
　　12월 11일.

「우리시대 지식논쟁 ③: 자본의 강고한 네트워크 '민족' 사유로 뚫지 못한다」, 『한겨
　　레신문』 2007년 11월 24일.

「해외서평: 그때 시온주의자들은 나치 희생자들을…」, 『조선일보』 2007년 11월 17일.

「해외서평: 아우슈비츠에 가스실이 없었다고?」 『조선일보』 2007년 9월 22일.

「책@세상, 깊이읽기: 역사는 어떻게 씌어야 하는가」, 『경향신문』 2007년 9월 15일.

「해외서평: 유대인 학살의 주역 독일 "우리도 희생자다"」, 『조선일보』 2007년 8월
　　18일.

「해외서평: 공산주의는 종교를 패러디한 권력의 산물」, 『조선일보』 2007년 7월 28일.

「해외서평: 폴란드인은 전쟁의 희생자일까 가해자일까?」, 『조선일보』 2007년 6월
　　23일.

좌담, 「창간 좌담: 동아시아 속의 일본」, 『일본공간』 창간호 (2007년 5월).

「이슈대담: 조승희 사건을 통해 본 한국인」, 『조선일보』 2007년 5월 11일.

「시론: '집단적 죄의식' 증후군」, 『조선일보』 2007년 4월 23일.

「시론: '언어의 민주화' 생각할 때」, 『조선일보』 2007년 1월 11일.

「시론: '요코 이야기' 다시 읽기」, 『국제신문』 2007년 3월 29일.

「시론: 역전된 운명」, 『국제신문』 2007년 2월 14일.

「시론: 전통의 가벼움」, 『국제신문』 2007년 1월 2일.

「시론: '반공 어린이상' 철거와 문화적 탈냉전」, 『국제신문』 2006년 11월 13일.

「시론: 북한의 '친미' 민족주의」, 『조선일보』 2006년 10월 22일.

「영웅적 가치와 일상적 가치」, 『21세기 문학』 34호 (2006년 가을).

「시론: 정책 실패와 순진한 도덕주의」, 『국제신문』 2006년 9월 12일

「시론: 문화적 연좌제」, 『국제신문』 2006년 8월 7일.

「連續インタビュー 歷史認識: 韓國編 ① 林志弦」, 『朝日新聞』 2006年 5月 10日.

「민족주의의 공범관계」, 『중앙일보』 2006년 3월 18일.

「독도와 일본 새 역사교과서 관련보도: 자민족 중심주의 극복하는 보도 기대」, 『신문과 방송』 413호 (2005년 5월).

「중앙시평: 정의로운 거짓말?」, 『중앙일보』 2005년 6월 20일.

「중앙시평: 교육의 공공성, 대학의 자율성」, 『중앙일보』 2005년 5월 23일.

인터뷰. "'독도는 우리 땅'은 비역사적. 변경으로 이해해야", SNUNOW(서울대학교 인터넷뉴스) 2005년 4월 28일, 2005년 5월 12일.

「중앙시평: 일본인과 개 출입금지?」, 『중앙일보』 2005년 5월 2일.

「왜 근대의 가치를 놓지 못하는가?: 조희연·박태균·이병천의 비판의 답한다」, 『교수신문』 353호 (2005년 4월 25일).

인터뷰. "민족을 벗어나니 일상이 보이더라: 임지현과의 인터뷰", 고려대학교 생활도서관. 2005년 4월 11일.

「중앙시평: '우리 고유의 영토' 해결법」, 『중앙일보』 2005년 4월 10일.

인터뷰. 「적대적 공범자와 우리 안의 파시즘」, 『월간 Booksetong』 30호 (2005년 3월).

「중앙시평: 국경과 변경」, 『중앙일보』 2005년 3월 21일.

「중앙시평: 정의로운 사회, 부끄러운 사회」, 『중앙일보』 2005년 2월 7일.

「중앙시평: 인간의 얼굴을 한 시장경제」, 『중앙일보』 2005년 1월 17일.

「획일화된 국경의 경계를 넘어」, 『변경: 한국외대 매거진』 2호 (2004년 11월).

인터뷰. "고구려사가 어떻게 한국사입니까?" SNUNOW(서울대학교 인터넷뉴스) 2004년 9월 1일.

「'국사'의 굴레를 벗어 던져라」, 『한겨레 21』 523호 (2004년 8월 26일).

대담. 「제자, 스승에게 길을 묻다: 차하순·임지현」, 『조선일보』 2004년 8월 17일.

대담. 「한국 근대사 100년」, 『서울신문』 2004년 7월 16일.

대담. EBS 〈선택, 화제의 인물〉 2004년 5월 1일.

「패권을 넘어 공존으로: 한중일 '역사주권 논쟁'의 대응방식」, 『문화일보』 2004년 2월 4일.

「조선일보에 바란다: 정론 콤플렉스 씻어내길」, 『조선일보』 2004년 1월 1일.

「지그문트 바우만 인터뷰: '악의 평범성'에서 '악의 합리성'으로: 홀로코스트의 신성화를 경계하며」, 『당대비평』 21호 (2003년 봄).

좌담. 「동아시아 역사학의 반성: 국민국가의 담 밖에서」, 『기억과 역사의 투쟁: 역사 리포트 1』; 『당대비평』 특별호 (2002).

「전유된 기억의 전복을 위하여」; 「식민주의적 죄의식을 넘어서」, 『기억과 역사의 투쟁: 역사리포트 1』; 『당대비평』 특별호 (2002).

「유목민 통신 ④: 좋은 세상으로의 변화가 꼭 정치만으로 이루어질까」, 『중앙일보』 2002년 12월 21일.

「유목민 통신 ③: 민주적 사회주의와 아이스크림 튀김」, 『중앙일보』 2002년 12월 7일.

「유목민 통신 ②: 역사 뒤편에 숨어 있는 인간 내면의 악마성」, 『중앙일보』 2002년 11월 16일.

「유목민 통신 ①: 자유 위해 자유를 포기하라」, 『중앙일보』 2002년 11월 2일.

「국가연합과 연방」, 『대학생신문』 158호 (2002년 5월 28일).

「축구와 민주주의」, 『대학생신문』 151호 (2002년 4월 2일).

「움베르토 에코의 세상의 바보들에게 웃으면서 화내는 방법」, 『고교 독서평설』 132호 (2002년 3월).

대담. 「지식인 사회, 이것이 이슈다 ①: 민족주의 논쟁, 이만열·임지현 교수」, 『조선일보』 2002년 3월 12일.

「정동칼럼: 경제논리와 문화논리」, 『경향신문』 2002년 3월 1일.

「정동칼럼: '혈통주의' 콤플렉스」, 『경향신문』 2002년 1월 5일.

「성조기, 태극기 그리고 또 하나의 깃발」, 『당대비평』 17호 (2001년 겨울).

좌담. 「세계 지식인 지도를 끝내며」, 『중앙일보』 2001년 12월 15일.

좌담. 「한국의 지식 담론과 지식인 사회의 미래」, 『교수신문』 211호 (2001년 10월 15일).

「정동칼럼: 테러와 美 WASP 민족주의」, 『경향신문』 2001년 11월 9일.

「정동칼럼: 한 건축가의 작은 승리」, 『경향신문』 2001년 9월 29일.

인터뷰. 「시대지성을 만나다: 근대와 탈근대의 경계에서 역사 읽기」, 『대학생신문』 137호 (2001년 9월 4일).

「내가 요즘 읽는 책: 어리석음에 대한 예의」, 『동아일보』 2001년 8월 11일.

「내가 요즘 읽는 책: 슬픔을 느끼는 힘」, 『동아일보』 2001년 6월 23일.

「내가 요즘 읽는 책: 예술을 사랑한 혁명가」, 『동아일보』 2001년 4월 28일.

대담. "자유주의와 자본주의", EBS 위성방송 〈20세기의 한국사상〉 8회, 2001년 4월 27일.

「일상적 파시즘' 다시 읽기」, 『당대비평』 14호 (2001년 봄).

대담. "노동의 세기: 실패한 기획?", EBS 〈정운영의 책으로 읽는 세상〉 2001년 3월 27일.

「세계 지식인 지도: 사이드의 반오리엔탈리즘」, 『중앙일보』 2001년 1월 18일.

좌담. 「세계 지식인 지도를 시작하며」, 『중앙일보』 2001년 1월 1일.

「나도 사소한 일에만 분노한다」, 『동서문학』 30권 4호 (2000년 겨울).

인터뷰. 「대학의 이중 잣대 속에 숨겨진 파시즘」, 『건대』 65호 (2000년 겨울).

「역사 에세이: 관용과 불관용」, 『중등 우리교육』 2000년 12월호.

「역사 에세이: 과학과 사회」, 『중등 우리교육』 2000년 11월호.

인터뷰. 「공동경비구역을 뚫어라」, 『책과 사람』 5호 (2000년 11월).

「역사 에세이: 인간의 존엄성과 역사의 합리성」, 『중등 우리교육』 2000년 10월호.

기획대담. 「길 없는 시대의 길 찾기 ①: 21세기와 한국의 민족주의」, 『교수신문』 188호 (2000년 10월 9일).

「역사 에세이: 예술과 사회」, 『중등 우리교육』 2000년 9월호.

인터뷰. 「저자초대석: 『그대들의 자유, 우리들의 자유』 펴낸 임지현 교수」, 『출판저널』 287호 (2000년 9월 20일).

「한 국민작가의 문학적 자살: 헨릭 시엔키에비츠에 부쳐」, 『문예중앙』 90호 (2000년 여름).

「역사 에세이: 개인과 사회」, 『중등 우리교육』 2000년 7월호.

「역사 에세이: 저항과 복종」, 『중등 우리교육』 2000년 6월호.

「대한광장: 써커스와 남북 문화교류」, 『대한매일』 2000년 6월 22일.

「이념의 속살: 가상의 이념, 유머의 현실」, 『아웃사이더 01』 (2000년 5월).

「역사 에세이: 거짓과 사실」, 『우리교육』 2000년 5월호.

「대한광장: 매향리의 작은 해법」, 『대한매일』 2000년 5월 18일.

「역사 에세이: 불순함을 위한 변명」, 『우리교육』 2000년 4월호.

「대한광장: 국민, 민족, 여성」, 『대한매일』 2000년 4월 19일.

「독재는 살아 있다」, 『인터넷 한겨레』 2000년 4월 14일.

인터뷰. "한국 민족주의의 진단", 불교방송 〈아침저널〉, 2000년 4월 12일.

「인간 속의 혁명, 혁명 속의 인간」, 『씨네 21』 246호 (2000년 4월 11일).

「21세기엔 낡은 허물을 벗자: 배타적 민족주의」, 『세계일보』 2000년 4월 3일.

「두더지의 슬픈 초상: 강준만 교수에게 답함」, 『인물과사상』 23호 (2000년 3월).

「역사 에세이: '같음'과 '다름'에 대하여」, 『우리교육』 2000년 3월호.

「지구촌 시대의 세계시민의식과 민족주의」,『YMCA 청년』2000년 3월호.

인터뷰.「배타적 민족주의 벗고 풀뿌리 민주주의 입자」,『한대신문』1062호 (2000
년 3월 21일).

「부일시론: 합의독재」,『부산일보』2000년 3월 14일.

인터뷰.「한중일 공동교과서 추진하는 임지현 교수」,『한겨레 21』298호 (2000년 3
월 9일).

인터뷰.「활짝 열린 ‘잡종사회’」,『동아일보』2000년 2월 21일.

「부일시론: 인권과 주권」,『부산일보』2000년 2월 19일.

대담. “민족주의는 반역이다”, MBC 라디오 〈MBC 초대석 유시민입니다〉 2000년 2
월 7일.

「민족해방은 자유로 완성된다: 파농에게」,『동아일보』2000년 1월 31일.

「대한광장: 기억과 망각」,『대한매일』2000년 1월 27일.

「부일시론: 땅과 평화」,『부산일보』2000년 1월 25일.

「곽재환: 하늘로 뻗은 공간, 땅에 스민 건축」,『하나은행』vol. 4 (1999).

「참을 수 없는 파시즘의 일상성」,『당대비평』9호 (1999년 겨울).

좌담.「역사와 일상의 변혁, 다층적 민주주의를 향하여」,『당대비평』9호 (1999년 겨울).

좌담.「교과서를 해체하라」,『우리교육』1999년 12월호.

좌담.「언론개혁 공론의 장 본격 추진해야」,『신문과 방송』348호 (1999년 12월).

좌담. “일상 속의 파시즘, 굴종과 차별의 두 얼굴”, CBS 〈시사자키〉 1999년 12월 30일.

「세기말에 띄우는 편지 ⑧: 체 게바라에게」,『조선일보』1999년 12월 8일.

인터뷰.「폴란드 마렉 발덴베르크 교수」,『한겨레신문』1999년 12월 6일.

「일상적 파시즘의 코드 읽기」,『당대비평』8호 (1999년 가을).

인터뷰.「내 안의 권력」,『우리교육』1999년 10월호.

대담.「폴란드 지성 아담 미흐니크에게 듣는다」,『한겨레신문』1999년 10월 4일.

「국제노동사대회 참관기」,『한겨레신문』1999년 9월 30일.

「20세기와 잃어버린 마르크스주의: 프로메테우스적 진보에서 디오게네스적 해방으
로」,『문학과 사회』46호 (1999년 여름).

「21세기 한민족 정체성과 열린 민족주의」,『민주평통』270호 (1999년 8월 25일).

인터뷰.「사토 마나부 교수와의 대화」,『중앙일보』1999년 8월 13일.

「대학 속의 사회, 사회 속의 대학: 대학의 공공성을 지켜내는 일」,『미래의 얼굴』31
호 (1999년 7·8월).

"Open nationalism observed not by word but by deed," *The Korea Post*, vol. 12, no. 6 (5. June. 1999).

「한국의 민족주의는 건강한가?」, 『뉴스플러스』 185호 (1999년 5월 27일).

「시론: 脫'민족' 민족주의」, 『조선일보』 1999년 5월 11일.

「권력의 역사학에서 시민의 역사학으로」, 『역사비평』 46호 (1999년 봄).

인터뷰. "민족주의는 반역이다", MBC 라디오 〈아침을 달린다〉 1999년 4월 28일.

좌담. "터놓고 이야기합시다: 국사는 필수인가 선택인가", EBS 1999년 4월 18일.

인터뷰. 「'민족주의는 반역이다' 낸 한양대 임지현 교수」, 『세계일보』 1999년 4월 16일.

서평대담. 「열린 '시민공동체'로 민족주의 거듭나야」, 『동아일보』 1999년 4월 10일.

「문화단평: 예술의 고정관념—小亭에게 드리는 고해서」, 『교수신문』 153호 (1999년 3월 29일).

「진보를 말하는 이들에게: 참을 수 없는 이념의 진보성과 생활의 보수성」, 『말』 151호 (1999년 1월).

「린츠 노동사대회 참관기」, 『역사문제연구소 회보』 38호 (1999년 1월).

「사서와 주민의 대화: 살아 있는 종합 문화공간으로」, 『출판저널』 249호 (1999년 1월 5일).

「이념의 진보성과 삶의 보수성」, 『1998 지식인 리포트: 한국 좌파의 목소리』; 『현대사상』 특별증간호 (1998).

인터뷰. 「사학과 임지현 교수를 찾아서: 나의 패배는 참된 시작」, 『한양대학원신문』 11호 (1998년 12월).

「권두시론: 환경도서관을 위한 제언」, 『출판저널』 247호 (1998년 11월 20일).

「사회주의 거대 담론의 틈새 읽기」, 『세계의 문학』 89호 (1998년 가을).

「일사일언: 숨은 장인」, 『조선일보』 1998년 10월 28일.

「문화단평: '문화의 날'에 느끼는 비애 — 문화의 아비투스를 전환하자」, 『교수신문』 144호 (1998년 10월 26일).

「일사일언: 예술과 생활」, 『조선일보』 1998년 10월 20일.

「일사일언: 책방유감」, 『조선일보』 1998년 10월 13일.

「일사일언: 정치유머」, 『조선일보』 1998년 10월 8일.

「가상대담: 불꽃의 여자, 로자 룩셈부르크」, 『출판저널』 240호 (1998년 7월 20일).

「'바르샤바에서 보낸 편지' 펴낸 임지현 교수」, 『시사저널』 1998년 4월 23일.

「일등주의의 자본주의적 기원」, 『식스맨』 1호 (1997년 9월).

좌담. 「왜 지금 식스맨인가?」, 『식스맨』 1호 (1997년 9월).

「폴란드-현실사회주의의 징후 읽기」, 『역사문제연구소 회보』 34호; 『지성과 패기』
　　40호 (1997년 6·7월).

좌담. 「민족 그리고 민족주의」, 『고대신문』 1291호 (1997년 5월 12일).

「중심의 이념과 변경의 현실 혹은 새로운 사상과 낡은 전통, 그리고 현실사회주의
　　I·II·III」, 『지성과 패기』 37호 (1996년 11·12월); 38호 (1997년 2· 3월); 39
　　호 (1997년 4·5월).

「동구 역사기행: 무계급 사회의 계급투쟁」, 『지성과 패기』 36호 (1996년 9·10월).

「동구 역사기행: 생존의 합리성과 인간의 존엄성」, 『지성과 패기』 35호 (1996년 7·8월).

「동구 역사기행: 사회민주주의-사회자유주의-사회자본주의」, 『지성과 패기』 34호
　　(1996년 5·6월).

「동구 역사기행: 체첸의 '외로운 늑대'」, 『지성과 패기』 33호 (1996년 3·4월).

「동구 역사기행: 폴란드에 온 미시마 유키오와 귄터 그라스」, 『지성과 패기』 32호
　　(1996년 1·2월).

"Mishima Wajdy," *Wiadomości Kulturalne*, nr. 51 (17. Grudnia. 1995).

「'붉은 깃발'은 다시 휘날리나」, 『한겨레 21』 87호 (1995년 12월 7일).

「동구 역사기행: 전쟁의 승자와 역사의 승자」, 『지성과 패기』 31호 (1995년 11·12월).

「유고슬라비아의 증오민족주의에 대한 역사적 고찰」, 『대학신문』 1409호 (1995년 11
　　월 6일).

「동구 역사기행: 저항민족주의의 빛과 그림자」, 『지성과 패기』 30호 (1995년 9·10월).

「현실사회주의와 민족주의」, 『대학신문』 1408호 (1995년 10월 16일).

「폴란드 역사학의 동향」, 『교수신문』 68호 (1995년 6월 29일).

「동구 역사기행: 사회주의자는 가톨릭 신도가 될 수 있는가?」, 『지성과 패기』 28호
　　(1995년 5·6월).

「동구 역사기행: 인간의 얼굴을 한 자본주의로 가는 폴란드?」, 『지성과 패기』 27호
　　(1995년 3·4월).

좌담. 「인간의 얼굴을 한 자본주의로 가는 폴란드」, 『세계의 문학』 75호 (1995년 봄).

「친일과 청산의 역사적 책임」, 『광주대학보』 1994년 9월.

「마르크스주의에 대한 몇 가지 인문적 단상: 실증주의적 마르크스주의에서 인문적
　　마르크스주의로」, 『세계의 문학』 72호 (1994년 여름).

"Koniec Państwa Partyzańskiego," *Gazeta Wyborcza*, Nr. 159 (11. lipiec. 1994).

대토론. 「한국 민족은 언제 형성되었나?」, 『역사비평』 19호 (1992년 가을).

「기로에 선 영웅시대의 민족주의: 중앙아시아 민족 기행」, 『세계의 문학』 65호 (1992
        년 가을).

「사회주의의 역사적 전개와 그 한계」, 『한대신문』 869호 1992년 9월 8일.

「4·19 세대의 추락과 대학인의 관념성」, 『한양대학원신문』 (1992년 4월 30일).

「현 시기 민족문제의 전망」, 『월간중앙』 1992년 신년호 별책부록.

「폴란드, 민족주의와 사회주의의 격전지」, 『사회평론』 1991년 12월호.

「맑스 사관의 새로운 이해를 위하여」, 『역사비평』 14호 (1991년 가을).

「현시대 민족문제의 특징과 전망」, 『통일한국』 89호 (1991년 5월).

「사회주의 국가에서의 민족 지역문제」, 『변혁기의 세계정세』: 『사회와 사상』 전권특
        별기획 3호 (한길사, 1990).

「마르크스의 후기 사상과 유물사관」, 『충대신문』 665호 (1990년 6월 4일).

「동·유럽 사회주의의 변혁운동과 민족문제」, 『기독교사상』 375호 (1990년 3월).

「맑스와 엥겔스의 민족 개념」, 『경남대학보』 435호 (1989년 10월 23일).

임지현 학문 여정

Academic Positions

Founding Director of Critical Global Studies Institute (Present).

Professor of Transnational History at Sogang University (2015 March~Present).

Founding Director — Research Institute of Comparative History and Culture at Hanyang University (2004 March~2015 February).

Visiting Professor — Paris II University (2014 May).

Fellow — Wissenschaftskolleg in Berlin (2011 October~2012 July).

Visiting Professor — EHESS, Paris (2010 January).

Visiting Scholar — International Research Center for Japanese Studies (Nichibunken) (2009 September~2010 August).

Visiting Scholar — Harvard Yenching Institute (2002 September~2003 August).

External Professor — University of Glamorgan (2002 September~2003 August).

Visiting Scholar, School of History — Warsaw University (1995 February~1995 September).

Visiting Professor, School of History & Political Science — Pedagogical University in Cracow (1995 October~1997 February).

Professor, Dept. of History — Hanyang University (1989~1994).

Research Projects and Grants

Project Investigator, *Humanities Korea (HK) Project: Transnational Humanities* / Flying University of Transnational Humanities (2008 November ~2018 October).

Co-Project Investigator (with Prof. Alf Lüdtke), *World Class University Project: Transnational Alltagsgeschichte* (2008 December~2013 August).

Project Investigator, *International Research Network on Mass Dictatorship* (2002 September~2008 August).

Research Group Co-Leader, *East Asian History Forum for Criticism and Solidarity* (2000~2006).

International Research Network

Transnational Memory Project — in collaboration with:

— Carol Gluck, George Sansom Professor of History, Columbia University, USA.

— Eve Rosenhaft, Professor of German Historical Studies, School of Cultures, Languages and Area Studies, University of Liverpool, U.K..

— Marie-Claire Lavabre, Director of ISP, CNRS, Paris.

History of Social Movements: A Global Perspective — in collaboration with:

— Stefan Berger, Professor of Social History and Director of the Institute of Social Movements, Ruhr-University Bochum, Germany

Transnational Korean Studies Network — in collaboration with Korean/East Asian Studies of ANU, UCSD, University of Toronto, Tübingen University, EHESS.

Flying University of Transnational Humanities — in collaboration with world history center at Pittsburgh University, center for area studies at Leipzig University, transnational history at St. Andrews University, History Department at Tampere University.

Professional Activities

President, Network of Global and World History Organizations (NOGWHISTO), Leipzig, Germany (2015 August~Present).

Trustee, Toynbee Prize Foundation (2016 April~Present)

Assessor, Executive Board, International Congress of Historical Sciences (ICHS), Paris, France (2010 August~Present).

Board member, International Scientific Committee, International Conference of Labour and Social History (ITH), Linz, Austria (1998~Present).

External Reviewer, European Science Foundation (ESF), Strasbourg, France (2008 May~2012 April).

Editorial Boards

* Book Series

— Series Editor, Palgrave Macmillan series *Mass Dictatorship in the 20th Century*.

- Jie-Hyun Lim and Karen Petrone eds., *Gender Politics and Mass Dictatorship: Global Perspectives* (2011).
- Michael Kim, Michael Schoenhals and Yong-Woo Kim eds., *Mass Dictatorship and Modernity* (2013).
- Michael Schoenhals and Karin Sarsenov eds., *Imagining Mass Dictatorships: Individuals and the Masses in Literature and Cinema* (2013).
- Jie-Hyun Lim, Barbara Walker and Peter Lambert eds., *Mass Dictatorship and Memory as Ever Present Past* (2014).
- Alf Lüdtke eds., *Everyday Life in Mass Dictatorship: Collusion and Evasion* (2016).

— Co-editor, Palgrave Macmillan series *History of Social Movements*.

*Journals

— Editorial Board, *Moving the Social: Journal of Social History and the History of Social Movements*, published by the Institute of Social Movements, Ruhr-University Bochum, Germany (2012~Present).

— Editorial Board, *Annales Universitatis Paedagogicae Cracoviensis. Studia Politologica*, published by Cracow Pedagogical University, Poland (2012~Present).

— International Advisory Board, *Politics, Religion and Ideology* (*formerly Totalitarian Movements and Political Religions*) (2004~Present).

— Editorial Board, 『당대비평(Contemporary Criticism)』 (1999 Summer~2004 March).

— Editorial Board, 『역사와 문화 (History and Culture)』 (2000 March~2002 February).

— Editorial Board, 『역사비평(Review of Critical History)』 (1993 September~1999 December).

— Editorial Board, 『역사학보(The Korean Historical Review)』 (1997 January~1998 December).

— Editorial Board, 『서양사론(The Western History Review)』 (1991 May~1993 April).

Selected Presentations

"What is Critical in Critical Global Studies?" Global Studies in Japan and East Asia.
10th Anniversary of the Graduate Program in Global Studies Sophia University
Yotsuya Campus Building. 12. November. 2016.

"Victimhood Nationalism in the Transnational Memory Space." DIJ Forum,
Deutsches Institut für Japanstudien. 10. November. 2016.

"Revolution Comes to East." World-Counter-Revolutions: 1917~1920 From a Global
Perspective Conference, FU/Humboldt University. Volkswagenstiftung
Conference Center in Hannover. 10. June. 2016.

"Prospectus for the Flying University of Transnational Humanities." AAWH Board
Meeting-World History in East Asia, Osaka University. Awajishima Westin
Resort Hotel. 4. June. 2016.

"Victimhood in the East European Memory Regime." Regions of Memory II,
European Network of Remembrance and Solidarity. Library Hall at University
of Warsaw, 18. March. 2016.

"Victimhood Nationalism and Apologetic Memories in the Global Memory Space."
International Symposium: Memory Regime Change and Memory Activists in
East Asia. Waseda University, 角田柳作記念館. 4. February. 2016.

"Historians at the Aporia of Past: Between Fact Interrogator and Memory Activist."
Memory in Europe and Asia Seminar. Kwansei Gakuin University, Kobe. 29.
November. 2015.

"Problematizing the Eastern-Central Europe in the Postcolonial Perspective."
Central European Studies in East Asia, Josai University. 7. November. 2015.

"Towards a Transnational East Asia." Global Think-In/Symposium. Columbia
University, Beijing Center. 15. October. 2015.

"Keynote Speech: Mapping Mass Dictatorship in the Global History." Rethinking
Power and State in History, The Finnish Center of Excellence in History
Research/University of Tampere. Tampere, Finland. 13. October. 2015.

Chair and Organizer. Evening Session of 'History and Ethics.' 22nd International
Congress of Historical Sciences. Jinan, China. 28. August. 2015.

"New Trends in Transnational History Writing among East Asian Historians."

IAO Session 15. 22nd International Congress of Historical Sciences. Jinan, China. 27. August. 2015.

Discussant: "The Use and Abuse of History." Joint Session 14. 22nd International Congress of Historical Sciences. Jinan, China. 26. August. 2015.

"Victimhood Nationalism and History Reconciliation in East Asia." EPRIE Workshop. Tokyo. 21. July. 2015.

"Victimhood Nationalism in the Transpacific Space." AAS Asia. Academia Sinica. Taiwan. 24. June. 2015.

Round Table Discussion for the centennial of the Armenian Genocide, Organized by the Transnational Memory Project team. Columbia University Global Center in Istanbul. 16. April. 2015.

"History Textbooks Controversy in East Asia and Nationalist Phenomenology." Institute of East Asian Studies. Bogazic University. 14. April. 2015.

"Victimhood Nationalism in Transnational Memory Space: National Mourning and Global Accountability." Institute of Contemporary History. Slovenian Academy of Sciences. 10. April. 2015.

"Mass Dictatorship in Koreas-On Park's Developmental Dictatorship and Kim's Chu-che Dictatorship." Institute of Japanese Studies/East Asian Studies. Ljublijana University. 9. April. 2015.

"Round Table: The Future of Scholarly Future." SSRC, SAGE publisher, Rockefeller Foundation. Rockefeller Center, Bellagio. Convener: Kenneth Prewitt. 16~20. March. 2015.

"Victimhood Nationalism." Institut Socjologii UW. 15. January. 2015.

"The Contested Victimhood in the Transnational Memory Space." The conference of 'authenticity and victimhood.' Topographie des Terrors. IfZ, ZZf, Georg Eckert Institut. 11~13. December. 2014.

"The impact of globalization on the way that people perceive the world." FUTH, University of Pittsburgh. June. 2014.

"국사를 향한 포섭으로서의 세계사." Global History from Asian Perspectives. Tokyo University. 21. July. 2013.

"World History as a Nationalist Rationale in East Asia." The General Conference of the Japanese Society of Western History. Kyoto University. 12. May. 2013.

"Who Suffered Most? Victimhood Nationalism in Transpacific Perspective." Panel on Trans-Pacific Imagination, Trans-Pacific Studies, Annual Meeting of the Association for Asian Studies, San Diego. 23. March. 2013.

'Empire and Its Effects,' Session 2: Perceptions and Legitimations: nation, class, and gender, Joint Workshop organized by Remarque Institute, NYU, and ISReTO, University of Siena, Institute, Remarque Institute. 8. February. 2013.

"Victimhood Nationalism, History Reconciliation and Transnational Asia." CUNY Committee on Globalization and Social Change. 2. May. 2013.

Keynote Speech, Asian Studies Association of Australia Conference Keynote Speech. University of Western Sydney. 13. July. 2012.

"A Transnational History of Victimhood Nationalism: National Mourning and Global Accountability." Keynote Address, International Workshop on Intersectionality and the Spaces of Belonging. Bangor University. 28. June. 2012.

"Victimhood Nationalism in the Transpacific Space." Free University Berlin. 6. June. 2012.

"Victimhood Nationalism: A Transnational History of Vergangenheitsbewältigung in Poland, Germany, Israel, Japan and Korea." University of Tübingen. 15. May. 2012.

"A Transnational History of Victimhood Nationalism: Germany-Poland-Israel and Japan-Korea." GWZO. University of Leipzig. 25. April. 2012.

"Victimhood Nationalism in Post-totalitarian Historiography: On the Third Republic of Poland and the Sixth Republic of Korea." Panel on Political Regimes and Historical Writing, European Social Sciences History Conference. University of Glasgow. 12. April. 2012.

"Victimhood Nationalism: Global Perspectives." School of Humanities and Social Sciences Lecture Series, Jacobs University. 28. March. 2012.

"Nationale Opferrollen und Opfernationalismen in umstrittenen Erinnerungen." Wissenschaftskolleg zu Berlin Colloquium. 21. February. 2012

"Welt Aneignen. Alltagsgeschichte in Transnationaler Perspective." Alltag Transnationaler Denken 1. University of Göttingen. 12. January. 2012.

"Transnational Perspectives on the Victimhood Nationalism in East Asia and Europe: National Mourning and Global Accountability." Institut fur die Sozial Bewegung. Bochum University. 21. November. 2011.

"Victimhood Nationalism in Contested Memories: National Mourning and Global Accountability." Global History Colloquium. Free University Berlin. 14. November. 2011.

"Knowledge Construction in Globalization and the Transformations of Cognitive Patterns. An Epistemological Revolution?" Collège International de Philosophie, France. 7. November. 2011.

"World History and the Nation's Playground: Imagining Nations in the Imagined World." Humboldt University of Berlin. 22. October. 2011.

"Victimhood Nationalism." Free University Berlin. 17. October. 2011.

"Victimhood Nationalism in National History Writings: Comparative Perspectives on Europe and East Asia." International Committee of Historical Sciences. Helsinki, Finland. 12. May. 2011.

"Asia as a Problem in Transnational Humanities." Joint Conference of AAS and ICAS. 1. April. 2011.

"A Postcolonial Reading of Sonderweg: Marxist and Modernist Historicism Revisited." Transnational Humanities and Area Studies — A Joint Conference between the Research Institute of History and Culture at Hanyang University and the Society for the Humanities, Cornell University. 19. February. 2011.

"Lim, Jie-Hyun's 'Victimhood Nationalism in Contested Memories: National Mourning and Global Accountability'." Asian History Colloquium. Department of Asian Studies, Cornell University. 18. February. 2011.

"Victimhood and Dictatorship in Korea." L'Institut des Sciences de la Communication du CNRS. 24. January. 2011.

"Colonial Modernity or Sonderweg?: A Post-colonial Reading of Marxist Historicism." Postcolonial Reading of Sonderweg. Hanyang University.

3~4. December. 2010.

"Towards a New Transnational Community of Memory: Victimhood Nationalism in Contested Memories." Flying University of 'Borders: Regions and Regionalization.' Hanyang University. 11~16. June. 2010.

"A Transnational History of 'Victimhood Nationalism' and Historical Culture (Korea, Japan, Poland, Germany, and Israel)." 8th Nordic Summer School in Contemporary History: Transformation, Transfer, Trans-disciplinarity. Doing History beyond the Nation-State in the 21st Century. Aarhus University, Aarhus, Denmark. 8~12. August. 2010.

"A Transnational History of Victimhood Nationalism in East Asia and Eastern Europe." Dept. of Global History. Osaka University. 23. July. 2010.

"トランスナショナル人文学: 何をなさぬべきか." 東アジアにおけるトランスナショナル人文学の可能性. 主催: 漢陽大 比較歴史文化研究所・国際日本文化研究センター. 国際日本文化研究センター. 2010年 7月 15~18日.

"Victimhood Nationalism on the Transpacific Space." 日本近現代文化研究センター. Nagoya University. 30. June. 2010.

"The Impact of Colonialism to the European Froms of Mass Dictatorship." Making Europe: The Global Origins of the Old World. FRIAS. 27~29. May. 2010.

"Transnational or International Dialogues? Transnational History and National Counteractions in East Asia." Freiburg Institute For Advanced Studies. 24~26. May. 2010.

"Transnational History of the Mass Dictatorship." WINC. Tokyo University of Foreign Studies. 24. April. 2010.

"Victimhood Nationalism and Global Accountability." UTCP. Todai-Komamba Campus. 21. April. 2010.

"Transnational Humanities-what is not to be done?" Hidotsubashi University. School of Languages and Literature. 20. April. 2010.

"Victimhood Nationalism and History Reconciliation in East Asia." 近代東アジアにおける 学術 概념의 형성과 지식공간 학술심포지엄. Nichibunken-Zhungsan University Symposium. Guangzhou. 24~27. November. 2009.

"Where Has the Socialism Gone: Korean Lefts Looking at Post-Communist

Eastern Europe." International Conference of "1989 In a Global Perspective." Global and European Studies Institute, University of Leipzig. 14~16. October. 2009.

"Mapping Mass Dictatorship." Folio Project at Lund University. Sweden. 12. October. 2009.

"The Migration of Intellectuals and Border-Crossers in the Cold War Era." Shared. Divided. United. Germany-Korea: Migration Movements During the Cold War (Neue Gesellschaft für Bildende Kunst e.V. (NGBK) Exhibition Catalogue) NGBK Exhibition. 10. October~15. November. 2009.

"Competing Subjectivities in Mass Dictatorship: Self-empowerment or Self-Mobilization." Biopolitics, Ethics, and Subjectivation: Questions and Modernity. Taipei. 24~28. June. 2009.

"(Trans)-National Science: Scientific Universalism and Methodological Nationalism (Not techno-nationalism)." The First Congress, The Asian Association of World Historians(AAWH). Osaka, Japan. Osaka University Nakanoshima Center. 29~31. May. 2009.

"Transnationality of the Victimhood Nationalism." Transnational History in East Asia. Duke University. 5~6. January. 2009.

"A Global History of Mass Dictatorship as the Self-mobilization Regime." The 123rd AHA's annual meeting (2~5. January. 2009). Nassau Suite A. Hilton Hotel. NYC. Panel Organizer and Chair. 4. January. 2009.

"Competing Historiographies: Transnationalism and Nationalism in East Asian Historiographies." 18th Pacific History Association Bi-ennial Conference. *Who are we and what are we doing here?* The University of the South Pacific. Suva. Fiji. 8~12. December(11. December. Thursday). 2008.

"Post-totalitarian Democracy: A ground for comparison between Poland and Korea." *Post-totalitarian Democracy in Comparison: Transnational context of democratization in Poland and Korea.* Hanyang University. 20. November. 2008.

"Presentation of the work of Team 3 (Matthias Middell and Lluis Roura y Aulinas)." commentator. Final ESF-NHIST conference. Manchester Town Hall and

University of Manchester. 23~25. October. 2008.

"Mourning Nations: Victimhood Nationalism and Historical Reconciliation." Historical Dialogue and Reconciliation in East Asia: Recent Practice and Future Prospects. Harvard University Asia Center. Yenching Institute-Reischauer Institute-Fairbank Center. 12~13. September. 2008.

"Victimhood Nationalism in Coming to Terms with the Pasts." The 6th International Conference of Mass Dictatorship: Mass Dictatorship. RICH. 26~29. June. 2008.

"Tensions Between National and Transnational History Paradigms in Contemporary East Asian Historiography." Global History Globally. Harvard University. 8~9. February 2008.

"아래로부터의 지구화와 탈민족적 상상력." 비판사회학회 학술심포지엄 '지구화 시대 탈국가적 상상력.' 숙명여자대학교 사회교육관. 2008년 1월 11~12일.

"한국인의 역사의식과 '희생자의식' 민족주의." 서울대학교 규장각 학술대회 '세계화 시대에 한국의 민족과 영토성 다시 읽기.' 서울대학교 사범대학 교육정보관. 2007년 11월 2~3일.

"Victimhood Nationalism." グローバル化時代の植民地主義とナショナリズムシンポジウム報告原稿集. 立命館大学. 2007年 10月 19~21日.

"An Awkward Convergence? Fascism and Socialism as the anti-Western Modernization Project." The 5th International Conference of Mass Dictatorship. Hanyang University. 25~27. June. 2007.

"Towards a Transnational East Asia." 제4회 제주평화포럼. 제주 해비치호텔. 2007년 6월 21~23일.

"유럽의 역사논쟁: 국가주의와 보편주의." 동북아시대위원회·동북아역사재단 심포지엄 '동북아를 보는 눈: 국가주의와 보편주의.' 프레스센터. 2007년 5월 30일.

"Victimhood Nationalism." The Sites and Spheres of War Commemorations from Museum to Mass-Media. RICH. 19. May. 2007.

"민족미술은 실재하는가?" 민예총 포럼 '다시 민족을 고민하며.' 서울역사박물관. 2007년 4월 12일.

"Discussion: collaboration panel." Annual Meeting of AAS, Marriot Hotel, Boston.

21~24. March. 2007.

"A proposal for flying university of transnational history." International Workshop on global and transcultural studies, University of California, Santa Barbara. 16~17. February. 2007.

"Displacing East and West." Internationale Konferenz in Kulice, Deutsche Ostforschung und polnische Westforschung 2: Institutionen-Personen-Vergleiche. Szczecin University, Poland. 8~9. December. 2006.

"Is National Art Real?" International Workshop of Beyond Nationalism in Visual Arts. 아트선재센터. 2006년 12월 4~5일.

"民主化以後の民主主義へ向かつで: 日常的fascismから大衆獨裁論まで." 北海道大學院法學研究所. 2006年 11月 13日.

"Whose Public Sphere? Beyond the Normative Understanding of the public sphere in East Asia." Public lecture in EALAI(East Asia Liberal Arts Initiative) Project. Tokyo University, Komaba Campus. 30. October. 2006.

"동양에서 서양으로: 폴란드 역사교과서의 민족운동 서사 구조." 2006년 역사학회 하계 심포지엄 '한국 근현대 역사교과서의 독립운동사 서술과 쟁점.' 약암 관광호텔. 2006년 8월 17~18일.

"Hereditary Victimhood and Nationalist Historiographies: A Comparative Approach to Israeli, Polish and Korean Historiography." Public Lecture. University of Erfurt. 12. June. 2006.

"Antagonistic Complicity of Nationalisms: On the Nationalist Phenomenology in East Asian History Textbooks." University of Leipzig. *Contesting Views on a Common Past: Revisions of History in East Asia.* 8~11. June. 2006.

"독재와 민주주의의 '근대적 기원'." 2006년 춘계 대중독재 학술토론회 '근대의 경계에서 독재를 읽다: 대중독재와 박정희 체제.' 한양대학교. 2006년 4월 14일.

"The Configuration of East and West in the Global Chain of National History-On the East Asian Historiography." 交大新興文化研究中心. Taiwan. 15. December. 2005.

"Mass Dictatorship," 交大新興文化研究中心. Taiwan. 14. December. 2005.

"Retrospective Prospects in Mass Dictatorship." The 3rd International Conference

of Mass Dictatorship: Mass Dictatorship Between Desire and Delusion.
Mayfair. 17~19. June. 2005.

"Invited Discussant to Roundtable Discussion." *Translating Universals*. UCLA.
January. 2005.

"열린 민족주의 대 포스트 민족주의." 전국인문학연구소협의회 제8회 인문학 학술
대회 '인문학은 말한다: 오늘의 양극화 현상에 대한 성찰과 모색.' 이화여대
포스코관. 2004년 11월 27일.

"Rescuing Gogurye from the Nation." 아시아유럽 교과서 세미나: 동서양 식민지
역사 서술과 민족주의. 한국학중앙연구원. 2004년 10월 7~8일.

"'국사'의 대연쇄와 오리엔탈리즘." 제47회 전국역사학대회. 서울대학교. 2004년 5
월 29일.

"The Configuration of Orient and Occident in the Global Chain of National
Histories: Writing National Histories in North-East Asia." ESF Project
Representations of Past: Writing National Histories in Europe First Cross-Term
Conference. University of Glamorgan. 20~22. May. 2004.

"Between 'National Sovereignty' and 'Historical Sovereignty.'" *Frontiers or Borders?*
한양대학교 비교역사문화연구소 창립기념 국제심포지엄. 2004년 3월
23~24일.

"세습적 희생자의식과 탈식민주의 역사학." 54회 공공철학 교토포럼. 2004년 3월
12~14일.

"포스트 9·11 민족주의: '대중의 국민화' 전략과 '국민 참여'." 한신대학교 학술원
제2차 학술대회 '우리 것으로 학문하기 II: 21세기 한국 사회와 민족주의.'
한신대학교 60주년기념관. 2003년 11월 13일.

"Mapping 'Mass Dictatorship' in Historical Perspective." International Conference
of Mass Dictatorship. Hanyang University. 24~26. October. 2003.

"Hereditary Victimhood and the Post-colonial Historiography in East Asia." Public
Lecture. Institute of Korean Studies. UCLA. 23. May. 2003.

"Coercion and Consensus: A Comparative Study on Mass Dictatorship." Public
Lecture. School of Humanities and Social Sciences, University of
Glamorgan. 14. May. 2003.

"세습적 희생자의식과 포스트콜로니얼 역사학." 비판과 연대를 위한 동아시아 역사

포럼 제4차 워크숍. 2003년 4월 25~27일. 가나가와 와세다 대학교 연수원.

"Coercion and Consensus: A Comparative Study on Mass Dictatorship." Public Lecture. School of East Asian Studies. Cornell University. 18. April. 2003.

"Nationalist Message in Socialist Code: Historiosophical Parallels of Party Historiography in People's Poland and North Korea." Harvard Ukrainian Research Institute. 13. March. 2003.

"Post Marxist Perspectives on Rosa Luxemburg." Internationale Rosa Luxemburg-Konferenz am 6~7. September. 2002. im Institut für soziale Bewegungen. Bochum.

"일상적 파시즘과 한국의 의료 체계." 한국의학교육학회·한국의과대학장협의회·대한의학회 제11차 합동학술대회. 경희대학교 종합강의동. 2002년 5월 23일.

"Subalterns' Perspectives on Polish Irredentism." 일본 동유럽사 연구회. 도쿄 대학교 고마바 캠퍼스. 2002년 2월 16일.

"아래로부터의 파시즘." 도쿄 외국어대학교 워크숍: 글로벌리제이션의 폭력을 가시화시키기 위해. 2002년 2월 15일.

"Creolizing English: Appropriating or Appropriated?" Traces 회의. 2001년 12월 15일. 도쿄 히토쓰바시 대학교.

"포스트 맑스주의와 러시아 혁명." 한양대학교 인문학연구소 창립기념 심포지엄 '탈근대의 담론과 권력 비판.' 한양대학교 인문관. 2001년 11월 3일.

"비판과 연대를 위한 동아시아 역사포럼 공동워크숍 제안서." 비판과 연대를 위한 동아시아 역사포럼 제1차 워크숍. 2001년 9월 2~4일. 수유리 아카데미하우스.

"일상적 파시즘 다시 읽기." 당비포럼. 이화여대 교수연구동. 2000년 12월 22일.

"민족의 역사학에서 인간의 역사학으로." 한신대학교 개교 60주년 및 늦봄 문익환 목사 6주기 기념 통일심포지엄 '한반도 통일 논의의 쟁점과 과제.' 금강산행 봉래호 회의장. 2000년 11월 12~15일.

"근대의 담 밖에서 역사 읽기: 20세기 한국 역사학과 '근대'의 신화." 문화사학회 월례발표회. 이화여대 교수연구동. 2000년 11월 4일.

"The Nationalist Message in Socialist Code: On the Court Historiography in People's Poland and North Korea." The 19th International Congress of Historical Sciences. 6~13. August. 2000. Oslo. Major Theme. "The Uses and Abuses of History and Responsibility of the Historian, Past and Present." 9. August. 2000.

"남북한 국가권력과 '합의독재(Consensus Dictatorship)'." 한국인권재단 '제주인권학술회의 2000.' 서귀포 칼호텔. 2000년 2월 26일.

"The Shifting Marxist Historiography: From Hard History to Soft History." 2000 American Historical Association Annual Meeting. Chicago. 6~9. January. 2000.

"한반도 민족주의와 권력 담론: 비교사적 문제제기." 장준하 기념사업회 '장준하 선생 정신계승 심포지엄.' 세종문화회관 대강당. 1999년 12월 8일.

"전 지구적 근대성과 민족주의." 역사문제연구소 심포지엄. 연세대학교 신인문관. 1999년 11월 20일.

"Nationalist Message in Socialist Code." 문화사학회 월례발표회. 이화여대 교수연구동. 1999년 11월 13일.

"민족주의: 전통과 근대의 변증법?" 성균관대학교 인문과학연구소 제19회 학술심포지엄 '동서양의 민족주의와 민족운동.' 성균관대학교 법대 첨단강의실. 1999년 11월 12일.

"민족 담론의 스펙트럼: 원초성, 근대성, 탈근대성." 영미문학연구회 제8회 학술대회. 홍익대학교 와우관 세미나실. 1999년 10월 9일.

"From the Labour Emancipation to the Labour Mobilization: socialism as a way of Anti-Western Modernization in Underdeveloped Countries," 35. Linzer Konferenz, *Das 20. Jahrhundert-ein Jahrhundert der Arbeiterbewegung?* 14~18. September. 1999.

"역사의 대중화와 대중의 역사화: 유럽의 사례를 중심으로." 중앙대학교 사학과 창과 40주년 기념 학술심포지엄. 중앙대학교 대학원. 1998년 11월 13일.

"현실 참여와 권력에의 꿈: 폴란드 인텔리겐챠의 이중성." 중앙대학교 인문과학연구소 제70회 정기학술발표회. 중앙대학교 서라벌홀. 1998년 6월 8일.

"Obraz Rewolucji 1848 r. w Oczach Azji." Konferencja "Wiosna Ludów w Galicji" WSP i Fundacja im. Kelles-Krauza. Kraków. 27. Kwietnia. 1998.

"Race and Class: Eugene V. Debs and Rosa Luxemburg." Institute of Working Class History/Socialist Party. Chicago. 6. February. 1998.

"폴란드 노동자 계급의 민족의식과 계급의식: 분할 점령기(1870~1918)를 중심으로."

제4차 서양사학술대회 '서양에서의 민족과 민족주의.' 광릉. 1997년 10월 25일.

"Korea i Polska w Dziejach Najnowszych-Podobieństwo i Różnica." *Korea i Polska: Proces Modernizacji w Perspektywie Historycznej.* WSP in Krakow. 30. June. 1997.

"Klasa Robotnicza, Etniczność i Nacjonalizm w Polsce, 1870~1939." Koloqwium Historii Społecznej XIX I XX wieku. Wydział Historii UW. 13. January. 1997.

"Stan Badań Najnowszych Historii Kobiety w Korei." Towarzystwo Historii Kobiety. Warsaw University. 16. December. 1996.

"Neither National Nihilism Nor International Nihilism: Rosa Luxemburg and the National Question." Internationale Tagung Rosa Luxemburgs. Warsaw. 16~17. September. 1996.

"Cechy Rozwojowe Ruchu Robotniczego Koreańskiego." Towarzystwo Naukowe Imienina Adama Próchnika. 20. November. 1995.

"Interclass Solidarity or Supraclass Solidarity: the controversy over the agrarian question in the Polish socialist irredentism." *Identity in Flux.* Portsmouth University. 24. September. 1995.

"Was Red Rosa a National Nihilist?: Rosa Luxemburg in the Polish Socialist Movement." VIII-15 "Social Thought." V World Congress of Central and East European Studies. Warsaw. 8. August. 1995.

"동유럽 민족운동의 구조와 논리." 제36회 전국역사학대회 공동주제 발표. 한양대학교. 1993년 5월 21일.

"마르크스의 후기 사상과 유물사관: 단선론적 단계론에 대한 비판적 고찰." 제287회 역사학회 월례발표회. 한글회관. 1990년 3월 10일.

"마르크스-엥겔스와 민족문제." 제87회 서양사학회 연구발표회. 학술진흥재단. 1988년 12월 3일.

"마르크스, 엥겔스와 아일랜드 민족문제." 제82회 한국서양사학회 연구발표회. 학술진흥재단. 1987년 9월 26일.

"서양사 교육의 과거와 현재: 중등교육을 중심으로." 제29회 전국역사학대회. 숭실대학교. 1986년 5월 31일.

"다윈과 마르크스: 지적관계를 중심으로." 제27회 전국역사학대회. 단국대학교. 1984년 6월 2일.

인명 색인

ㅊ

ㅋ